Alguma destas frases lhe soa familiar?

- ☐ Você está cansado de ouvir "não estou nem aí".
- ☐ Você teria um ataque cardíaco se entrasse no quarto de um de seus filhos e o encontrasse organizado.
- ☐ Você costuma relembrar aquele tempo em que seu cônjuge lhe dava atenção.
- ☐ Que bom seria se, para variar, você só tivesse que dizer uma única vez aos filhos que fossem para o quarto. Melhor ainda: se você pudesse enviá-los para um programa de intercâmbio internacional (não importa o país).
- ☐ Uma noite excitante com seu cônjuge é aquela em que não há gritos, choros nem idas ao pronto-socorro.
- ☐ Você é o chefe da família, mas fica sabendo de várias coisas por terceiros.
- ☐ Você acabou de perceber que existem três deles e apenas dois de vocês.
- ☐ O sexo é uma lembrança distante. Agora, tudo o que você quer é paz, sossego e uma boa noite de sono.
- ☐ Você se lembra de ter dito "na alegria ou na tristeza", mas agora acha que deveria ter pensado um pouco melhor antes de ter dito "até que a morte nos separe".
- ☐ A última flor que você viu foi a do velório do seu tio.
- ☐ Você gostaria de deixar seus filhos de castigo para sempre... em algum outro lugar.
- ☐ Todo mundo quer um pedaço de você, e não sobra nada para doar.
- ☐ Você sabia que o casamento e a criação dos filhos não seriam fáceis, mas não esperava ver o que está acontecendo.
- ☐ O único membro da família que escuta você é o cachorro.
- ☐ Você se sente o saco de pancadas da família.
- ☐ Você passa muito tempo desejando que as coisas fossem diferentes em sua família.

Se pelo menos um desses pensamentos lhe ocorreu, seu desejo de ter controle das situações que envolvem o cônjuge ou os filhos pode se tornar realidade.

Você pode começar a caminhar hoje rumo à transformação de sua família, em curto espaço de tempo. Será que isso é mesmo possível? Sim! Na verdade, você pode ter uma família mais feliz em poucos dias. Abrace as verdades e sugestões apresentadas neste livro, coloque-as em prática e veja-as durarem uma vida inteira.

TRANSFORME SUA FAMÍLIA EM CINCO DIAS

Uma proposta surpreendente que você precisa testar

—

KEVIN LEMAN

Traduzido por Emirson Justino

Copyright © 2011 por Kevin Leman
Publicado originalmente por Revell, uma divisão da Baker Publishing, Grand Rapids, Michigan, EUA.

Todos os direitos reservados e protegidos pela Lei 9.610, de 19/02/1998.

Os textos das referências bíblicas foram extraídos da *Nova Versão Transformadora* (NVT), da Editora Mundo Cristão (usado com permissão da Tyndale House Publishers, Inc.), salvo indicações específicas.

É expressamente proibida a reprodução total ou parcial deste livro, por quaisquer meios (eletrônicos, mecânicos, fotográficos, gravação e outros), sem prévia autorização, por escrito, da editora.

Edição
Daniel Faria

Preparação
Luciana Chagas

Revisão
Josemar de Souza Pinto

Diagramação
Aldair Dutra de Assis

Produção
Felipe Marques

Colaboração
Ana Paz

CIP-Brasil. Catalogação na publicação
Sindicato Nacional dos Editores de Livros, RJ

L563t

   Leman, Kevin
     Transforme sua família em cinco dias : uma proposta surpreendente que você precisa testar / Kevin Leman ; tradução Emirson Justino. - 1. ed. - São Paulo : Mundo Cristão, 2019.

     Tradução de: Have a happy family by friday
     ISBN 978-85-433-0466-3

     1. Família - Aspectos religiosos - Cristianismo. 2. Vida cristã. I. Justino, Emirson.II. Título.

19-58053
                                           CDD: 248.4
                                           CDU: 27-584

Publicado no Brasil com todos os direitos reservados por:
Editora Mundo Cristão
Rua Antônio Carlos Tacconi, 69
São Paulo, SP, Brasil
CEP 04810-020
Telefone: (11) 2127-4147
www.mundocristao.com.br

Categoria: Família
1ª edição: setembro de 2019

Sumário

Agradecimentos   7

Introdução
Sucesso garantido   9

Segunda-feira
Escolha suas palavras, mude sua família   11
O que você diz e a maneira como diz têm tudo a ver com a forma como seus familiares reagem.

Terça-feira
Os cinco grandes: tempo, prioridades, atividades, trabalho e finanças   33
O que fazer, o que não fazer e por quê.

Quarta-feira
Navegando em meio à tempestade perfeita   45
Como obter o melhor de crianças pequenas e adolescentes, bem como de todas as faixas etárias entre eles.

Quinta-feira
Por que papai não pode ser mamãe e mamãe não pode ser papai   89
Ajustem seus papéis — e seu casamento — para alcançar o melhor e mais indelével brilho. (Se você é solteiro, também há coisas boas para você aqui.)

Sexta-feira
Missão possível   143
Como aproveitar o tempo que vocês têm juntos e estabelecer conexões duradouras.

Pergunte ao dr. Leman
Assuntos atuais e conselhos que comprovadamente funcionam   153
Segunda-feira: Comunicação e dinâmica familiar
Terça-feira: Tempo, prioridades, atividades, trabalho e finanças
Quarta-feira: Disciplina e atitude
Quinta-feira: Papai, mamãe e o casamento
Sexta-feira: Conexões familiares

Contagem regressiva para ter uma família transformada até sexta   199

Apêndice
Os segredos da ordem de nascimento   201

Notas   221

Agradecimentos

Agradeço...

Aos fiéis leitores dos meus livros, aos que comparecem às minhas palestras, aos que me assistem em programas de televisão, aos que me ouvem no rádio e aos leais fãs de minha página no Facebook, que fornecem bastante motivo para reflexão e trazem inspiração para novos livros que ajudarão multidões de famílias exatamente iguais às suas. Vocês são muito estimados.

À minha equipe editorial cheia de estrelas — Lonnie Hull DuPont, Jessica English e Ramona Cramer Tucker — que representam estágios variados na maravilhosa mistura de vida e diversão chamada *família*.

À minha família,
que me ensinou tanto
e continua me ensinando sobre
como ter uma família mais feliz.

Minha amada esposa, Sande.
Nossos filhos: Holly e seu marido, Dean;
Krissy e seu marido, Dennis;
Kevin; Hanna e seu marido, Josh; e Lauren.
Nossos netos, Conner e Adeline,
a quem amamos até não poder mais.

INTRODUÇÃO

Sucesso garantido

É possível ter uma família transformada até sexta-feira? Parece meio louco, não é? Mas é verdade. Você pode mudar sua família em cinco dias. Contudo, se você for como eu — um pouco impaciente —, vai querer desfrutar dessa família nova já na quarta-feira. Ou agora mesmo.

Aqui está a grande notícia. Você *pode* ter uma família transformada na sexta-feira. De fato, você pode tê-la na quarta-feira... Ou até mesmo no final do dia!

Transforme sua família em cinco dias vai lhe mostrar como fazer isso. Os princípios deste livro lhe darão o mapa para o sucesso.

Você pode ser casado, com ou sem filhos. Pode ser pai solteiro ou mãe solteira, com crianças em casa ou com filhos sendo criados por um ex-cônjuge. Pode ser um avô que cria os netos ou que tem netos vivendo em sua casa. Você pode até mesmo ser um solteiro que espera um dia se casar e quer descobrir como produzir a família mais feliz que alguém já imaginou.

Isso é possível? Sim, é.

E tem tudo a ver com você. *Você* pode mudar o mundo de sua família.

Antes, porém, gostaria de lhe perguntar algumas coisas. A primeira refeição que você preparou foi a melhor que já fez? O primeiro emprego que teve foi o melhor de todos?

Provavelmente não.

A questão é: todos nós temos de começar em algum lugar para conseguir fazer um progresso visível. Hoje é esse dia para você e toda a sua família.

Cada membro da família desempenha papel vital no desenvolvimento e no bem-estar da unidade familiar. Até mesmo o cachorro, o gato e o peixinho dourado têm uma função. Todos precisam contribuir por meio de suas características próprias e singulares. Todo mundo na casa é importante e merece ser tratado com amor e respeito. Cada pessoa precisa ter o direito de cometer erros num ambiente de amor incondicional — sem ser acusado de culpa ou tratado como um fracasso. Em resumo, família feliz é aquela em que as pessoas impulsionam umas às outras para que todo mundo vença.

Será que esse tipo de vida familiar é mesmo possível? Pode apostar que sim! Você pode alcançar esse tipo de família em cinco dias (ou menos) se começar *agora* e do jeito *certo*.

Conheço muitas famílias que vivem dessa maneira. A crescente família Leman — minha adorável esposa Sande, nossos cinco filhos, três genros e dois netos — é a prova viva de que esses princípios funcionam.

Os segredos apresentados neste livro levarão uma vida inteira para serem acatados, mas você pode começar a adotá-los agora mesmo. Quando o fizer, garanto que colherá o tipo de recompensa que dura para sempre.

Não é preciso passar anos esperando que os conceitos venham a funcionar. Eles vão funcionar, a começar por hoje. O fundamental é que você comece *agora* a fazer algumas mudanças.

Sendo assim, o que você está esperando? O mundo viaja na velocidade da luz. Todos estamos sobrecarregados, estressados, pressionados em praticamente toda dimensão possível. Os empregadores pedem mais de nós. Sentimos a pressão de estar envolvidos em múltiplas atividades porque é isso que todo mundo ao redor está fazendo, e não queremos ficar para trás. Além de tudo o mais, a era da tecnologia faz que telefones celulares, computadores portáteis, mensagens instantâneas, televisão e outros dispositivos disputem a nossa atenção. Adicione a isso os desafios de criar filhos — em diferentes estágios e idades, navegando pelas águas da pressão de seus grupos, das personalidades singulares, das famílias reconstituídas e ainda lidando com as próprias expectativas em relação à vida — e descobriremos que é coisa demais com que se preocupar.

A vida é realmente curta. Todos recebemos a mesma quantidade de horas por dia. O que importa é como usamos essas horas. De que forma vocês poderão desfrutar de uma família mais feliz se não tiverem tempo juntos como família?

A maioria das famílias busca tratar circunstâncias difíceis na base do improviso, lidando com as situações à medida que aparecem. Mas você pode ser mais esperto, porque sei que você é. Você pode se colocar no assento do motorista do lar e escolher a direção e o destino. *Transforme sua família em cinco dias* apresenta um mapa viável. Nem sempre é fácil, mas é simples.

Você consegue.

E, mais importante: seus familiares contam com você.

_____SEGUNDA-FEIRA

Escolha suas palavras, mude sua família

O que você diz e a maneira como diz têm tudo a ver com a forma como seus familiares reagem.

Admita. Filhos e cônjuges às vezes dizem e fazem coisas estúpidas. Você também. E o que dizer especificamente dos adolescentes? Bem, não vou correr o risco de dizer que eles ficam ainda piores nos anos comandados pelos hormônios.

Contudo, com 47 anos de casado, 42 deles criando filhos e 11 sendo avô, aprendi algo essencial: você pode transformar sua família simplesmente mudando as palavras que escolhe usar com aqueles a quem ama.

O conceito parece simples, não é? Escolha suas palavras e mude sua família. Mas é a aplicação desse conceito em sua vida diária que às vezes pode se mostrar complicada, porque todos somos muito humanos. Como disse o personagem meio humano e meio vulcano de *Jornada nas estrelas*, o sr. Spock, "é curioso ver com que frequência vocês, humanos, conseguem obter aquilo que não querem".[1]

Isso é mesmo engraçado em nós, humanos. Quando não queremos algo, somos excessivamente capazes de correr atrás daquilo com todo o ímpeto. E, dentre todas as coisas do mundo, em nosso coração queremos um lar e uma família mais felizes, um lugar de aceitação e amor incondicional.

Escolher as palavras que usa com seus familiares é o pontapé inicial de que você precisa em sua jornada rumo a uma família transformada até sexta-feira. Uma vez que a família é uma unidade composta por partes, falaremos primeiramente sobre a comunicação com os filhos.

Vamos entrar de cabeça?

POR QUE A OPINIÃO DE SEU FILHO É IMPORTANTE

Quando seu filho lhe diz algo mais ou menos maluco, como você reage?

Seu filho de 14 anos anuncia com um brilho nos olhos: "Dei a Ron aqueles duzentos reais que economizei, para que ele comprasse uma motocicleta. Ele diz que posso usá-la também".

Sua reação, lá no fundo, é provavelmente: "O quê? Uma moto? Você enlouqueceu? Antes de mais nada, isso é muito perigoso e, em segundo lugar, você nem mesmo tem habilitação para dirigir. Se acha mesmo que vou deixá-lo dirigir uma moto...". Você balança o dedo de maneira veemente. Então completa: "É, o irmão do seu amigo realmente conseguiu enganá-lo, fazendo você pagar uma parte da moto dele. Isso é que é burrice".

> Quando seu filho lhe diz algo mais ou menos maluco, como você reage?

Ou então sua filha de 9 anos diz: "Quero um dragão d'água. Vamos comprar um?".

Você procura saber algumas coisas sobre dragões d'água com um amigo que trabalha numa loja de animais exóticos. Então fica sabendo que esses animais podem crescer e chegar a quase um metro de comprimento, além de precisarem de uma gaiola do tamanho da sala de estar do seu apartamento. Isso sem mencionar que a vovó nunca mais entraria em sua casa se soubesse que há um réptil à espreita por ali.

Diante disso, o que você diz depois de ficar em pé, estupefato, por alguns minutos? "Você está louca? Faz ideia de como seria difícil cuidar de um dragão d'água?"

Vamos encarar os fatos, pais. Vocês já viveram muito mais que seus filhos e sabem muito mais que eles sobre causa e efeito. No entanto, fazer comentários do tipo "Essa é a coisa mais estúpida que já ouvi" ou "Você deve ter água de coco na cabeça para pensar uma coisa dessa" apenas diz a seu filho que você acha que *ele* é idiota e que as opiniões e os sonhos *dele* não são importantes.

E se, ao invés disso, você dissesse calmamente: "Uau, parece interessante — fale mais sobre isso"? Em que aspectos a conversa seria diferente?

Vamos voltar àquela motocicleta. Primeiro, Jim e seu filho, Craig, brigaram porque Craig pagou duzentos reais pela motocicleta. As consequências não foram agradáveis, e Craig se recusou a falar com o pai por alguns dias. Por fim, ambos esfriaram a cabeça, e Jim me pediu um conselho.

"Em primeiro lugar, diga que você sente muito por ter se comportado como um idiota", disse eu. "Afinal, você é o pai. Você precisa dar o primeiro passo."

Jim, é bom que se diga, não se ofendeu por eu tê-lo chamado de idiota, e fez exatamente o que sugeri. Seu filho ficou tão chocado com o pedido de desculpas que, em vez de fechar a porta na cara do pai, o convidou para entrar em sua caverna adolescente.

"Fale mais sobre a moto", disse Jim, sentando-se na cama de Craig.

O filho, que mal dizia uma palavra à mesa de jantar, começou a falar... a falar... e a falar.

"Descobri muitas coisas sobre meu filho naquele dia", disse Jim. "Incluindo o fato de ele ter muito interesse por motocicletas e por saber como elas são fabricadas."

Com isso, Jim, agora um pai mais esperto, decidiu que fazer uma viagem de pai e filho era apropriado. Durante as férias de Craig, Jim tirou alguns dias de folga do trabalho, e os dois viajaram mais de seiscentos quilômetros até uma fábrica da Harley-Davidson, para fazer um passeio.

Você acha que aquele menino vai se esquecer do que o pai fez?

Jamais!

E o que aconteceu com o dragão d'água? Pouco antes de Kari, a mãe da pequena Andee, quase desmaiar diante da ideia de ter um réptil em casa, ela se recompôs. "Bem..., é..., eu não sei se a loja de animais exóticos está aberta a esta hora", começou. "Na verdade, nem sei se eles têm dragões d'água para vender." Diante do desânimo estampado no rosto da filha, Kari disse rapidamente: "Mas tenho certeza de que há desses dragõezinhos... em algum lugar. Por que você se interessa por eles?".

Depois de uma conversa bastante animada, Kari percebeu que a filha realmente sabia muita coisa sobre dragões d'água. De fato, era fascinada por répteis de todos os tipos. Assim, Kari, mãe solteira, fez uma coisa inteligente. Entrou na internet com a filha e pesquisaram juntas. Descobriram que haveria uma feira de répteis nas redondezas na semana seguinte. No dia da feira, prepararam lanche para um piquenique e passearam pelas barracas dos expositores, aprendendo sobre lagartos, cobras de todos os tipos e, sim, sobre dragões d'água.

Contudo, para realmente avaliar o que aquela mãe fez, você precisa saber que ela tinha medo mortal de cobras ou de quaisquer criaturas que lhe mostrassem uma "língua parecida com a de uma cobra". Isso é que é sacrifício!

Quando voltaram para casa, exaustas depois de um longo dia, Andee suspirou feliz: "Mamãe, este foi o melhor dia da minha vida!".

Kari prendeu a respiração, imaginando que o pedido para comprar o animal viria logo em seguida.

"Sabe, mãe", continuou Andee, "ter um dragão d'água de verdade seria divertido. Mas acho que seria bem trabalhoso também. Acho que, por enquanto, vou pegar massa de modelar e fazer um para colocar no meu quarto. A vovó me deu um dinheirinho. Você iria comigo amanhã à loja para comprarmos um pouco de massinha?".

Problema resolvido — antes mesmo de se tornar um problema.

Esses dois pais merecem meu aplauso pelo trabalho bem feito. Eles não apenas deixaram de lado os próprios preconceitos, como também entraram no mundo e nos sonhos de seus filhos e, à medida que o faziam, aprenderam mais sobre suas crianças.

É disso que se trata a comunicação: olhar para o mundo pelos olhos do outro.

MELHORANDO A COMUNICAÇÃO

Se há algo que desejo que você extraia deste livro é este importante conceito: as palavras que você escolhe usar com aqueles a quem ama têm tudo a ver com a maneira como seus familiares vão reagir. Você pode mudar sua família simplesmente mudando as palavras que usa.

Digamos que sua filha de 15 anos lhe diga que a banda de que ela mais gosta está tocando a 50 quilômetros de sua casa, e que as amigas dela vão ao *show*. Ela olha para você com aqueles olhos, indicando claramente que também gostaria de ir.

O que muitos pais diriam? "Você não vai a *show* nenhum!"

Tudo o que isso produz é a interrupção da comunicação entre vocês.

E se, em vez disso, você dissesse: "Puxa, acho que você gosta muito dessa banda. Fale mais sobre ela. Já gravaram alguma música de sucesso? Poderia me mostrar algum dia? Gostaria muito de ouvir as músicas deles"?

Isso, pai inteligente, torna a comunicação mais clara — não apenas para falar sobre o grupo, mas também para conversar sobre o mundo da música e de relacionamentos de sua filha.

> Se sua filha achar que a opinião dela não é importante, ela rejeitará os valores que você tentar instilar nela e o banirá de sua vida.

Se sua filha achar que a opinião dela não é importante, ela rejeitará os valores que você tentar instilar nela e o banirá de sua vida.

E, pais, no que se refere à música, permita-me dar uma pequena dica. Você pode não gostar — a propósito, seus pais gostavam da *sua* música quando você era adolescente? —, mas sempre pode dizer: "Uau, isso é interessante..." e encontrar algo ali a ser elogiado.

Existe, contudo, uma enorme diferença entre fazer perguntas intimidadoras ao filho ou exigir respostas para coisas rotineiras como "Como foi seu dia?" ou "Como você está?", e fazer comentários do tipo "Gostaria de ouvir sua opinião sobre algo".

Quando seu adolescente entra no carro depois da aula e você sorri e pergunta: "Oi, querido, como foi seu dia?", que resposta recebe?

Se tiver sorte, você receberá um grunhido ou um dar de ombros. Na maioria das vezes, será ignorado, o que transformará seu sorriso em algo grosseiro, ainda que consiga guardar seus comentários sarcásticos para si. Por que seu adolescente responde dessa maneira? Porque ele está processando o dia que enfrentou, um dia repleto de todo tipo de ruído social, relacional, mental e físico; a sua voz é apenas mais uma numa longa fila de estímulos. Tudo o que ele quer é chegar em casa, jogar a mochila no chão, correr para a geladeira e ir para o quarto com metade do conteúdo do refrigerador pendurado na boca. Depois disso, o que acontece? A porta se fecha. Ele ficará em sua caverna pelo resto do dia.

Caindo na real: problemas reais, soluções reais

Quando completou 13 anos, minha filha começou a ouvir o que chamo de "música depressiva" — como "If I die young" [Se eu morrer jovem], do grupo The Band Perry, e "Breakaway" [Libertação], de Kelly Clarkson —, e comecei a me preocupar, achando que ela estava ficando deprimida ou algo assim. Então fui visitar uma amiga e ouvi você falar, num centro comunitário, a pais de adolescentes. Você disse que a música sempre muda com o tempo e que nunca houve uma geração de pais que tenha dito a seus filhos: "Oh, eu amo essa música!". Você nos incentivou a nos interessarmos genuinamente por aquilo que nossos filhos ouvem, em vez de simplesmente tentarmos cortar aquela prática.

Certo dia, minha filha e eu estávamos no carro, e ela começou a cantar junto uma música que tocava no rádio. Eu disse: "Ei, aumente o volume. Essa música é bem legal". Ela olhou totalmente surpresa, mas obedeceu. Quando encontrei algo elogiável na música, ela ficou ainda mais surpresa. "Fale mais sobre essa cantora", pedi, e ela falou. Isso levou a uma ótima conversa sobre a razão de ela ouvir aquele tipo de música. Disse que gostava de ouvir canções que a ajudavam a pensar sobre o lugar dela no mundo. A música "If I die young", por exemplo, a fez perceber que qualquer coisa pode acontecer, e ela queria causar um impacto no mundo antes de morrer. "Breakaway" a incentivava a abrir as asas e tentar coisas novas, ainda que sentisse medo.

Uau, agora era eu quem estava surpresa. Minha filha havia refletido sobre tudo aquilo de forma bem equilibrada. E eu, toda preocupada pensando que ela estava deprimida. Como eu havia me enganado!

Também me lembro de ouvir você dizer: "A música que você escutava provavelmente deixava seus pais tão malucos quanto os sucessos que seu filho escuta hoje. Mas a escolha é clara: você quer se envolver na vida de seu filho, ou quer ficar de fora, só observando?".

A escolha foi clara para mim. Estou muito feliz por ter seguido aquilo que você disse.

Monica, Alabama

Então, o que você faz, sendo o pai esperto que é? Você não força a conversa. Você dá espaço a seu filho. Quando ele finalmente sai da caverna, você sorri e diz: "Ei, Ryan, precisamos procurar um carro usado, e notei que você tem olho bom para modelos diferentes e parece saber bastante sobre veículos. Precisamos de um em boas condições, com ar-condicionado, e que não tenha mais que oito anos de uso. Consegue pesquisar e trazer algumas sugestões? Ficaria muito feliz com isso".

> Você sabe o que seu filho mais deseja? A sua aprovação.

Olhe para seu garoto e o verá de peito inflado, erguendo a cabeça de leve. "Pode deixar", diz ele, voltando em seguida para o quarto.

Por meio de suas ações, você disse: "Sei que você é um rapaz esperto, e notei por que tipo de coisas se interessa. Você é importante para mim, e o que você pensa é importante para mim. Você contribui para a família".

Você sabe o que seu filho mais deseja? A sua aprovação. Ele quer ser necessário e importante para você. Quer ser tratado como parte da família.

Quer apostar que Ryan já está fazendo a tal pesquisa do outro lado daquela porta fechada?

E então, o que você faz? Você se senta no sofá da sala de estar, estica os pés e sorri. Você criou uma situação na qual ambos saem ganhando.

Mas, para se comunicar de maneira eficaz com cada membro da família, é fundamental que você primeiramente os entenda.

A MANEIRA COMO ENXERGAMOS A VIDA

Muitos pais se esforçam bastante para tratar todos os filhos da mesma maneira. A verdade, contudo, é que você não deve tratá-los igualmente. Cada um de seus filhos é diferente e deve ser tratado de forma diferente. Cada membro da família tem talentos únicos, e é sua responsabilidade, como pai, identificar esses talentos, avaliar pontos fortes e fracos e então conduzir seus filhos de maneira saudável, a fim de capitalizar essas habilidades em benefício de todos.

> Cada um de seus filhos é diferente e deve ser tratado de forma diferente.

Porém, não é possível fazer isso sem entender qual a melhor maneira de vocês se comunicarem uns com os outros. Isso tem a ver com o modo como cada um enxerga a vida: através de nossas lentes particulares.

Já parou para pensar por que os filhos são tão diferentes? Por que o primogênito e o irmão que vem na sequência diferem como a noite e o dia? Por que o caçula sempre se livra de qualquer punição? Por que você parece bater cabeça com determinado membro da família — aquele que mais se parece com você? Por que a criança nº 1 se associa à criança nº 3 quando existe um impasse no lar? Por que você e seu cônjuge podem enxergar a vida de perspectivas completamente opostas? Por que será que, na ceia de Natal, você e seus irmãos relembram de modo tão diferente algo que viveram juntos na infância?

Algumas pessoas são cascas-grossas; outras se derretem diante de nossos olhos. Algumas são estudiosas, atléticas ou superespertas; outras abandonam os estudos e enriquecem como empreendedoras. Como diz uma de minhas citações favoritas, cada um de nós foi criado "de modo tão extraordinário" (Sl 139.14). Cada filho tem seu próprio DNA. Até mesmo gêmeos idênticos têm impressões digitais únicas. Cada membro da família tem um jeito singular de ser. Para ter uma família transformada em cinco dias, precisamos nos colocar atrás dos olhos uns dos outros a fim de enxergar a vida pelas lentes daquela pessoa. Precisamos reconhecer e celebrar os talentos singulares de cada um, de modo que cada pessoa se sinta respeitada e especial.

Alguns de vocês já leram meu livro *Mais velho, do meio ou caçula* e descobriram quem realmente são os filhos primogênitos, os do meio e os caçulas de sua família, considerando não apenas a posição na ordem de nascimento, mas também variáveis diferentes. Não repetirei todo aquele material aqui.

> **Caindo na real: problemas reais, soluções reais**
>
> Não se ofenda com o que vou dizer, mas eu achava que essa coisa de ordem de nascimento era uma enorme bobagem, até que descobri quanto isso estava relacionado aos problemas que eu vinha tendo com meu filho Shawn, de 11 anos. Achei que fosse o caso de ele estar entrando no "mundo da adolescência" antes do tempo e me deixando sem saber o que fazer. Então um amigo me incentivou a ler o livro *Mais velho, do meio ou caçula*, embora eu não seja muito de ler. Puxa, você descreveu a mim e a meu filho. Nós dois somos primogênitos, de modo que não era surpresa o fato de batermos cabeça. Ambos temos necessidade de estar com a razão, e isso não estava funcionando para ninguém.
>
> Assinalei algumas partes do livro e, certo dia, levei Shawn para almoçar. Compartilhei com ele o que estava aprendendo sobre mim e como minha tendência era reagir sem pensar. Disse a ele que estava trabalhando para mudar meu modo de reagir e lhe pedi que me perdoasse por sempre ter de estar certo.
>
> Ele ficou chocado. "Sabe, pai", disse ele, "acho que também sou muito parecido com tudo isso que você falou."
>
> Não precisei nem mesmo dizer. Ele entendeu e me pediu o livro emprestado. Mais tarde o vi passando o livro para seus amigos quando eles se encontraram na porta de casa para andar de bicicleta. Obrigado por fornecer ajuda para a vida real. Esta equipe de pai e filho está se dando muito melhor agora.
>
> Andrew, Texas

Para aqueles que não conhecem o conceito de ordem de nascimento, estou certo de que vocês não vão querer ficar de fora dessa empolgante descoberta. Leia *Mais velho, do meio ou caçula* assim que puder. Por ora, antes de prosseguir neste capítulo, vá até o Apêndice, no final deste livro, e leia "Os segredos da ordem de nascimento", para que todos estejamos cientes do assunto. Garanto que, no jantar de hoje, você terá algumas conversas bem intrigantes.

COMUNICAÇÃO SINGULAR COM SEUS FAMILIARES

Cada pessoa vem a este mundo com um conjunto singular de características. Está claro que o Deus todo-poderoso criou cada um de nós de maneira diferente, e ele planejou que assim fosse: "Antes de você nascer, eu o separei" (Jr 1.5). Sua filha pode ter talentos em atletismo. Seu filho pode ser talentoso na música. Mas imagine o que aconteceria se você forçasse seu filho de um metro e meio, que toca clarinete maravilhosamente bem, a se inscrever no time de voleibol em que joga sua filha de um metro e oitenta que está no nono ano? E se fosse o contrário? Você teria dois filhos bastante frustrados e um lar comparável a um barril de pólvora de tanto estresse.

Por outro lado, consegue imaginar um mundo em que só existissem pessoas iguaizinhas a você? Para mim, isso seria completamente assustador. Sendo o bebê da família, eu jamais conseguiria manter todas as minhas responsabilidades sem os primogênitos com quem convivo, incluindo duas mulheres admiráveis indispensáveis em minha vida: minha esposa e minha assistente.

As diferenças são fundamentais para fazer o mundo girar. Contudo, precisamos entender essas diferenças e valorizá-las, para que nos comuniquemos de forma eficiente uns com os outros. Se agirmos assim, expandiremos o potencial de sucesso de cada membro da família, pois estaremos agindo como uma unidade — uma mão com muitos dedos desempenhando cada qual o seu papel.

Pense nisso da seguinte maneira: você se comunica com uma criança de 11 anos da mesma forma que faria com uma de 4 anos? Ou conversa com um adulto do mesmo modo que fala com um bebê? À medida que seus filhos crescem e você passa a conhecê-los como indivíduos, a forma de se comunicar com cada um deles deve ser flexível e mudar. Veja o que quero dizer.

Trate seus filhos de maneira diferente

Muitos pais pensam que devem tratar todos os filhos da mesma maneira. Afinal, foram ensinados a pensar: "Bem, se eu mantiver as coisas equilibradas, as crianças não terão pelo que brigar. Não terão ciúmes, porque todo mundo terá as mesmas coisas". Confie em mim: as crianças vão encontrar alguma coisa — ou várias coisas — pelas quais brigar. Sentirão ciúme umas das outras inúmeras vezes por dia. As crianças, em sua maioria, são hedonistas, para quem o próprio bem-estar é a prioridade.

Vamos encarar os fatos. A rivalidade entre irmãos remonta ao princípio da humanidade. O título que eu havia cogitado inicialmente para o livro *Mais velho, do meio ou caçula* era *Abel teve o que mereceu.*

Pais, não tenham medo de tratar os filhos de forma diferente com relação à hora de voltar para casa ou de ir dormir, ou quanto às permissões, às responsabilidades do lar, ao tempo gasto com televisão ou computador e às regalias no uso do celular. Os privilégios devem variar de acordo com a idade e a maturidade, e você deve comunicar isso a eles.

> A rivalidade entre irmãos remonta ao princípio da humanidade.

"Justin, agora que você vai para o ensino médio, sei que sua carga de deveres será maior, e você terá de ir para a escola pelo menos uma hora antes do que no ano passado. Assim, pedi a seu irmão que assumisse a tarefa de levar o cachorro para passear pela manhã. Sei que essa responsabilidade era sua, e você realizou um ótimo trabalho. Mas a situação pede mudanças, e já está na hora de seu irmão assumir mais responsabilidades. Também decidimos estabelecer seu horário de ir para a cama uma hora mais tarde que seus irmãos, uma vez que você é mais velho e terá mais atividades noturnas."

Caindo na real: problemas reais, soluções reais

Temos três meninas em escadinha, com pouco mais de um ano de diferença de idade entre si. Você precisa tentar viver com meninas de 10, 11 e 12 anos. Elas brigam o tempo todo! Já andava esgotada, cansada dos beliscões, puxões de cabelo e berros, quando ouvi você falar num programa de televisão sobre a ordem de nascimento. Fui à livraria mais próxima e comprei um exemplar de seu livro. Sabia que tinha de ler aquilo. Comecei a ler já no carro. (Sim, eu estava desesperada.)

Sei que parece banal, mas uma luz se acendeu na minha cabeça. Quando comecei a tratar cada uma das meninas de acordo com sua ordem de nascimento em vez de tentar manter tudo equilibrado, a diferença foi enorme. Também descobri algo a meu respeito. Sendo filha do meio, passei a infância negociando tréguas entre meus irmãos. Como resultado, assumi muitas das brigas das meninas como minha responsabilidade, não delas. Quando aceitei seu conselho de não tentar carregar o mundo nas costas, funcionou... como um remédio milagroso. Muito obrigado.

Shauntel, Carolina do Norte

Quando você anuncia a mudança de forma direta, seu filho mais velho pensa: "Uau, mamãe e papai entendem que as coisas estão mudando. Eles me entendem. Isso é legal. Ir para a cama mais tarde. Não ter de levantar tão cedo para levar o cachorro para passear". Ele vê as mudanças como privilégios e, muito provavelmente, vai responder com responsabilidade.

Seus filhos mais novos podem reclamar da boca para fora porque o mais velho "consegue tudo o que quer". Mas, lá no fundo, estão pensando: "Tudo bem; quando ficar mais velho, também terei mais privilégios. Legal. Só preciso aguentar firme e fazer um bom trabalho".

É uma situação em que todos saem ganhando.

Pegue mais leve com o primogênito ou filho único

O simples fato de seu primogênito ou filho único conseguir fazer uma tarefa, e bem, significa que ele é obrigado a executá-la? Filhos do meio e caçulas também podem ser convocados para realizar as tarefas domésticas, ainda que às vezes você tenha de acompanhá-los para certificar-se de que o trabalho seja feito. Sempre que possível, algumas das tarefas dos filhos mais velhos devem ser transferidas para os mais novos. Se você tem filhos com 7, 9 e 11 anos, e sempre é o de 11 que arruma pela manhã o lanche dos demais, por que não mudar isso no próximo ano escolar? O filho de 9 anos é mais que capaz de garantir que todos os elementos de um lanche saudável estejam nas mochilas, assim como o de 7 é plenamente apto a ajudar preparando sozinho os sanduíches de geleia. Seu filho primogênito sempre levou o lixo para fora nos últimos anos, mas será que ele deve continuar levando o lixo depois de ter entrado no ensino médio? Ou será que o mais novo não poderia assumir essa tarefa?

> Dê um tempo para seu primogênito ou filho único.

Dê um tempo para seu primogênito ou filho único. A vida dos filhos mais velhos vai ficando mais complicada. Eles devem ficar responsáveis por menos tarefas da casa e ter mais independência para tomar as próprias decisões à medida que se encaminham para a vida adulta.

Acima de tudo, não transforme o primogênito na babá substituta, com a vida social dependente da possibilidade de você conseguir alguém para cuidar das crianças menores.

Dê poder ao filho do meio

Considerando que os filhos do meio costumam se sentir espremidos e desimportantes, eles precisam saber, mais que qualquer outro filho numa ordem de nascimento, que você presta atenção neles. Os filhos do meio são ótimos para avaliar uma situação, pois estão sempre no meio-termo, e tudo o que ganharam na vida foi obtido mediante negociação.

Diga ao filho do meio: "Quero saber a sua opinião", e não se esqueça de deixar um colchão debaixo dele para ele não se machucar quando cair para trás, surpreso.

Ninguém faz essa pergunta aos filhos do meio. Eles também não se esforçam muito para expressar opinião, pois costumam se sentir invisíveis.

Ao simplesmente fazer a pergunta, você terá chamado a atenção do filho do meio.

Você pode estimular o apetite dele por mais interação, dizendo: "Sabe de uma coisa? Gostaria de ouvir seus comentários sobre algo que estou enfrentando no trabalho. Dois de meus funcionários estão me deixando louco. Um deles está sempre corrigindo o outro em público. O outro vive tentando chamar minha atenção porque sou o gerente deles".

> Diga ao filho do meio: "Quero saber a sua opinião".

Olhe bem nos olhos de seu filho do meio. "Você é tão bom em relacionamentos. Fiquei pensando: o que você faria? Como lidaria com essa situação se estivesse em meu lugar?".

Você vai ver o queixo de seu filho cair. Quando ele perceber que você realmente se interessa pelo que ele tem a dizer, começará a falar... e não parará mais.

Quando você pede a opinião de seu filho do meio sobre qualquer coisa, ele se sente com autoridade nas mãos. Torná-lo parte da ação, perguntar-lhe o que ele pensa, é como dar ração fresca para seu gatinho. Você atrai o bichano e faz que ele volte pedindo mais.

Cobre responsabilidade de seu filho mais novo

O pior erro que os pais cometem com o caçula da família é deixar que ele siga o caminho mais fácil na vida. O filhote pequeno é capaz de ser tão manipulador e encantador que às vezes se livra de qualquer culpa. Em contrapartida, seus irmãos são culpados porque são mais velhos e "já deveriam saber". O mais novo se safa de todas... e continua seguindo assim pela vida, a não ser que seja responsabilizado por suas ações em algum ponto de sua caminhada.

> Todos os membros da família precisam levar sua carga. Não há almoço grátis aqui.

Ele também é muito hábil em se livrar de algo que não queira fazer, simplesmente agindo como incapaz. Acredite, ele não é incapaz.

Todos os membros da família precisam levar sua carga. Não há almoço grátis aqui. Quanto mais cedo os caçulas descobrirem que a vida nem sempre é uma festa e que há coisas que eles precisam fazer — talvez não queiram, mas têm de fazer mesmo assim —, melhor será para toda a família.

A tendência do caçula será sempre na direção de uma vida mais despreocupada e alegre. Mas isso não significa que ele deve ter seus desejos concedidos diariamente pelo gênio da lâmpada.

Faça um favor a si mesmo e a seu caçula: comece a procurar desde já uma boa primogênita para se casar com ele. As melhores combinações conjugais são primogênito e caçula, filho do meio e caçula e primogênito e filha do meio (os gêneros podem ser invertidos par a par).

Tome cuidado com as comparações

Você faz isso de maneira inocente e em geral não se dá conta de que age assim, mas age.

"Esta é uma linda escultura", você diz a seu filho do meio, que está radiante diante de sua realização, na qual trabalhou todo o fim de semana. "Lembro-me de quando Geri teve de fazer algo assim no quinto ano, e o dinossauro dela tinha trinta centímetros de altura."

O que você está de fato dizendo a seu filho do meio? "O que você acabou de fazer não é algo tão importante assim. Sua irmã fez isso dois anos atrás. E esse dinossauro de vinte centímetros? Bem, sua irmã fez um mais alto, e ainda melhor."

É claro que Geri pode ter feito isso dois anos atrás, mas aquela é a primeira vez de seu filho do meio. Ele deve ter a chance de experimentar o mesmo senso de realização e ver em você um entusiasmo similar ao que foi demonstrado para com o primogênito.

Nessas horas, como agir? Tente isto: "Uau, você conseguiu! Você se esforçou tanto durante todo o fim de semana nesta escultura, e estou muito animado por vê-la pronta. Você deve estar realmente orgulhoso dela. Gostaria muito de saber como teve essas ideias".

Tome cuidado com as palavras que você escolhe usar com seu filho. As comparações são mortais. Palavras encorajadoras fazem muito pelo coração de seu filho e pela formação do relacionamento entre vocês no futuro.

Perceba com quem você mais vai se desentender

Com quem você mais se desentende na família? Há grandes chances de que seja com aquele que é mais parecido com você, e que geralmente ocupa a mesma posição na ordem de nascimento. As semelhanças podem provocar atrito, e isso acaba sendo muito irritante. Contudo, quando você percebe por que vocês perturbam um ao outro — por serem muito parecidos —, dá um grande passo para extinguir as faíscas que, de outro modo, fariam ambos perder a compostura.

Isso pode até trazer um pouco de diversão para a situação... sim, até mesmo para vocês, primogênitos, se permitirem.

Poderíamos ser todos clones, mas isso seria extremamente chato.

OS SEGREDOS PARA SE COMUNICAR BEM COM OS OUTROS

Sendo o caçula da família, adoro uma festa. Quanto mais pessoas presentes e mais estardalhaço, melhor!

Então, tenho minha esposa, Sande, primogênita, que gosta das coisas mais calmas, padrões normais de sono e tudo no devido lugar.

Uma vez que sou "o cara da ordem de nascimento", que fala sobre o assunto há mais de quarenta anos, você pode pensar que tenho domínio sobre todos os padrões de comunicação com as pessoas que ocupam outra posição na ordem de nascimento. Mas às vezes tenho lapsos e caio no típico modo de pensar em que aquilo de que eu gosto, é claro, será do agrado de todo mundo.

Vejamos o aniversário de 55 anos de Sande. Eu estava decidido a celebrar o evento em grande estilo, de modo que planejei uma festa surpresa e convidei um monte de amigos nossos. Consegui até mesmo fazer que Sande saísse de casa mais cedo no dia, para que não suspeitasse e eu pudesse organizar a festa toda. Para um caçula, planejamento é algo grandioso e que exige muito esforço. Estava bastante orgulhoso de mim mesmo e animado com os resultados. Pensei que estaria dando um presente incrível para minha querida esposa.

Contudo, quando Sande abriu a porta e foi saudada pelos gritos de "Surpresa!" de nossos muitos amigos presentes, e pelo caos dos apitos e buzinas, ela fez algo inesperado.

Ela chorou.

Ainda que muito experiente, aprendi uma coisa naquele dia. Minha esposa não gosta de surpresas. Na verdade, ela as odeia. Ela preferia ter chegado em casa, colocado os pés sobre um pufe na sala de estar e recortado receitas de suas revistas favoritas de culinária.

Fiquei totalmente atônito. Depois daquele dia, porém, sou um marido mais esperto. Você não vai me encontrar planejando uma festa surpresa para ela tão cedo... ou talvez nunca.

Quanto a mim, diverti-me por uma *semana* inteira preparando surpresas para a data comemorativa, quando meus filhos vieram cada um de seu canto para celebrar com toda intensidade. Queria que aquilo continuasse por muitos e muitos dias.

Sabe, dependendo da posição na ordem de nascimento, a pessoa enxerga a vida através de lentes diferentes. Se presumimos que as pessoas responderão e reagirão como nós fazemos, estamos terrivelmente errados. Por isso é tão importante aprendermos a nos comunicar da maneira que os outros acham mais confortável e que possam receber a informação.

As dicas apresentadas a seguir, nos itens "Fundamentos de comunicação", funcionam com pessoas em qualquer idade ou estágio da ordem de nascimento — crianças, cônjuges, parentes. Elas também serão muito úteis para ajudar você a entender seus amigos e colegas de trabalho.

Fundamentos de comunicação com o primogênito
- Dê-lhe detalhes, coisas específicas.
- Diminua a quantidade de responsabilidades; por ter ímpeto realizador, ele já sente estresse e pressão suficiente.
- Cuidado com seu olho crítico; não corrija demais seu filho.
- Não o gerencie meticulosamente; ele já está fazendo isso sozinho.
- Não fique dizendo o que ele deve fazer; em vez disso, projete a frase "Amo você como você é" em tudo o que diz e faz.

Fundamentos de comunicação com o filho do meio
- Escute-o.
- Peça a opinião dele sobre *qualquer coisa* (férias, ajuda no computador, decoração, compras) e dê-lhe retorno; isso mostra que você valoriza aquela opinião.
- Passe tempo só com ele.
- Deixe que faça escolhas ("Gostaria muito que você escolhesse o restaurante para o nosso jantar de família").
- Mostre-lhe respeito como indivíduo, visando eliminar o espírito de competição que ele naturalmente tem em relação aos outros irmãos.

Fundamentos de comunicação com o caçula
- Dê-lhe a oportunidade de liderar (planejar saídas e comemorações da família).
- Identifique seus pontos fortes e apoie-o; lembre-se de que o filho mais novo vive se comparando com os irmãos que o antecedem na cadeia alimentar.
- Mostre-lhe apoio pelo papel singular que ele representa na família e por suas habilidades sociais.
- Aumente o nível de responsabilidade e faça que ele preste contas.
- Deixe-o divertir o lar e deem boas risadas juntos.

Fundamentos de comunicação com o filho único
- Faça planos para reuni-lo com colegas, a fim de que ele desenvolva interesses comuns e conexão.

- Diminua a quantidade de responsabilidades, uma vez que filhos únicos as levam bastante a sério.
- Incentive momentos de folga, para que ele possa relaxar e sonhar.
- Ofereça oportunidades para que ele equilibre seriedade com diversão e riso.
- Lembre-se de que os livros são seus melhores amigos e também uma fuga necessária das pressões da vida.

Boas dicas para casais

Primogênito/filho único casado com primogênito/filho único
- Não fique dizendo a seu cônjuge o que ele deveria ter feito.
- Pare de "melhorar" as coisas que seu cônjuge diz. O casamento não é um esporte de competição.
- Defina cuidadosamente as responsabilidades de cada um, para evitar discussões sobre quem está no comando. Vocês dois querem isso, mas não é possível que ambos tenham o controle de todas as áreas da vida. Assim, por que não apagar o fogo antes que comece a soltar fagulhas?
- Memorize estas frases e use-as com frequência: "Posso estar errado" e "Sinto muito".

Primogênito casado com filho do meio
- Faça questão de garantir que passem tempo juntos regularmente.
- Discuta sentimentos e acontecimentos assim que eles ocorrerem.
- O primogênito deve perguntar ao cônjuge filho do meio: "Como você se sente em relação a isso?", e então ouvir com ouvidos abertos e boca fechada, até que ele pare de falar.
- Filho do meio, quando sentir vontade de evitar o conflito, não o faça! Há duas pessoas nesse relacionamento, e você é tão importante quanto seu cônjuge mais poderoso.
- Obriguem-se a dividir responsabilidades, mesmo quando não tiverem vontade de fazê-lo. Filho do meio, seu cônjuge primogênito precisa de você e de sua natureza mediadora e negociadora para equilibrar seus relacionamentos, tenha ele consciência disso ou não. Primogênito, seu cônjuge filho do meio adquiriu muita sabedoria ao navegar pelos caminhos da vida e fazer os relacionamentos darem certo. É sábio de sua parte ouvi-lo e agir de acordo.

Primogênito casado com caçula
- Identifiquem os pontos fortes um do outro e saibam quando usá-los de maneira apropriada.
- Reconheçam suas diferenças como distintas e singulares, não como personalidades certas ou erradas.

- Primogênito, cuidado com a busca por falhas, de modo que você não bloqueie aquele caçula lindo, leve e solto. Nos momentos de irritação, lembre-se de por que você se casou com seu cônjuge. As diferenças realmente atraem e tornam a vida agradável.
- Caçula, lembre-se de que os outros também precisam dos holofotes e que nem todo mundo aprecia um clima constante de festa.
- Desfrutem da jornada desses dois opostos na ordem de nascimento. Eles compõem um maravilhoso equilíbrio conjugal (minha esposa e eu podemos atestar isso).

Filho do meio casado com filho do meio
- Firmem um pacto de que vocês vão conversar sobre qualquer assunto que surja, e que farão isso o mais depressa possível. Evitar os tópicos mais complicados não é a chave para um casamento feliz.
- Compartilhem regularmente seus pensamentos e sentimentos. Segredos não fazem um casamento seguir por muito tempo.
- Abra espaço e tempo para amigos individuais com os quais cada um de vocês faça "suas próprias coisas".
- Entenda que não há problema em ter uma opinião e expressá-la. (Do contrário, vocês podem ser como o casal de filhos do meio que ficou indo e voltando tanto tempo durante o jantar — "Oh, você pode ficar com o peito do peru; eu fico com a coxa"; "Oh, tudo bem, você pode ficar com o peito; eu pegarei a coxa" — que nenhum dos dois percebeu que havia peito de peru suficiente para ambos, até que o cachorro o arrancou da mesa e comeu.)
- Memorizem estas frases: "Fale mais a respeito" e "Adoraria ouvir sua opinião sobre...".

Filho do meio casado com caçula
- Filho do meio, compartilhe seus sentimentos com o caçula de maneira direta. Diga: "Preciso conversar com você um minuto. É muito importante". Do contrário, o caçula despreocupado pode não se dar conta da dificuldade que você enfrenta.
- Procure um denominador comum. Filho do meio, lembre-se de que seu cônjuge é o Sr. ou a Sra. Espontaneidade, sempre em busca de diversão. É uma boa ideia combinar seus interesses com a necessidade de seu cônjuge de se entreter.
- Caçula, esteja ciente de sua tendência ao egocentrismo (porque o holofote estava sobre você, o bebezinho lindo, durante seu crescimento). Esforce-se em fazer o filho do meio sentir-se importante e necessário em sua vida. Afinal, em outros tempos, havia grande possibilidade de ninguém notar a ausência dele à mesa de jantar. Ele pode não gostar do holofote como você, mas todo mundo precisa de momentos sob o sol.
- Caçula, ria *com* seu parceiro, mas nunca *do* seu parceiro. Um filho do meio tem natureza sensível. Lembre-se de como você se sentia quando era desprezado por ser "apenas um bebê", e entenda que o filho do meio costumava se sentir do mesmo modo quando ficava espremido entre os outros ou era ignorado.
- Filhos do meio e caçulas são uma boa combinação. Desfrutem disso plenamente!

Caçula casado com caçula
- Façam uma lista de responsabilidades para cada um de vocês.
- Quando for necessário, cumpram as responsabilidades conforme designadas.
- Para realizar aquilo que disseram que fariam, prestem contas um ao outro.
- Cuidado com a maneira como gastam dinheiro. Nem tudo o que você quer é algo que deveria comprar agora mesmo. Use a regra do "pelo menos 24 horas". Se você vir algo que custe mais de cem reais e quiser comprar, espere pelo menos 24 horas. Vá para casa, pense a respeito e pergunte ao cônjuge o que ele acha. Para a maioria dos caçulas, a excitação da compra é o que os faz entrar em dívidas. Mas, se você deixar essa compra em espera por pelo menos 24 horas, boa parte da empolgação evapora.
- Certifiquem-se de que alguém paga as contas!

O *GRAND SLAM*, 24 HORAS POR DIA

Uma rede de restaurantes aqui da região oferece uma opção maravilhosa para o café da manhã chamada *Grand Slam* — você escolhe e mistura sua própria lista de entupidores de artérias. É a estrela do cardápio matutino, apetite satisfeito na certa! Observei admirado enquanto algumas pessoas o consumiam. Quanto a mim, estou tentando cuidar do meu corpinho.

Mas existe uma coisa ainda mais importante acerca dessa rede de restaurantes: ela fica aberta 24 horas por dia.

Se você quer um *grand slam* com sua família, você também precisa estar aberto o tempo todo. Isso significa que você está disponível a qualquer hora e toda vez que seus filhos quiserem interagir com você. Também significa que sua mente está aberta e seus ouvidos, sintonizados para ouvir.

À medida que seus filhos ficarem mais velhos, eles tentarão excluir você da vida deles. Isso é natural. Mas pais espertos trabalham para manter uma conexão. Você gera palavras, frases, parágrafos e até conversas inteiras ao ter uma política de "aberto 24 horas por dia".

Um dos benefícios de ser pai é que, sempre que você sente vontade de relaxar e esticar os pés sobre o pufe daquela sua poltrona reclinável, ou então quando está quase dormindo, é a hora em que seus filhos sentem vontade de conversar. Não consigo dizer quantas conversas importantes, tarde da noite, tive individualmente com cada um de meus cinco filhos enquanto me esforçava para manter os olhos abertos.

Mas saiba que sua linguagem corporal denuncia se você está aberto ou não para o assunto. Seus braços estão cruzados quando seus filhos conversam com você? Sua expressão diz que você já tomou sua decisão? Ou seus braços estão relaxados e seus olhos dizem: "Ei, também estou interessado nisso, você pode conversar comigo a qualquer hora"?

Ouvir seu filho significa que você sempre vai concordar com ele? Não. Às vezes você terá de dizer: "Sei que você está fazendo um pedido. Fale mais para que eu tenha o máximo de informações possível e possamos tomar uma decisão juntos". Isso significa que você deixa seu filho dar as cartas? De modo nenhum. Você, como pai, ainda faz o julgamento com base no bom senso e nos anos de experiência. Ainda assim, seu filho precisa saber que você o ouvirá e não o desprezará, por mais louca que a ideia dele possa parecer.

Por que isso é tão importante? Porque vivemos numa sociedade democrática. Se você tem o direito de me humilhar, eu tenho o direito de humilhar você. A maioria dos pais espera que seus filhos simplesmente entrem no esquema. Mas nossos filhos hoje têm muito mais acesso a ideias por meio da tecnologia e dos amigos do que jamais aconteceu antes na história, e eles analisam toda essa informação. Você precisa conquistar o direito de entrar no mundo de seu filho. Incentivo você a entrar nesse mundo de um jeito ou de outro. Se quiser saber o que os adolescentes estão ouvindo, observe, por exemplo, os cantores e as bandas que eles curtem nas redes sociais. Pesquise no Google quais são seus atores e músicos favoritos. Assista aos vídeos deles no Youtube. Hoje em dia, as crianças vivem num mundo bastante complicado.

> Você precisa conquistar o direito de entrar no mundo de seu filho.

Caindo na real: problemas reais, soluções reais

Sou pai solteiro, e a relação com minha filha de 13 anos tem sido complicada. Essa coisa de ficar fazendo carinho não é minha praia, mas gosto de estar ao lado dela, embora ela não more mais comigo. Comecei a notar que ela ficava amuada quando eu a buscava na escola na sexta-feira. Depois de várias semanas, a razão finalmente apareceu. Ela estava deixando de ver filmes com as amigas nas noites de sexta para ficar comigo. Então, na segunda, as amigas conversavam sobre os filmes, e ela se sentia por fora. Assim, fizemos um acordo: sexta sim, sexta não, nós dois assistiríamos, em casa ou no cinema, a um filme que ela escolhesse.

Este ano, já vi todo tipo de filme que jamais teria visto sozinho. Isso inclui todos os episódios da saga *Crepúsculo*, *High School Musical* e até mesmo *A nova cinderela*. Não discuto os filmes com a rapaziada do escritório (é claro!), mas vê-los com ela nos dá algo em comum sobre o que conversar e rir. Isso dá início a conversas que duram todo o fim de semana.

Paul, Minnesota

E quando é que você começa a entrar no mundo de seu filho? Quanto mais cedo, melhor. Mas nunca é tarde para começar. Há famílias demais nas esteiras da vida, correndo de uma atividade para outra. Em muitos lares em que a mãe e o pai trabalham, algumas crianças pequenas são deixadas às seis e meia da manhã e pegas de volta às seis da tarde. Elas podem se acostumar a isso como um *hamster* que corre numa roda, mas será que é disso que realmente precisam? O que é melhor para elas? Para uma criança, é muito tempo distante dos pais. A rotina ideal para uma criança de 3 anos são duas horas e meia na pré-escola pela manhã, três dias por semana. Quando a criança chega em casa e almoça, já está pronta para uma soneca, não para mais interação com outras crianças na creche.

A pressão sobre as famílias de hoje é grande — a economia anda difícil. Mais e mais famílias e pais e mães solteiros trabalham em mais de um emprego para conseguir o sustento. A mamãe e o papai estão sempre trabalhando. Qualquer coisa que pudermos fazer para aliviar o estresse familiar produzirá dividendos tanto agora como no futuro. Se um pai puder ficar em casa ou trabalhar no lar, isso gerará estabilidade à família como um todo.

Ser pai significa sacrificar alguns de seus objetivos e sonhos por algum tempo e fazer o que é melhor para a família. Digamos que você conseguiu seu diploma numa área de alta demanda. Você precisa se manter ativo nessa área para continuar na vanguarda. Mas seus filhos têm respectivamente 6 e 8 anos, e estamos na temporada de gripe. Seu filho de 6 anos fica gripado e quer a mamãe. O que você faz? Rearranja seu dia de trabalho? Deixa de ir trabalhar por uma semana enquanto a criança se recupera? Ou encontra uma babá que possa ficar com ela? Se você é pai ou mãe solteiro, e não tem um cônjuge para substituí-lo durante esses momentos, o preço fica ainda mais alto.

> Ser pai significa sacrificar alguns de seus objetivos e sonhos por algum tempo e fazer o que é melhor para a família.

Minha esposa e eu tomamos uma decisão estratégica antes de termos filhos. Embora Sande sonhasse ser proprietária de uma loja de antiguidades, ela colocou seus sonhos em espera até que nossos filhos fossem maiores, a fim de que pudesse ficar em casa com eles. Meu trabalho como psicólogo exigia muitas viagens. Ainda que eu fosse um pai bastante ativo, sabíamos que não conseguiria ficar sempre em casa com as crianças e sustentá-las ao mesmo tempo. Anos depois, mesmo nossos adolescentes disseram que eram felizes por ter mamãe em casa quando voltavam da escola.

Para as famílias de hoje, seria sábio pesar o verdadeiro custo do trabalho — não apenas em termos de pagar creche para os filhos, mas também em tempo de deslocamento, compra extra de roupas, combustível para o carro, e assim por diante. Hoje em dia, existem muitas opções flexíveis de trabalho — trabalho por empreitada e *home office*, por exemplo.

Karen, uma jovem mãe, tomou a decisão de ficar em casa quando se descobriu grávida do primeiro filho. Mais duas crianças nasceram nos cinco anos seguintes. Quando o mais novo estava na primeira série, Karen voltou ao mercado de trabalho. Contudo, trabalhava menos horas, de modo que podia levar as crianças para a escola e pegá-las depois da aula.

Se há uma mãe que merece o prêmio de "Mãe do Ano" por sua criatividade é Marcia, uma mãe solteira maravilhosa. Sem receber nenhuma renda regular de seu ex-marido, ela se propôs cuidar sozinha dos dois filhos pequenos tanto quanto possível. Assim, reuniu-se com outra mãe da vizinhança para conversar. O marido de Andrea havia se machucado e não podia trabalhar, de modo que ela precisava conseguir, de alguma maneira, a quantia que faltava em seus rendimentos. As duas mulheres conseguiram empregos de meio período fora de casa, e seus empregadores permitiram que tivessem horários alternados. Marcia trabalhava pela manhã, e Andrea, no período da tarde. Elas cuidavam dos filhos uma da outra — sem custo adicional! — e alternavam a responsabilidade por dar almoço para as crianças. As duas tinham estilos de educar parecidos, e as crianças eram de idades próximas.

Para conseguir pagar as contas, depois que os filhos iam para a cama Marcia também trabalhava em casa das oito às onze da noite, num negócio que ainda estava começando. Hoje, seus filhos estão terminando o ensino fundamental, e seu empreendimento caseiro cresceu e começou a gerar renda suficiente para se tornar seu trabalho em tempo integral. Até chegar a esse ponto, as coisas não foram fáceis. Mas devo dizer que os dois filhos de Marcia, hoje no início do ensino médio, são algumas das crianças mais respeitosas e solícitas que já conheci.

É importante analisar com cuidado suas prioridades, quer você seja uma mãe solteira que precisa gerar renda ou uma mãe que precisa compensar a falta de salário do marido, quer esteja num estágio da carreira em que seria difícil parar por um tempo e ainda assim manter a trajetória profissional. No pouco tempo em que eles estão em casa com você — tempo que passa rápido como um raio —, é fundamental que seu foco esteja na criação de filhos equilibrados que crescerão e se tornarão adultos capazes de contribuir para a sociedade.

Os riscos são maiores que nunca para a família de hoje. O casamento dura em média sete anos. Cônjuges têm pouco tempo um para o outro em meio à busca pela carreira e à criação de filhos. Hoje, há mais famílias reconstituídas do que jamais houve. As famílias têm pouco tempo livre para se revigorar, seja como indivíduos, seja como grupo. Contudo, se você quiser uma família transformada até sexta, precisa encontrar espaço para experimentar alegria e comunicação profunda em seu lar.

Você *pode* mudar sua família simplesmente mudando as palavras que usa com aqueles a quem ama.

Eu garanto.

Questionário familiar

1. As palavras que você escolhe usar com aqueles a quem ama fazem enorme diferença. Qual o principal problema de comunicação que você enfrenta neste momento? Explique.
2. Que palavras você costuma usar para responder a um membro da família? Como você poderia mudá-las, com o intuito de ter uma família transformada até sexta?
3. Identifique sua posição na ordem de nascimento de sua família de origem, assim como a de cada membro de sua família atual (tendo em mente que diversas variáveis influenciam essa posição). Quais os pontos fortes e as habilidades que os membros da família apresentam individualmente? Qual a melhor maneira de incentivar o uso desses pontos fortes para o benefício familiar?
4. Caso você não seja filho único, como seus pais lidaram com as diferenças entre você e seus irmãos enquanto cresciam? Como isso influenciou a maneira como você se vê hoje? E a maneira como você interage com seu cônjuge e seus filhos?
5. Quer tornar seu jantar mais animado? Discuta uma das dicas dos "Fundamentos de comunicação" listadas neste capítulo em cada um de seus próximos cinco jantares. Que surpresas ou descobertas vêm à tona?
6. Como você poderia usar as descobertas compartilhadas como grupo para tornar seu lar um ambiente de comunicação saudável, de amor e aceitação incondicionais?

TERÇA-FEIRA

Os cinco grandes: tempo, prioridades, atividades, trabalho e finanças

O que fazer, o que não fazer e por quê.

Não sabia se ria ou se chorava quando vi pela primeira vez, num carro, um adesivo que pedia: "Pare o mundo que eu quero descer".

Puxa, me identifico com isso. Que pessoa não desfrutaria de um dia mais calmo? Uma semana? Um mês? Um ano?

Em sua maioria, as famílias modernas se parecem com um *hamster* que corre numa roda dentro da gaiola. São intensas, aparentam ser capazes, movendo-se rapidamente naquilo que parece uma jornada infinita. Mas será que estão realmente indo a algum lugar ou apenas fazendo a roda girar, por assim dizer, em atividades sem fim que não lhes trazem nada no longo prazo?

Não é assim que você se sente às vezes, quando serve de motorista de seus filhos, levando-os de um lugar para outro? Como se fosse a *hamster*-chefe, tentando reunir as tropas para mais uma corrida, mesmo estando exausta?

Você já pensou no verdadeiro significado dessas atividades para sua família? E se todos pudessem descer daquela roda por um dia inteiro? Como essa simples escolha mudaria o modo como sua família se relaciona e a transformaria até sexta-feira?

Os *hamsters* são criados para ser *hamsters*. Eles não pensam em nada além de correr dia após dia naquela roda. Mas nós, humanos, fomos criados para algo mais: propósito e relacionamento.

Nosso modo de lidar com "os cinco grandes" — tempo, prioridades, atividades, trabalho e finanças — tem tudo a ver com transformar a família em cinco dias.

TEMPO

Cada indivíduo escolhe como usa suas horas. Como você pode ter a chance de se alegrar com sua família se não passa tempo com ela? Se vocês querem ter uma família feliz, na qual todos se apoiem, trabalhem e se divirtam juntos, então precisam estar presentes na vida uns dos outros. Mas o tempo gasto correndo do ponto A para o ponto B não conta, nem aquelas paradas na lanchonete *fast-food* porque você não tem tempo nem de preparar macarrão instantâneo para o jantar.

Muitos de nós seguimos inconscientemente as ordens da voz invisível que diz: "Atenção, *hamsters*! Vocês correrão em equipe pelo labirinto, da seguinte maneira: primeiro, sigam em frente, depois à esquerda...".

Nós, humanos, tendemos a agir como clones. Vemos o que os outros estão fazendo — especialmente pais que estão nas trincheiras há mais tempo e parecem realizar um trabalho bem-sucedido — e então fazemos a mesma coisa. Por quê? Porque, no fundo, ansiamos por aceitação. Queremos que os outros digam: "Puxa, olhe para aquela mãe e aquele pai. Não estão fazendo um ótimo trabalho com seus filhos? Ora, assim é que deve ser a criação de filhos".

> Nós, humanos, tendemos a agir como clones. Vemos o que os outros estão fazendo e então fazemos a mesma coisa.

É hora de ficar em pé e dizer: "Não! Tenho uma escolha individual. Como pai, posso escolher criar meu filho do modo que eu quiser. E não sou obrigado a agir igual a todo mundo".

Fazer essa escolha, porém, significa diminuir o passo, pensando no que é importante na vida e estabelecendo um plano para a família. É isso o que *Transforme sua família em cinco dias* ajudará você a fazer.

O tempo não para. Seus filhos não ficarão pequenos para sempre. Existe uma grande pressão na sociedade para que cresçam rápido, como se percebe em livros inovadores como *The Hurried Child* [A criança apressada][1] e *All Grown Up and No Place to Go* [Crescidos e sem ter aonde ir], ambos de David Elkind. Com quem seus filhos aprendem? Com você. Eles estão sempre observando. Eles farão o que o papai e a mamãe fazem.

Sua lista de afazeres é maior do que aquilo que você consegue fazer num dia? Você vive em atividade? As crianças observarão esse uso do tempo — e o estresse que lhe causa — e refletirão isso de volta para você.

Criar um vínculo com seu filho não é algo que acontece num dia ou num mês. É um processo que se baseia em amor, compromisso e *tempo*. Quanto mais tempo passar com seu filho, maior a probabilidade de criarem um vínculo que permanecerá por toda a vida.

Portanto, em vez de se preocupar com o que você *não* pode fazer, por que não tomar conta daquilo que *pode* fazer? Por que não passar suas horas no que fará mais diferença no longo prazo?

Pergunte a seus filhos quais são as principais lembranças que eles têm. Garanto que não serão "Todas as vezes que você nos levou por aí de carro" ou "Nossas férias na Disney". Em vez disso, serão coisas como estas:

> Em vez de se preocupar com o que você *não* pode fazer, por que não tomar conta daquilo que *pode* fazer?

"Quando tive sarampo, aos 5 anos, você brincou comigo e fez um monte de cachorro-quente, e comemos juntos."

"Quando uma menina do sexto ano foi muito má comigo, você me abraçou enquanto eu chorava."

"Quando você lia *Os três porquinhos* um monte de vezes seguidas, só porque eu adorava aquela história."

Daqui a trinta anos, seus filhos se lembrarão das coisas simples, quando você deu de seu tempo para estar com eles. Para uma criança, amor "apressado" não parece amor. Se seu filho acredita que está interrompendo você ou que só pode conversar com hora marcada, naquele curto espaço de tempo que antecede sua partida para o próximo compromisso, ele não sentirá que é sua prioridade. Ele saberá que suas prioridades são outras — a academia, o trabalho ou qualquer outra atividade para a qual você se voluntariou naquela semana.

Para uma criança, *amor* se soletra assim: T-E-M-P-O.

Sua presença e cada minuto que você passa com seu filho são muito mais importantes do que pode imaginar. Os benefícios durarão para a vida toda.

PRIORIDADES

Vou lhe contar um segredo: se seus filhos ou seu cônjuge pudessem escolher uma pessoa com quem passar tempo, seria *você*. Isso mesmo, você. Você é quem mais importa. Você é o centro do mundo de seu filho, seja qual for a idade dele. Você e sua presença podem fornecer um ambiente amoroso, estável e seguro, bem como o senso de pertencimento de que toda criança precisa para amadurecer como um adulto saudável e equilibrado. Mas, se você estiver ocupado demais com a correria, então não terá tempo para prover esse tipo de ambiente.

O que é mais importante para você? O lar e a família são suas maiores prioridades? Se a resposta é sim, você deve estabelecer as demais prioridades de acordo com isso.

Dê uma olhada em sua agenda. Será que ela está lotada de atividades que afastam você de sua família e de seu lar? As agendas sempre revelam nossas verdadeiras prioridades. Elas nunca mentem. Sua agenda está tão cheia que você não tem tempo para sonhar com seus filhos — para construir aquele aeromodelo de papel, para ler um livro juntos, para deitar de costas na grama e imaginar formas nas nuvens?

Não aumente o preço que você mesmo terá de pagar — não corra de um lugar para outro para cumprir a agenda. Em vez disso, considere as horas nas quais você estaria dirigindo e use-as para brincar e interagir com seu filho. Você sabia que, se não colocar seu filho no maternal, não será um pai ruim? Lá atrás, quando eu era criança, nem mesmo existia essa coisa de maternal, e a maioria de nós, que não o frequentou, parece se socializar muito bem. Quem disse que você precisa fazer o que é "normal"? Por que você gostaria de ser "normal"?

> **Amor é...**
> "Vovô me fazendo pular por cima das poças d'água."
> "Um jogo de futebol com meu pai."
> "Os bolinhos de chuva que minha avó fez só porque eu estava chegando."
> "Ficar juntinho da mamãe e ouvir histórias de quando ela era criança."

Famílias "normais" têm filhos que dão chilique, que desrespeitam os pais abertamente e pegam a chave do carro sem pedir permissão. A vida deles marcha em torno da roda do *hamster*, e não existe relacionamento de verdade.

O que é mais importante para você? Que valores você quer que seu filho leve quando sair de casa? Faça da transmissão desses valores a sua prioridade. Manter o tempo e as prioridades de seu filho concentradas em seu lar e em seus valores constrói aquele alicerce de amor incondicional e o senso de pertencimento que toda criança deseja, assim como um caráter firme que lhe será muito útil quando sair do ninho.

> O lar é o lugar onde está seu coração? Ou você permite que uma quantidade excessiva de tarefas e atividades o levem para longe?

Mas tudo começa com você. O lar é o lugar onde está seu coração? Ou você permite que uma quantidade excessiva de tarefas e atividades o levem para longe? Em *O Mágico de Oz*, quando Dorothy saiu de casa para uma longa jornada, o que ela diz várias e várias vezes? "Não há lugar como nosso lar. Não há lugar como nosso lar."

ATIVIDADES

Você já visitou uma praia ou um lago e desfrutou de uma caminhada na orla, afundando os pés na areia? E, à medida que você se afastava da água, começou a sentir a contracorrente — aquela sensação de sucção em que a areia se move debaixo de seus pés?

É isso que acontece com a maioria das famílias que são pegas na armadilha da correria. De início, parece uma caminhada bela e tranquila. Mas, conforme se distancia cada vez mais, na direção do desfecho das ondas, você é pego pela contracorrente.

Suas amigas com filhos na pré-escola colocam as filhas mais novas em aulas de balé, e você imagina: "Será que minha filha de 3 anos não deveria fazer o mesmo? Não quero que ela fique em desvantagem". Assim, você começa a prestar atenção no que deve ser feito. Seu filho de 4 anos parece gostar de boliche, e você descobre que existe uma liga de competição de boliche para crianças dessa faixa etária. Então, o instrutor de sua filha de 8 anos diz que ela tem potencial para ser uma grande nadadora. Antes que você se dê conta, está tentando se equiparar ao vizinho.

> Muitos de nós caímos na teoria "mãos ocupadas, mãos felizes", e as agendas de nossos filhos se equiparam à rotina de treinamento de um atleta olímpico.

Todo mundo acha que atividades fora de casa são boas para as crianças. Elas permitem que seus filhos tenham experiências novas e variadas, que ampliem suas relações sociais e que tenham uma vantagem inicial em relação às outras crianças, de modo que sejam bem-sucedidas na vida. Mas esse raciocínio parece sadio?

Muitos de nós caímos na teoria "mãos ocupadas, mãos felizes", e as agendas de nossos filhos se equiparam à rotina de treinamento de um atleta olímpico. Mas, se você resistir à tentação de matricular seu filho em tudo o que

Caindo na real: problemas reais, soluções reais

Meus filhos sempre praticam natação, futebol e artes marciais durante o verão. Nossos dias continuam cheios e ocupados. Mas, dessa vez, à medida que o ano letivo ia chegando ao fim, meu calado primogênito (agora com 10 anos) disse: "Mãe, posso só ler neste verão?". Fiquei chocada. Enquanto discutia o assunto com minha amiga, ela disse que havia lido um ótimo livro, intitulado *É seu filho, não um hamster*, sobre o fato de o excesso de atividades não ser bom para as crianças. Estava claro que eu precisava ler aquele livro! Quando terminei, toda minha forma de pensar havia mudado.

Conversei com as crianças e decidimos por um verão sem programas. Em vez disso, fizemos coisas espontâneas, escolhendo assim que acordávamos o que queríamos fazer. Estava com medo de que as crianças ficassem entediadas. Mas tem sido o melhor verão de nossa vida. Na verdade, pela primeira vez me sinto tranquila ao me aproximar do novo ano escolar.

Stephanie, Oregon

aparecer pela frente, sua família será mais feliz. Conheço algumas crianças de 3 anos que fazem aulas de balé, ginástica olímpica e piano, todas numa mesma semana. Isso é loucura. Nenhuma criança de 3 anos precisa de tantas atividades fora de casa. (E, para ser franco, nem mesmo uma de 10 anos.) Haverá muito tempo para seu filho se socializar assim que chegar à pré-escola. A sala de aula ajuda naturalmente as crianças a desenvolver relacionamentos. Espere até seu filho ter 13 anos: ele vai se socializar tanto que vai levar você à loucura.

Também existem diversas opções de atividades para ampliar os horizontes da criança, mesmo num dia na escola, sem que você precise forçar. Nenhuma professora de balé, de ginástica olímpica ou de piano pode tomar seu lugar de pai ou de mãe. Empilhar uma atividade em cima da outra não é garantia de que seu filho terá sucesso na vida. Não entregue o coração, o tempo e os talentos de seu filho a outras pessoas, a programas ou a instituições que nem chegam perto de conhecê-lo como você. A influência externa apenas dilui o efeito que você exerce sobre seus filhos.

Se você sempre parecer preocupado e estressado e viver ao celular, organizando a próxima atividade em sua agenda lotada, o que estará ensinando a seu filho? Que a vida é sempre uma corrida constante numa roda, sem saída para vocês, pobres *hamsters*, por mais que se esforcem.

A maioria das crianças é forçada a participar de atividades demais porque os pais querem que seus filhos sejam os melhores em tudo. Mas, como discutimos no capítulo anterior, cada criança é única. Seu filho não será excelente em tudo. Assim, por que não aceitar essa verdade neste exato momento e tirar você e seu filho dessa infindável roda de expectativas?

E se, em vez disso, você firmar o propósito de tentar uma atividade por semestre para cada filho? Apenas uma. E deve ser algo pelo que *seu filho* se interesse, não algo em que você está interessado que ele faça. Conheço um número enorme de crianças que odeiam aulas de música e só participam delas para deixar a mamãe feliz. Também conheço muitos meninos que tentam jogar futebol para alegrar o papai, mas que, lá no fundo, odeiam esse esporte.

Você é um humano ou um *hamster*?

- Entenda que ninguém pode ter tudo.
- Resista à loucura do "normal" e do "fazer tudo".
- Mantenha a vida simples e gaste tempo com o que interessa.
- Defina as prioridades com sabedoria e fique firme nelas.
- Permita apenas uma atividade extracurricular por semestre.

A filha de sua melhor amiga pode estar envolvida em várias atividades após a escola, mas será que isso significa que a sua filha deve fazer o mesmo, ou não terá as mesmas vantagens? Assumir um compromisso por semestre — e ficar apenas com ele durante todo o período — ajudará seu filho a explorar diferentes tipos de atividades e talentos em potencial, sem sobrecarregar você ou ele. Uma criança de 9 anos que joga num time de futebol cheio de viagens marcadas (um compromisso que a mantém ocupada dois dias depois da aula e todos os sábados durante um ano), além de integrar o time de futebol da escola (que a mantém ocupada nos outros três dias depois da aula) é diferente de uma criança de 9 anos que se matricula em aulas de futebol nas férias. As duas opções vão ajudar a criança a descobrir seu talento para o futebol — ou não —, mas uma atividade durante um período de tempo específico será muito menos estressante para todos vocês.

Mas e se você tiver vários filhos e cada um escolher uma atividade diferente? Isso poderia significar todas as noites ocupadas. Assim, você precisa ser ainda mais esperto e seletivo. Escolha uma atividade ou duas que possam fazer como família, pela qual todos tenham interesse — como comer *pizza* ou jogar boliche na noite de sexta. Ou peça a seus filhos que compartilhem uma atividade por semestre. Se você tiver uma família grande, com crianças com menos de 10 anos e adolescentes, pode pedir aos menores de 10 que escolham uma atividade

---

Caindo na real: problemas reais, soluções reais

A empresa em que eu trabalhava fez uma redução de pessoal, meses atrás, e estou procurando um novo emprego. Isso significa que nossa família tem pouco dinheiro disponível. Sentia-me mal por não conseguir levar minha esposa e meus filhos para jantar fora ou ao cinema, como costumávamos fazer. Um dia, quando estava lamentando, minha sogra me disse que ela e o marido enfrentaram dificuldades quatro vezes em seu casamento, motivadas por demissões inesperadas. Ela afirmou que foi duro, sim, mas que eles aprenderam a encontrar diversão naquilo.

"Diversão?", disse eu. "Você só pode estar brincando."

Quando me explicou, porém, entendi o que ela quis dizer e tive algumas conversas com minha família. Agora, a quarta-feira é o dia do "Crie seu macarrão", e as crianças cozinham. Sábado é a noite do "Descubra o que há no *freezer*", e minha esposa e eu cozinhamos e rimos diante de nossas combinações inusitadas. Redescobrimos e tiramos o pó de velhos filmes e agora estamos trabalhando na criação de um álbum de fotografias de toda a família. Todo mundo ajuda, e partilhamos nossas lembranças dos eventos registrados naquelas fotos.

Minha sogra é sabida. Ela estava certa. Você pode encontrar diversão em praticamente qualquer coisa... Até na perda do emprego.

Steve, Dakota do Sul

em que possam se envolver como grupo e, então, pedir aos adolescentes que escolham uma atividade para compartilharem entre si.

É possível escapar da armadilha do excesso de atividades se você se propuser fazer isso. Tenha em mente seu objetivo: transformar sua família até sexta. Comece já a limpar sua agenda. Reserve as melhores horas para as prioridades da família. Arrume todas as outras coisas em torno disso.

> O lugar em que seu filho mais deseja estar é em casa.

Se vocês estão naquela roda de *hamster*, no início poderá haver muitas reclamações quanto à mudança de rotina. Mas garanto que, em pouco tempo, pais e filhos dirão que a vida está muito menos estressante, e haverá menos briga entre irmãos.

No coração de cada filho há um desejo profundo: fazer parte de uma família feliz. A *sua* família. E o lugar em que seu filho mais deseja estar é em casa.

TRABALHO E FINANÇAS

Fiquei chocado quando descobri que, na média, os pais (homens) se comunicam com seus filhos apenas oito minutos por dia.[2] Oito minutos! Passo mais tempo que isso levando Rosie, nossa cadela, para passear diariamente. E os pais não são os únicos ausentes da vida de seus filhos. Em 2012, o Serviço de Estatísticas do Trabalho dos Estados Unidos publicou um relatório afirmando que 70,9% das mulheres com filhos menores de 18 anos estão no mercado de trabalho.[3] No mundo de hoje, existem muitas razões legítimas para um pai ou uma mãe não conseguirem ficar com seus filhos em casa: desemprego, crise econômica, pai ou mãe solteiro, e assim por diante. Para muitas famílias, porém, os dois pais trabalham porque têm outras prioridades, como subir na carreira ou se equiparar aos vizinhos em termos de posses. O sonho americano — a casa com a cerca branca, duas crianças, dois carros e dois empregos bem remunerados — é sedutor. Mas será que, no longo prazo, os custos valem a pena?

Existe um grande mito circulando hoje na criação de filhos segundo o qual "tempo de qualidade" substitui quantidade de tempo. As crianças não são bobas. Elas não se deixam enganar pelas bugigangas que você traz de suas viagens de negócios. No fim das contas, elas vão descobrir o que aqueles suvenires realmente significam: menos tempo com os filhos. Afinal, toda criança consegue achar de olhos vendados o caminho para um rodízio de *pizza*. Para as crianças, quantidade é importante. É preciso dispor de quantidade de tempo para dispor de tempo de qualidade com seu filho.

O salário é importante para a família. Mas haverá pontos críticos nos quais você terá de tomar decisões: "Mais trabalho ou trabalho diferente, de modo que eu possa passar mais tempo com minha família?".

Quando Carmen perguntou a Amy, sua filha que está no sexto ano, quais eram os eventos de que gostaria de participar na escola, ficou surpresa com a resposta: "Nenhum, mãe. Quero apenas que você esteja em casa quando eu chegar do colégio".

Para Carmen, uma mãe que trabalha setenta horas por semana, aquilo foi um sinal de alerta. E ela o levou a sério: marcou apenas três viagens durante aquele ano escolar (em lugar das mais de vinte que costumava fazer), diminuiu as horas de trabalho para razoáveis 45 por semana, e começou a trabalhar em casa bem cedo pela manhã, a fim de que pudesse ver a filha sair para a escola. Assim que Amy chegava à escola, Carmen ia para o trabalho, mas saía pontualmente às duas e meia da tarde, de modo que estivesse em casa quando a filha descesse do ônibus. Houve algumas noites em que Carmen teve de trabalhar mais um pouco para terminar suas tarefas, quando Amy já estava na cama.

Agora, seis anos depois, Amy está concluindo o ensino médio. Carmen diz que nada teria mudado caso aquela conversa com a filha não tivesse existido.

Num recente Dia das Mães, Amy fez um cartão para Carmen. As palavras eram simples, mas profundas: "Obrigada, mãe, por sempre estar presente".

Se você deseja ter uma família transformada até sexta, comece estando presente, em casa. Uma babá não pode fazer isso por você, por mais capacitada que seja. Uma casa melhor e maior também não pode fazê-lo. Mais presentes não podem fazê-lo. Se, depois da aula, uma criança pudesse comer um biscoito feito de massa pronta congelada ou biscoitos caseiros fresquinhos, qual você acha que ela escolheria? Faria alguma diferença se eu dissesse que os biscoitos feitos com a massa congelada foram preparados por uma mãe que recusou ter o salário diminuído em troca de algumas horas a menos no expediente ou em troca de um trabalho em casa, para que pudesse oferecer biscoitos caseiros aos filhos quando eles chegassem da escola?

Se atualmente você trabalha fora de casa, saiba que não estou dizendo isso para fazê-lo sentir-se culpado. Estou pedindo, no entanto, que você avalie cuidadosamente o tempo que passa longe de casa. Seria possível trabalhar menos tempo? Ou, mais horas por dia, mas apenas três dias por semana? Seu cônjuge poderia fazer a mesma coisa dois dias por semana, para que um de vocês estivesse sempre em casa com as crianças nos dias úteis? Haveria jeito de revezar com outra mãe ou outro pai? Diminuir as despesas? A que distância do trabalho você mora? É preciso fazer um longo trajeto até o trabalho ou você trabalha a quinze minutos de casa?

Talvez a empresa tenha subido a oferta diante de sua decisão. Você recebeu a proposta de assumir a posição de gerente regional, e isso parece ótimo. Significa

> Se você deseja ter uma família transformada até sexta, comece estando presente.

um acréscimo de quase 50% em seu salário. Mas talvez você queira, primeiro, fazer as seguintes perguntas: "Até que ponto eu realmente gosto de viajar (algo que é pré-requisito para o cargo)? Será que vou gostar de sair de casa na segunda e só voltar na sexta, exausto? Ainda valerá a pena? E se meus filhos tiverem dois jogos na semana que vem e eu sentir vontade de estar lá?".

Pais solteiros, sei que talvez vocês não tenham escolha em relação ao trabalho. Muitos de vocês estão em dois ou mais empregos para conseguir pagar as contas. Contudo, lembre-se de que as coisas importantes para você e para seus filhos são comida, abrigo e tempo juntos. Tudo o mais é extra. Algumas empresas dispõem de creches no próprio prédio — um grande benefício para você poder dar uma espiada, ver seus filhos durante os intervalos e conseguir fazer um lanche com eles. Seja criativo em relação às maneiras de encarar os desafios. Peça aos filhos mais velhos que participem de uma conversa com você para discutir ideias, e você os ajudará a desenvolver a capacidade deles de resolver problemas.

Sempre que você sai de casa e entrega seu filho aos cuidados de outra pessoa, está perdendo milhares de oportunidades de deixar nele marcas indeléveis.

Sande e eu vivemos muitos anos com um orçamento reduzido para que ela pudesse ficar em casa com nossos cinco filhos, e nunca nos arrependemos dessa decisão. Conheço outras famílias em que o pai consegue fazer escalas, de modo que possa ficar com as crianças enquanto a esposa trabalha. Em algumas famílias, o pai trabalha o tempo todo em casa e, com isso, está disponível à esposa e aos filhos quando necessário.

Seus filhos não estão assim tão interessados em sua promoção a diretor de vendas daquela loja de sapatos, ou em como sua palestra em outra cidade foi boa a ponto de lhe proporcionar um aumento considerável no salário. Eles não estão assim tão desejosos de ter aquele novo iPod como você acha que eles querem. Eles estão interessados em sua presença na primeira vez em que fizerem um solo de trompete no concerto da banda, e que você esteja presente quando eles marcarem o gol do título no campeonato de futebol da escola. Não importa tanto se a refeição é um prato que equilibra perfeitamente todos os grupos alimentares, servido em porcelana, ou uma *pizza* de micro-ondas comida com a mão. O que realmente importa é que você ensine seu filho a andar de bicicleta... e que tenha um *Band-aid* à mão quando ele cair. Seus filhos não precisam da coisa mais moderna ou mais bacana. Eles precisam de você.

> Seus filhos não precisam da coisa mais moderna ou mais bacana. Eles precisam de você.

Dave Ramsey, um autor popular, incentiva as pessoas a viverem sem dívidas, porque, quando não há dívidas, a vida segue melhor. É um conceito revelador para a maioria das pessoas, porque muitos de nós vivemos com dívidas até o pescoço — casa, carro, cartão de crédito. Os Estados Unidos, como país, estão completamente hipotecados. China e Japão possuem um grande naco da minha nação. E a maioria dos americanos gasta seu talão de cheques inteiro assim que recebe o salário em vez de poupar.

Mas você não precisa ficar endividado. Comece agora a viver de maneira mais disciplinada em termos financeiros. Poupe 10% de seu salário, ainda que seja difícil fazer isso no começo. Peça a seus filhos que poupem 10% da mesada. À medida que eles crescerem, ensine a eles o que é investir.

Como o seu jeito de gastar mudaria se você parasse de tentar se equiparar a seu vizinho? Quem disse que ele é o padrão a ser seguido?

Para ser um bom pai, você não precisa ser o Superpai ou a Supermãe. Você não precisa ser um cozinheiro *gourmet* nem ter o carro mais sofisticado para que seu filho possa impressionar os amigos. E seus filhos não precisam usar a última moda em roupas. Você não precisa ter um emprego que impressione as pessoas. Mas você de fato precisa assumir a responsabilidade de aproveitar o máximo do tempo e dos recursos financeiros que possui, para o bem de sua família.

Transformar sua família em cinco dias tem a ver com relacionamento. Sem isso, os louros que você recebe por seu trabalho são apenas isso: louros. Seu filho se lembrará deles com ressentimento.

Quando eu era jovem, minha família, como tantas outras da época, era pobre. Cortávamos os cachorros-quentes na metade para esticar a refeição. Sair para comer, o que fazíamos muito raramente, significava ir à lanchonete da vizinhança para comer um hambúrguer e tomar um sorvete, no valor de umas poucas moedinhas (sim, sou assim tão velho). Mas a vantagem de crescer sem ter tudo o que você quer é que você passa a apreciar as pequenas coisas. Acima de tudo, aprecia aqueles que fizeram essa jornada de crescimento... ao seu lado.

Portanto, não meça seu valor aos olhos de seus filhos por aquilo que pode lhes dar, pelo ano e modelo de seu carro, nem pelos metros quadrados ou a localização de sua casa. Tudo o que eles querem é a sua presença.

AS AÇÕES FALAM ALTO

As ações *sempre* falam bem alto. A verdade é que elas não apenas falam; elas gritam por cima de suas palavras. Suas atitudes em relação ao tempo, às prioridades, às atividades, ao trabalho e às finanças influenciam fortemente o modo como seus filhos lidarão com essas áreas enquanto crescem e até mesmo quando forem adultos.

No que diz respeito a esses assuntos, o que seu estilo de vida atual diz? Você está ensinando a seus filhos que ter posses materiais é a coisa mais importante, ou que a única maneira de obter sucesso é correr de atividade em atividade? Sua agenda sobrecarregada reforça o que a criança já pode estar pensando ("Sou um estorvo para mamãe e papai; eles não me querem por perto")?

O sistema funciona contra nós. Ele promove a noção de que as coisas vêm antes das pessoas e que é "nobre" fazer sacrifícios e dar aos filhos aquilo que você não teve, a fim de que eles venham a ter uma vida melhor. Contudo, ao dar coisas aos filhos, costumamos desprezar o que é mais importante: nossa habilidade de passar tempo e nos divertirmos com eles.

É você quem está no banco do motorista, e é você quem tem de decidir se a criança será parte efetiva da família. Criar filhos não tem a ver com conveniência. Tem a ver com tomar decisões difíceis para ter uma família transformada até sexta.

> Criar filhos não tem a ver com conveniência.

Lembra-se daquele adesivo para carros que dizia "Pare o mundo que eu quero descer"? É *possível* descer daquela roda de *hamster* e planejar que sua família tenha uma vida que lhe dê a oportunidade de deixar marcas duradouras.

Sei disso porque agimos assim com nossos cinco filhos — e os resultados valeram muito a pena. Hoje, nossos filhos vivem nos quatro cantos do país, mas apoiam continuamente uns aos outros e movem terra e céus para comparecerem aos encontros familiares. Quando coloco meus pés na sala de jantar e os vejo interagindo, não posso deixar de sorrir.

É como ver um pedaço do céu na terra.

Questionário familiar

1. Qual seu maior desafio relacionado ao tempo? Como você expressa *amor* a seus filhos?
2. Dê uma olhada em sua agenda. Como ela reflete suas prioridades? O que precisa mudar?
3. Você foi pego na armadilha do ativismo? Se foi, em que áreas isso ocorreu? Que medidas você pode tomar hoje para simplificar suas atividades de modo a se concentrar naquilo que é mais importante?
4. Seu emprego atual é a melhor opção para você e para sua família? Em caso negativo, pense em alternativas mais adequadas para todos vocês.
5. Como você enxerga o dinheiro e os bens materiais? Que papel eles desempenham na vida familiar? Depois de ler este capítulo, o que você gostaria de mudar e por quê?

_____QUARTA-FEIRA

Navegando em meio à tempestade perfeita

Como obter o melhor de crianças pequenas e adolescentes, bem como de todas as faixas etárias entre eles.

Mar em fúria, filme estrelado por George Clooney e Mark Wahlberg, baseou-se numa catástrofe real ocorrida em 28 de outubro de 1991, quando um furacão tropical devastador vindo das Bermudas colidiu com sistemas de alta e baixa pressão na costa leste dos Estados Unidos. O impacto resultou em ventos fortíssimos e ondas de trinta metros de altura, que derrubaram o barco *Andrea Gail* na costa de Gloucester, Massachusetts, matando os seis membros da corajosa e empenhada tripulação. Bob Case, meteorologista aposentado da Associação Oceânica e Atmosférica dos Estados Unidos, deu àquele furacão o apelido de "tempestade perfeita". Os três ingredientes para a formação dessa tempestade, a mais devastadora do século, foram:

1. O furacão Grace, de 27 de outubro de 1991, que se formou na costa da Flórida e dirigiu-se para a costa leste do país.
2. A colisão do furacão com um sistema de baixa pressão na costa da Nova Escócia.
3. Um sistema de alta pressão que se estendeu desde o Golfo do México até a Groenlândia.[1]

A tempestade ficou famosa quando o autor Sebastian Junger fez um retrato literário do afundamento do navio pesqueiro em seu romance *A tormenta*.

Para os observadores norte-americanos, tudo isso parecia apenas um evento próprio para o cinema. Mas, 21 anos depois, em 29 de outubro de 2012, uma tempestade perfeita se abateu sobre a costa leste dos Estados Unidos. O que fez do furacão Sandy, que uniu forças com outro vindo do nordeste, uma "tempestade perfeita", como alguns o chamaram?[2]

Os meteorologistas dizem que são necessários três componentes para criar uma tempestade perfeita:

1. Um furacão.
2. Um sistema de baixa pressão.
3. Um sistema de alta pressão.

Coloque esses três em rota de colisão, e você terá um estrago de proporções épicas.

E nós vimos isso. Na verdade, os meteorologistas previram a chegada da tempestade à costa nordeste dos Estados Unidos com sete a dez dias de antecedência. A Guarda Costeira entrou em alerta total, avisando às pessoas que a tempestade estava chegando. Infelizmente, muitos não deram atenção aos avisos.

Pais, a tempestade perfeita está vindo na sua direção, se é que já não chegou. Ela é chamada de *adolescência*.

Uma mãe me disse: "Oh, dr. Leman, minha pequena Jessica é uma boneca. Ela é tão obediente".

Espere até ela completar 11 anos, mãe. Reproduzo aqui a fala da Sra. Certinha, minha adorável esposa primogênita que diz as coisas como elas são: "Uma filha de 11 anos é a pior criatura a caminhar por este planeta". Ela deve saber, afinal criou quatro delas.

> A tempestade perfeita está vindo na sua direção, se é que já não chegou. Ela é chamada de *adolescência*.

As crianças pequenas e os adolescentes têm muito em comum. Ambas sofrem ataques de nervos e explodem com você — com a exceção de que um dos grupos grita mais alto. É difícil ser adolescente hoje em dia. Uma pequena espinha é semelhante ao monte Everest. Tudo é exagerado. "Amigos" mudam como água. As pessoas de quem os adolescentes gostam e com quem saem num dia vão chateá-los no dia seguinte. É um mundo cruel, com todos os elementos de uma tempestade perfeita.

Reúna:

1. *Adolescentes*, que estão formando pensamentos próprios e se desenvolvendo em termos físicos, emocionais, intelectuais, espirituais e mentais.

2. *Colegas*, que fazem a mesma coisa que seu adolescente e também trazem consigo pressão social e influências externas, além de novas culturas e tecnologias, que dão poder às crianças como nunca antes (e que estão dizendo: "Beba isto, cheire aquilo — não vai doer, seus pais nunca saberão e, afinal de contas, eles nem se importam").
3. *Pais*, que têm suas próprias questões tentando superproteger, ameaçar, chefiar e controlar os filhos, ou que simplesmente se desligam e partem em retirada...

E o que você tem?

A tempestade perfeita em seu lar, algo que pode se tornar realmente assustador!

COMO CONDUZIR OS ADOLESCENTES EM SEGURANÇA PELA TEMPESTADE PERFEITA

Os adolescentes precisam navegar pela tempestade, mas os pais também precisam.

Adolescentes e pais precisam ser abatidos por ela? Não.

É possível navegar de maneira bem-sucedida pelas águas revoltas dos anos da adolescência? Sim.

É possível garantir o mínimo possível de danos pelo caminho? Sim.

Você quer resistir à tempestade perfeita da adolescência? Como Tarzan disse a Jane: "Lá fora é uma floresta. Agarre um cipó".

E segure-se para o passeio!

Os anos da adolescência são interessantes — e os mais esquisitos. É bem sabido que a pressão do grupo tem um impacto enorme. Lembro-me de ter lido sobre um estudo realizado pela Universidade da Califórnia, em Los Angeles.[3] Os pesquisadores forneceram três linhas de comprimentos diferentes para que grupos de adolescentes as observassem. Trabalharam com um grupo de dez adolescentes por vez, o qual deveria realizar uma tarefa simples: identificar a linha mais comprida. Mas o que um dos adolescentes não sabia era que os pesquisadores estavam em conluio com os outros nove adolescentes. Os pesquisadores disseram aos nove: "Quando eu pedir para apontar qual é a linha mais comprida, vocês devem apontar para a segunda linha mais comprida".

> Como Tarzan disse a Jane: "Lá fora é uma floresta. Agarre um cipó".

O que você acha que aconteceu? Quando nove jovens de todos os grupos apontavam para a segunda linha mais longa como sendo a maior, 75% dos "ratinhos de laboratório" levantaram a mão e confirmaram que aquela era a linha mais longa... embora pudessem ver claramente que não era. Ora, minha gente, isso é que é pressão do grupo! Ainda que seu filho não a esteja sofrendo, é certo que ele vai passar por isso.

O que você pode fazer em seu lar e em sua família para preparar seu filho para um mundo como esse?

Certa vez, ao praticar *rafting* num rio do Colorado, fiz exatamente o que o guia no fundo do bote disse para eu fazer: "Reme com força na esquerda, agora os dois lados para a frente, reme com força na direita, cuidado com a pedra embaixo da água adiante". Depois de navegar pelas corredeiras daquele rio e de passar por todas as suas rochas, fiquei mais que feliz ao sair daquela banheira de borracha! Mas sabe quem nos conduziu em segurança por aquele rio?

O guia. Foi ele que nos impediu de engolir água.

Você, pai ou mãe, precisa conhecer o rio, o bote e os passageiros. Você é o adulto. Você já passou por muita coisa, conhece muita coisa e tem a experiência de vida a seu favor; então, espera-se mais de você que de seus filhos. Você define o curso.

No que diz respeito à atitude e à disciplina, é agora ou nunca. Você não tem todo o tempo do mundo — dispõe apenas do estreito intervalo dos anos de crescimento. E, com sua ajuda, seus adolescentes poderão navegar pela tempestade perfeita da adolescência, e você os conduzirá como um marinheiro experiente.

O que pode ser útil?

Primeiro, lembre-se de que isso é uma coisa de família. Vocês todos estão no mesmo bote. O que afeta um, afeta todos.

Segundo, lembre-se de que a adolescência não é uma doença incurável. Por vezes, ela parece mesmo ser assim. Todos os adolescentes se tornam problemáticos? Não, algumas famílias conseguem passar pelos anos da adolescência como uma brisa fresca que sopra por águas tranquilas numa noite de verão. Mas, de uma hora para outra, a temporada dos hormônios, como costumo me referir a esse período, pode ser mais parecida com um banco de areia, mato alto ou um riacho lamacento do que com uma divertida partida de golfe. As crianças entram na adolescência por volta dos 11 anos. A boa notícia? Ao chegarem lá pelos 25, já serão crescidos, e as meninas se desenvolvem mais rápido que os meninos.

Terceiro, lembre-se e reconheça os três elementos que, agindo juntos, formam a tempestade perfeita: os próprios adolescentes, seus colegas e os pais.

O QUE PODE ANIMAR OU DESANIMAR SEU ADOLESCENTE

Permita-me fazer você voltar no tempo, para a época em que eu tinha 13 anos. Eu era um rebelde, com cabelo cheio de brilhantina e penteado para trás. Calça azul-escura com o cinto de lado. E, para causar efeito, um cigarro pendurado no canto da boca. Tinha estilo para andar e para falar.

Mas eu tinha uma mamãe ursa que olhava para a minha aparência, deixava de lado qualquer comentário sobre a maneira como eu me vestia e dava mais atenção ao meu coração.

Pense nas roupas que você usava quando era adolescente e como você agia. Aposto qualquer coisa que agora você sente um pouco de vergonha quanto ao modo como se vestia... Mas, naquela época? Bem, você era um estouro.

Pais, o que está do lado de fora pode mudar. O que vale é o que está no coração. Torne-se e continue sendo amigo de seu filho. Trate-o como você trataria seu amigo adulto mais próximo ou seu melhor cliente do trabalho: com respeito. Algumas crianças mal podem esperar para ir para o quarto porque querem se livrar do grupo que as rodeia.

Se você quiser desanimar seu filho e piorar o modo como ele age, solte declarações como estas:

- "Que pergunta mais idiota."
- "Xiii, mais uma das suas ideias malucas."
- "A resposta é não. Desista."
- "Quantas vezes eu preciso lhe dizer?"
- "Lá vem você de novo... Eu sabia."
- "Você sabe a resposta. Por que insiste em perguntar?"
- "Se um passarinho tivesse o seu cérebro, voaria de lado!"

Se você quiser promover o diálogo com seus filhos e mudar a atitude deles, tente estas declarações:

- "Diga-me o que você acha. Sou todo ouvidos."
- "Se há alguém que pode entender isso, esse alguém é você."
- "Isso faz sentido. Fale mais a respeito."
- "Você teve uma ideia muito interessante sobre essa questão."
- "Preciso da sua opinião. O que você acha desta roupa?"
- "Se você precisar de ajuda com isso, por favor, é só dizer."
- "Gosto disso. Sei o que você está sentindo."
- "Essa é uma ótima ideia. Conte mais sobre ela."
- "Claro, estou aberto a isso."

Qual a diferença entre as duas listas? A primeira lista tem *reações* negativas. A segunda lista tem *respostas* positivas. Qual a base dessas reações e respostas? Sua atitude — uma maneira de pensar e sentir que se revela tanto em suas palavras como em suas ações. As crianças começam a perceber isso assim que nascem.

Elas definem quem é quem e o que é o quê. Toda criança deseja um ambiente acolhedor e um lugar confortável onde possa crescer, e quer estar com os pais — até que se isso se torne desconfortável.

Quando você *reage* a um remédio, isso é ruim. Quando você *responde* a um remédio, isso é bom. Isso significa que seu corpo optou por se adaptar àquele remédio de uma maneira que fará você se sentir melhor.

> Quando você *reage*... isso é ruim. Quando você *responde*... isso é bom.

Sei de um lar onde um filho de 19 anos anunciou durante uma refeição, à mesa de jantar, que estava noivo.

Sabe o que a mãe dele disse? "Ah, que bom. Você poderia me passar a travessa de ervilhas, querido?"

Ora, isso é responder em vez de reagir.

Sabe quem era aquele rapaz de 19 anos? Eu.

Meu amigo, não inventei essa história. Ela é verdadeira. Eu estava noivo. E paguei vinte dólares por um anel de diamante numa loja de departamentos.

Minha mãe, que Deus a tenha, poderia ter dito um monte de coisas. Mas não disse. Ela simplesmente evitou tocar no fato de eu estar noivo. Na verdade, minha mãe era mestre em passar por cima de situações. Talvez fosse uma decisão consciente, ou talvez fosse apenas uma reação desenvolvida em resposta às minhas loucuras. Acredite, ela tinha muito material com que trabalhar.

Sou feliz por não ter me casado com aquela jovem. Minha vida seria muito diferente. Mas o que teria acontecido se minha mãe tivesse reagido com algo como: "Essa é a coisa mais estúpida que já ouvi. Você nem sequer tem emprego. Como vai cuidar de uma esposa, de uma família? Onde vão viver?".

Serei bem direto. Teimoso como eu era, aquelas palavras provavelmente teriam me empurrado para mais perto do casamento.

Eu não era um rapaz "religioso". Minha mãe tinha de me arrastar para a escola dominical e para os eventos da igreja. Quando saí de casa, não quis nada com Deus. Ele não tinha lugar em minha vida. Mas as orações de minha mãe e o fato de vê-la todo dia com sua Bíblia aberta causaram impacto duradouro em mim. O mesmo aconteceu com a Bíblia que me deu e um dos versículos que escreveu nela: "Confie no SENHOR de todo o seu coração; não dependa de seu próprio entendimento. Busque a vontade dele em tudo que fizer, e ele lhe mostrará o caminho que deve seguir" (Pv 3.5-6). Tamanho foi esse impacto que escrevi um livro intitulado *The Way of the Wise* [O caminho do sábio], sobre as verdades eternas contidas nesses versículos.

Contudo, na infância e na adolescência, eu era especialista em pegar minha mãe de surpresa. Quando seu filho faz coisas inesperadas, em geral ele está tentando descobrir o que você vai dizer e fazer. Se você reagir, vai afastá-lo. Se responder calmamente, ele permanecerá junto de você; nesse caso, o usual é que você mais tarde consiga obter outras informações sobre o assunto.

Porque minha mãe respondia em vez de reagir, bem como porque ela era amável e consistente em seu amor por mim, minha vida deu uma guinada. Sim, foram necessários alguns anos, e minha mãe poderia ter desistido no meio do caminho, mas não o fez.

Minha mãe, esperta, manteve a ênfase no relacionamento, não nas coisas idiotas que eu fazia.

> Minha mãe, esperta, manteve a ênfase no relacionamento, não nas coisas idiotas que eu fazia.

Se você quer que seus filhos estejam perto de você, opte por responder em vez de reagir, como minha mãe fez comigo, um menino problemático. Seus filhos enfrentam muitas incertezas à medida que se aproximam da adolescência e dão de cara com a realidade que ela impõe. Parte dessa incerteza é o anseio de estar entre as pessoas certas. Assim, adivinhe o que acontece? Você precisa estar no topo da lista de "pessoas certas".

Você já assistiu ao canal *Animal Planet*? Certa vez, vi uma filmagem subaquática de um filhote de baleia nadando ao lado da mãe, acompanhando cada

Caindo na real: problemas reais, soluções reais

Cresci numa família na qual o jeito de as pessoas se vestirem era muito importante — e era melhor ter estilo conservador, senão, segundo minha mamãe sulista, você estaria anunciando que sua moral não era das melhores. Se uma saia ficasse cinco centímetros acima do joelho, eu não podia usá-la.

Então, minha filha adolescente foi fazer compras pela primeira vez com uma amiga e chegou em casa com um *short* que era definitivamente mais curto que os cinco centímetros sobre o joelho. Abri a boca e a fechei. Poderia ter dito: "Você vai devolver isso já!", mas não disse. Aprendi algo com seus livros, dr. Leman, sobre não dar ênfase excessiva às coisas pequenas. Afinal de contas, era apenas um *short*. Em vez disso, eu disse: "Ah, você foi comprar alguns *shorts*. Parece que encontrou". Minha filha sorriu e os usou nos cinco dias seguintes.

A surpresa chegou na semana seguinte, quando ela usou o *short* no primeiro dia de aula mas ouviu que ele era curto demais e foi mandada de volta para casa para trocar de roupa. Agora, minha filha tem um *short* bem caro que usa aos sábados para ficar em casa, no sofá. E, na vez seguinte que foi fazer compras com a amiga, voltou para casa com uma calça *jeans* e perguntou o que eu achava dela.

Encerrei o caso e preservei o coração de minha filha. Obrigada por me lembrar do que é importante.

DeeAnn, Texas

Os oito itens da contagem regressiva para manter seus adolescentes por perto

8. Fale *com* seus filhos. Não fale *para* seus filhos.
7. Elimine a expressão *por que* de seu vocabulário. Em vez disso, use afirmações, comentários e observações.
6. Mostre interesse pelas atividades deles. Ouça as músicas que eles ouvem e encontre nelas algo que mereça elogio.
5. Esteja disponível — não os deixe pensar que são um estorvo.
4. Busque as opiniões, os pensamentos e os conselhos deles.
3. Seja previsível e consistente.
2. Espere o melhor deles.
1. Divirta-se.

movimento dela. O bebê sabia onde estavam as coisas boas e não estava disposto a perdê-las de vista.

Seus filhos querem estar perto de você. Você fornece tudo na existência deles — o que comer e vestir, com que brincar, onde dormir, no que andar, e por aí vai. Você até mesmo compra roupas íntimas para eles! Eles não têm nenhum bem, a não ser você. Contanto que você tenha algo a lhes oferecer, eles nadarão junto de você, bem no meio daqueles ventos fortes e daquelas águas turbulentas, enquanto outras crianças estão lutando sozinhas, ou em meio aos colegas, para continuar respirando.

Mas, para que eles queiram estar com você, como o bebê baleia fica perto da mãe, você deve exercer uma autoridade saudável sobre seus filhos — ser amigo, mas continuar sendo pai ou mãe deles. Exercer autoridade saudável é diferente de ser uma figura autoritária com a qual tantos de nós cresceram, o pai que tenta controlar marionetes na ponta de uma corda.

Um provérbio que passou pelo teste do tempo diz: "A resposta gentil desvia o furor" (Pv 15.1). Brigar é um ato de cooperação; é preciso haver duas pessoas. Quando um não está brigando nem atirando ofensas contra o outro, não há nenhum atrativo nisso. Se você desanimar seus filhos, eles vão se afastar de você. Mas, se você capturar o coração deles e os mantiver próximos, eles estarão sempre ligados em você.

TUDO TEM A VER COM RELACIONAMENTO

Chamo a temporada de hormônios de anos críticos porque a maior probabilidade de a família ser afetada por uma tragédia acontece quando os filhos atingem essa fase. Um lapso de bom julgamento enquanto você dirige seu carro pode ter consequências mortais. Sucumbir à pressão do grupo pode levar a uma gravidez indesejada. Esse é o momento da vida de seus filhos em que eles são testados ao limite. É por isso que, num minuto, eles amam você e, no seguinte, o odeiam, e você fica tonto com essas mudanças de humor. Eles estão arando novos campos emocionais e novas áreas físicas. Precisam de mais tempo sozinhos para processar as coisas.

> Esse é o momento da vida de seus filhos em que eles são testados ao limite.

É por isso que até mesmo sua doce filha de 11 anos pode se tornar o que chamo de "bate e tranca". Ela chega em casa, bate a porta e tranca a fechadura para garantir que não será perturbada por aqueles que a amam. Então passa o tempo livre digitando como um pica-pau com déficit de atenção, conectando-se com todos aqueles "amigos" que criaram confusão em seu dia. Ser aceita pelos outros é altamente importante para ela, e ela está cercada por gente que diz: "Seja como nós", o que pode significar usar drogas. Numa das melhores escolas da cidade de Tucson, Arizona, onde vivo, a droga da vez é a heroína. Quando as crianças tiverem alguns trocados no bolso de trás da calça, elas vão provar tudo o que houver debaixo do sol... A não ser que tenham uma boa razão para não fazê-lo.

Essa razão é um relacionamento firme como rocha com os pais. Alguns anos atrás, meu amigo Josh McDowell disse algo profundo, e ainda compartilho suas palavras com as pessoas: "Regras sem relacionamento levam à rebelião". Você precisa ter um relacionamento com seus filhos. E você terá um relacionamento diferente com cada filho, uma vez que cada um de seus filhos é diferente.

O que é importante para você: regras ou relacionamento? Seus filhos lhe devem respeito e obediência, mas eles não farão isso a não ser que tenham um relacionamento com você e saibam que você está do lado deles.

Esses anos da adolescência podem ser os melhores de sua vida: nada de fraldas, penicos e mamadeiras, além de poder viajar sem tantas paradas para ir ao banheiro. O que você pode fazer para incentivar e afinar o relacionamento de vocês durante esses anos tumultuados?

Primeiro, seja um semeador. Plante sementes na vida de seu filho. Digamos que você esteja indo de carro para a escola de seu filho de 12 anos.

— Querido, posso pedir sua opinião? (Isso, a propósito, é diferente de fazer uma pergunta direta.)

— Sim, claro — diz ele.

— Você acha que mamãe ou papai dariam a chave do carro a uma criança que não seja responsável em casa ou na escola? (Com essa declaração, você terá plantado a semente.)

— Não sei — diz ele, olhando pela janela (e, garanto a você, prestando atenção).

Três maneiras fáceis de conhecer os amigos de seu filho (sem deixá-lo envergonhado)

1. Faça da sua casa o centro da diversão

Eles adoram passar tempo com alguém. Arranje tudo para que estejam na sua casa. Um dos maiores elogios que já recebi das amigas de minha filha Lauren foi: "Vocês são muito maneiros". Ser maneiro é bom quando isso faz as crianças retornarem. E você vai conseguir ficar de olho naquela garotada reunida, sem parecer que as está vigiando.

2. Dê comida a eles

Os adolescentes estão sempre com fome. Se você assistiu ao filme *Campo dos sonhos*, sobre o fazendeiro do estado de Iowa que construiu um campo de beisebol em sua plantação, conhece uma de suas frases famosas: "Se você construir, ele virá". Bem, isso é verdade em relação aos adolescentes: "Se você os alimentar, eles virão". Sim, sua conta do supermercado vai subir, e você pode acabar encontrando restos de bolo no sofá e manchas de Coca-Cola no carpete, mas esse é um pequeno preço a pagar para saber exatamente onde seus filhos estão, não acha? Simplesmente pergunte à Sra. Certinha, minha adorável esposa, que é especialista em remover manchas.

3. Incentive relacionamentos

Sua família pode sempre ter um "estepe" numa viagem. Por que não permitir que seu adolescente leve um amigo num passeio da família? E há um benefício: garanto que haverá menos brigas entre irmãos, uma vez que seu adolescente estará alegremente distraído. Todos saem ganhando.

— Bem, está chegando o dia em que você vai achar que mamãe e papai não sabem nada sobre a vida, que são as pessoas mais "por fora" do planeta. E você dirá a seus amigos: "Tenho os pais mais estúpidos do mundo. Como posso ser tão azarado?". — Você sorri e continua: — Algum dia, no futuro, alguém vai pedir para você fumar isso ou cheirar aquilo. Vão dizer: "Isso é bom para você". E você vai se ver numa situação ruim. Aquela voz baixinha que diz: "Oh-oh" dentro de você é a maneira de o Deus todo-poderoso dizer: "Ei, saia daí. Dê meia-volta. Isso vai dar problema". Bem, filho, se você estiver numa situação assim, você me liga e eu vou pegar você. Sem perguntas.

É isso que um pai inteligente faz: lança sementes do que pode aparecer pela frente, mas dá ao filho uma saída.

Foi curioso o fato de, nesta semana, enquanto pensava neste capítulo e dirigia, meu pai ter me vindo à mente. Ele cursou apenas o ensino fundamental e trabalhava como motorista de caminhão da lavanderia. Mas, quando eu era criança, ele me ensinou: "Nunca faça uma conversão à esquerda até que consiga ver toda a faixa de trânsito que vem na sua direção". Bem, agora sou velho o suficiente para receber salário da Previdência Social, o que me deixa mais perto da morte. Nunca em minha vida, porém, fiz uma conversão à esquerda sem olhar para ter certeza de que a faixa estava livre. Também nunca me envolvi num acidente. Tudo isso porque, muito tempo antes, meu pai plantou a semente.

Segundo, seja previsível. Seja consistente. Seja rotineiro. Acho que você entendeu a ideia. A temporada dos hormônios é tão caótica que os adolescentes precisam ter como referência algo que não se move. Essa referência precisa ser você.

Terceiro, espere o melhor de seus filhos. Se você o fizer, em geral vai receber o melhor. Nem todas as vezes isso acontece, é claro, uma vez que filhos são humanos — bem, pelo menos na maior parte do tempo. Se você pediu a seus adolescentes que fizessem alguma coisa, não os importune nem repita diversas vezes. Em vez disso, espere que eles sejam responsáveis e realizem o que foi pedido.

> Se você pediu a seus adolescentes que fizessem alguma coisa, não os importune nem repita diversas vezes. Em vez disso, espere que eles sejam responsáveis e realizem o que foi pedido.

Mas e se, por exemplo, seu filho não fizer? Há uma solução inesquecível para isso. Quando a mesada dele chegar, ela será um pouco menor. Ele olhará confuso e dirá:

— Estão faltando vinte reais.

Você comentará com um tom de voz bem direto:

— Ah, é mesmo. Bem, eu pedi que você lavasse o carro no sábado, uma vez que ele ficou imundo depois que levei você e seus amigos para jogar bola, mas você deve ter se esquecido de limpá-lo. Assim, precisei levá-lo ao lava-jato domingo de manhã. A lavagem custou dezessete reais, mais três de gorjeta.

Seu filho inteligente não se esquecerá de lavar o carro novamente quando lhe for pedido, ou talvez antes mesmo de você pedir, concorda? E veja só como você reagiu: permaneceu calmo e simplesmente declarou os fatos.

Quarto, certifique-se de que seu lar é um local de diversão. O filme favorito de minha família — exceto por minha esposa, que cruza os braços e diz: "Não acredito que vocês estão assistindo a esse filme infantil *de novo*" — é *Três amigos!* Adoro esse filme. Meus cinco filhos decoraram a história inteira, e eu também. E, no último inverno, até pegamos a Sra. Certinha cantando junto com os cavalos.

Se você for a um restaurante com a nossa família, é melhor não ser tímido. Nós, os Leman, sempre achamos alguma coisa da qual rir e sobre a qual fazer uma brincadeira. Quando saímos, os atendentes e a maioria das pessoas do restaurante estão sorrindo. Os Leman se divertem. Você dá prioridade à diversão em sua família?

Quinto, crie oportunidades para que os adolescentes colaborem com a família. Isso pode significar secar a louça certa noite, jogar uma água no carro com a mangueira, ajudar um irmão mais novo que tenha dificuldades em leitura ou pagar as contas pela internet (sim, seu filho de 11 anos provavelmente está mais bem preparado para fazer isso que você, e é bom que os adolescentes participem das questões financeiras e saibam qual o valor do aluguel ou das despesas da casa — isso abre os olhos da maioria das crianças). Seus filhos vivem num lar, não num hotel. Todo mundo dá uma mão. Ninguém é tratado como príncipe ou princesa. Ainda que possam reclamar, lá no fundo estão felizes por poder fazer algo para ajudar. Isso também consolida o papel que exercem como parte da família numa hora em que a pressão do grupo tenta empurrá-los para longe.

> Todo mundo dá uma mão. Ninguém é tratado como príncipe ou princesa.

Sexto, procure saber a opinião deles. "Mamãe e eu estamos conversando sobre algumas ideias de lugares onde a família possa passar as férias este ano. O que você acha?" Envolva seus filhos. Eles têm ideias e ficarão mais que felizes em compartilhá-las — e em ajudar você numa ou outra pesquisa.

A temporada de hormônios é um intervalo breve, mas você tem a oportunidade, começando agora mesmo, de extrair o melhor que ela oferece.

NORMAL OU ANORMAL?

Como você sabe o que é um comportamento adolescente "normal" e o que não é?

Vou dizer de maneira franca: os adolescentes são esquisitos e fazem coisas idiotas. Todos eles são absolutamente confusos. Se você mapeasse os comportamentos adolescentes, veria uma linha ondulada como a de um sismógrafo num dia ruim na Califórnia. É por isso que você precisa ser a linha semirreta. Perceba que eu disse *semirreta*, não reta ou rígida. Você precisa ser capaz de flexionar, de seguir com a corrente, mas também de ser o nivelador.

Comportamento normal

Veja a seguir algumas coisas que você pode esperar no comportamento adolescente "normal". Segure-se e prepare-se para o que está por vir.

Exagero. Conte o número de vezes que você ouviu de seus filhos coisas como "Você nunca..." ou "Você sempre...". Não, espere; não conte, senão você não conseguiria acabar este livro.

As filhas, em especial, são as rainhas do drama, mas os meninos também poderiam assumir papéis principais nesse quesito. Assim como uma espinha é o fim do mundo (pelo menos por um dia), qualquer coisa que você faça merece uma crítica superlativa. Aceite esse fato e siga adiante.

Disputa entre irmãos. As frases a seguir são comuns em sua casa?

"Ela saiu usando meu suéter e o devolveu manchado."

"Bom, ela pegou a minha..."

As crianças envolvem você desnecessariamente nas brigas que armam entre si, e você não deve se deixar ser sugado. Em vez disso, diga: "Tenho certeza de que vocês vão dar um jeito" e saia.

Mudanças de gostos e opiniões. Algo de que gostam num dia passa a ser odiado no dia seguinte, especialmente se um amigo fizer um comentário negativo sobre aquilo.

Sua filha pergunta:

— O que teremos para o jantar?

— Frango — você responde.

Ela olha com nojo e diz:

— Ai, odeio frango.

Essa é a mesma filha que detonou quatro coxas de frango na semana passada e disse que eram simplesmente as melhores que já havia comido. Como lidar com isso?

— Bem, teremos frango para o jantar de hoje, já que ele já está descongelado — você diz calmamente. — Mas o que você gostaria que eu preparasse para outra noite desta semana?

— Pernil — diz sua filha, aliviada.

— Então será pernil. Vou comprar no mercado quinta-feira. O que você acha que seria bom para acompanhar?

Quer apostar que a mesma filha vai mandar ver um prato cheio de frango aquela noite?

Reclamação sobre toda e qualquer coisa. Como disse o sábio rei Salomão, "não há nada novo debaixo do sol". Adolescentes de todas as gerações reclamam de absolutamente tudo. O seu fará o mesmo. Aceite, ignore, e o mundo continuará girando em torno de seu eixo.

Decisões estúpidas. Na temporada de hormônios, os adolescentes agem de maneira boba, especialmente perto do sexo oposto, uma vez que acabaram de descobrir que existe o outro sexo e não sabem o que fazer com isso. Para as meninas, os comentários mudam de "Meninos são tão bobos" para "Oh, ele não fica bonitinho com aquela camisa? Acho que estou apaixonada", acompanhados de um monte de risadinhas e suspiros. Os meninos não falam tanto quanto as meninas, mas farão papel de bobo, flexionando os músculos e competindo com outros meninos pela atenção delas.

Comportamento anormal

Como é possível dizer, diante de todas as ações impulsivas e imprudentes dos adolescentes, quando um comportamento é anormal e quando você deve investigar a razão dele?

Evitar a escola. Se seu filho está evitando a escola, existe uma razão. Pode ser que ele esteja sofrendo *bullying* por parte de um aluno ou de um grupo. Pode ser que tenha problemas de aprendizado e se sinta um fracasso porque as outras crianças o atormentam ou o professor o fez sentir-se bobo. Mas o melhor palpite é que, se você vir as notas de seu filho caírem de A para F, então seja bem-vindo ao mundo da maconha. Ela roubará toda a motivação de seu filho.

Rebeldia. Todos os adolescentes se rebelarão de alguma maneira. É o jeito pelo qual querem ser diferentes e causar impacto no mundo. Mas estou falando aqui sobre um modo de vida, não apenas de ocorrências individuais. Você não tem bons dias sempre, não é? E nem sempre concorda com tudo o que as pessoas pedem para você fazer, certo? Seu filho adolescente também não. Mas, quando a rebeldia se torna um padrão e um modo de vida, algo está errado.

Provocação. Todo adolescente fica agressivo de vez em quando. Ele pode querer defender o território e lhe dar o tratamento do silêncio ou da provocação. Talvez encare você e grite. Contudo, quando a provocação se torna um modo de vida, você tem um problema. Um adolescente que provoca o pai está dizendo: "Você não é autoridade sobre mim. Sou eu quem manda aqui e posso fazer o que quiser".

> Todo adolescente fica agressivo de vez em quando.

Tanto para a rebeldia como para a provocação, sugiro o tratamento de pão e água. Você fornece as coisas básicas da vida — comida, água e abrigo —, mas só. Nada de celular, dinheiro, tempo com os amigos ou cursos extracurriculares. Até que as coisas estejam acertadas no *front* do lar, seu filho não vai a lugar nenhum. Nem mesmo à escola. Quando tiver de explicar aos amigos por que não foi, ficará envergonhado. Ficará ainda mais envergonhado quando você se recusar a escrever um bilhete para o diretor ou para a professora livrando a barra dele e, ao invés disso, comunicar: "Não permiti que o João fosse à escola porque ele tem sido rebelde e provocativo em casa. Por favor, cobre dele a entrega de todos os trabalhos na data devida". Ora, isso vai chamar a atenção de seu filho. É pouco provável que ele apronte com a mamãe (que pode ter sido ingênua no passado) outra vez.

Afastamento extremo. Todo adolescente precisa de um tempo sozinho para poder refletir. Mas, se todas as noites seu adolescente se afasta da família e também de seus colegas, essa é uma luz vermelha bem grande. Adolescentes que se afastam muitas vezes estão lidando com problemas emocionais e psicológicos intensos, que podem incluir mutilação, anorexia, bulimia, pornografia

Como criar a tempestade perfeita em sua casa

- Envergonhe seus adolescentes. Pior, faça isso na frente dos amigos deles.
- Ameace e imponha autoridade. Aja como se soubesse tudo e tivesse a última palavra em todos os assuntos.
- Adote uma cara de "não" e discorde de tudo. Seus filhos vão acabar deixando de falar com você.
- Fale de modo ríspido. Adolescentes acham isso desrespeitoso. Eles provavelmente vão até postar algo sobre você no Facebook.
- Desrespeite seu cônjuge. Persiga-o verbalmente, onde os filhos puderem escutar. Todo filho gosta de ir para a cama com um travesseiro sobre a cabeça. Eles são assim mesmo.
- Despreze a opinião, o pensamento, as ideias, o estilo musical e os interesses de seu filho. Quando se referir a essas coisas, use a palavra *estúpido* diversas vezes.
- Faça que eles peçam tudo em vez de você se antecipar às necessidades deles.
- Seja mesquinho, em vez de generoso, com seu tempo e suas finanças.
- Considere qualquer atitude como obrigação deles. Sempre faça o filho mais velho cuidar dos mais novos. Nunca agradeça.
- Não peça perdão... jamais. Você é o adulto, de modo que está *sempre* certo.
- Faça perguntas sem parar, até que ele vá embora.
- Evite-o e vá fazer suas coisas.
- Não converse sobre nada em que eles estejam interessados.
- Mostre-se desconfortável quando estiver perto deles, como se não soubesse o que fazer.
- Seja rígido com eles o tempo todo; nunca se abra para sugestões.
- Fale uma coisa, faça outra.

Essas são maneiras de dizer a seu filho: "Você não tem importância na minha vida".

e pensamentos suicidas. Não espere. Leve imediatamente seu adolescente a um profissional, para que seja avaliado.

Explosões destrutivas. Podem ser físicas — chutes nas paredes, socos em pessoas. Também podem ser verbais — gritos, ofensas e palavrões. É sinal claro de que seu adolescente está irritado com alguma coisa. Tal comportamento não pode ser tolerado. Você precisa da ajuda de um profissional ou de algum tipo de mediador.

Uma observação especial para famílias reconstituídas e pais solteiros: vocês podem viver numa família desse tipo sem serem esmagados. Para que isso aconteça, porém, precisam conhecer os fatos. Só assim ficarão mais bem preparados para lidar com qualquer situação que possa surgir. Algumas crianças que passam a integrar uma família reconstituída ou que são empurradas para uma família de um único pai tendem a ser hostis. Se no início houver algum estresse entre mamãe e papai, seus filhotes vão mastigar vocês dois e cuspi-los fora. Terão enorme prazer em colocar um obstáculo entre vocês. Quando você forma uma família reconstituída, não há mais "seus filhos" e "meus filhos". Todos são "nossos filhos", e mamãe e papai precisam tomar todas as decisões em comum acordo.

A propósito, podem se passar sete anos até que uma família reconstituída de fato se arranje de fato. Portanto, se você está nesse período de sete anos e às vezes sente como se estivesse num liquidificador em que alguém se esqueceu de colocar a tampa, relaxe. Você vai conseguir.

COMO DOMINAR A ARTE DE NÃO SE DEIXAR LEVAR PELOS ALTOS E BAIXOS DE SEUS FILHOS

Atitude é algo fácil de perceber, pois não há como não notá-la.

Seu filho chega em casa depois da escola e bate a porta.

Você pode reagir e dizer a primeira coisa que lhe vier à mente.

E, novamente, você sabe bem onde isso vai parar.

Ou você pode responder, até mesmo usando um pouco de humor, como fazemos na casa dos Leman: "Querido, não sei o que essa batida na porta significa. Isso quer dizer que você está cansado de viver nesta casa de quatro quartos com ar-condicionado, televisão gigante e todas as comodidades da vida? É isso mesmo? Tudo bem, vejo você amanhã de manhã".

_____
Não procure problemas e
mantenha o senso de humor.
_____

Ele passará a noite na caverna. Talvez. Na verdade, depende de quão irritado ele esteja.

A questão é: não procure problemas e mantenha o senso de humor. Se você pensar nisso, tal comportamento é de fato engraçado — como num personagem de desenho animado. É claro que essa é uma coisa que você não vai querer compartilhar com seu adolescente. Ele próprio vai viver isso daqui a quinze ou vinte anos, quando for pai e o filho dele fizer a mesma coisa.

Ou digamos que você está conversando com sua filha e ela lhe dá aquela dramática revirada de olhos.

Você poderia dizer: "Não revire os olhos para mim, mocinha. É melhor me ouvir e olhar para mim quando estiver falando com você".

Sim, você pode fazer isso, mas quer meu conselho? Mais uma vez, não se deixe levar pelos altos e baixos de seu filho.

Em vez de reagir da próxima vez que vir aquele revirar de olhos, responda. Diga: "Ah, que legal. Faça de novo, agora em câmera lenta. Isso vale o ouro olímpico!".

Não se deixar influenciar pelo comportamento de seu filho é outra maneira de passar por cima da situação. Adicionar um pouco de leveza também ajuda.

Mesmo quando seu adolescente estiver em dificuldade, trate-o como se ele já estivesse no lugar onde você quer que ele esteja. Expresse confiança de que ele pode sair-se bem na vida.

O lar precisa ser um porto seguro, longe das frustrações da escola e da pressão dos colegas — dificuldades maiores que as que você enfrentou quando adolescente. O lar precisa ser o lugar onde todo mundo é importante, é necessário, desempenha um papel singular e é tratado com respeito.

TRÊS TIPOS DE PAIS

Nós, na maioria, fomos criados num lar em que vigorava um de dois extremos.

O pai autoritário. Esse lar é controlado por uma mão de ferro (normalmente o pai). Se você não seguir as ordens, será punido. É o jeito dele, ou não é de jeito nenhum.

"Olhe para mim quando eu estiver falando."

"Sem mim, você não é nada, meu caro."

"Sou eu quem toma as decisões por aqui."

O pai autoritário usa a recompensa e a punição (muita punição!) para controlar o filho. O pai vê a si mesmo como melhor que o filho porque é maior e mais velho. É o tipo de mentalidade que diz: "Você vai fazer o que eu lhe disser para fazer". Por causa disso, não apenas desperta rebeldia em seus adolescentes, que estão tentando compreender a própria singularidade e seguir o próprio caminho na vida, como também impede qualquer potencial para um relacionamento futuro entre pai e filho. Somos melhores que nossos filhos? Não, todos temos o mesmo valor aos olhos do Deus todo-poderoso, mas desempenhamos papéis diferentes, com responsabilidades diferentes.

O pai permissivo. "Oh, dr. Leman, eu só quero ter um filho muito, muito feliz", disse-me certa vez uma mãe.

O objetivo de um pai não deve ser criar um filho que seja feliz, feliz e feliz. De fato, uma das frases mais controversas que já escrevi está no livro *Transforme seu filho até sexta*: "Uma criança infeliz é uma criança saudável". O pai permissivo é um escravo da criança, e pensa assim: "Farei o que você quiser para que seja feliz, e darei qualquer coisa que quiser a qualquer momento, ainda que exija grande sacrifício de minha parte". Se criarmos filhos que se sentem no centro do universo, prestaremos um enorme desserviço a eles e a todos que estão em volta. Ao fazerem pela criança coisas que ela deveria fazer por si mesma, os pais permissivos lhe roubam o respeito próprio. Quando esse filho tiver de tomar decisões sozinho na vida adulta, ele se verá paralisado pelas opções e incapaz de escolher, ou tomará decisões ruins, porque presumirá que será resgatado. Afinal, foi isso que a boa mamãezinha fez no passado.

O pai permissivo faz o filho sentir-se na Disneylândia. Ele limpa a estrada da vida para o herdeiro, fazendo tudo o que o filho deveria fazer por si mesmo.

Qualquer dos extremos — autoritário ou permissivo — gera rebeldia no coração do filho. Se você intimidá-lo, ele se rebelará. Se você se dobrar perante seu filho, ele se rebelará. Nenhum dos dois é o tipo de pai de que uma criança precisa para atuar na sociedade de maneira saudável e funcional.

Em vez disso, um pai deve ter autoridade — uma autoridade saudável sobre seu filho. *Um pai com autoridade*:

- Oferece alternativas e formula orientações.
- Fornece oportunidades de tomada de decisão apropriadas à idade.
- Desenvolve disciplina consistente e amorosa.
- Responsabiliza a criança pelo que ela faz.
- Deixa que a realidade ensine.

Você não precisa jogar os erros na cara de seu filho nem esfregá-los no nariz dele. Acredite, ele já sabe que os cometeu. Você também não precisa ficar preocupada nem consertar os erros dele.

> **Caindo na real: problemas reais, soluções reais**
>
> Meus três filhos sempre foram um pouco agitados — "cheios de comichão", como minha mãe costumava dizer. Mas, então, perdi meu marido num acidente, e as crianças começaram a se envolver em problemas mais sérios no início do ensino médio. Eu recebia ligações frequentes do diretor da escola. Repreendia as crianças e dizia que elas tinham de se endireitar, mas nada mudava. Então, ouvi você no rádio um mês atrás, falando sobre os diferentes tipos de pais. Uau! Percebi imediatamente que era uma mãe permissiva. Quero manter as águas da vida tranquilas, como você diz. Criei enormes problemas para meus filhos, porque eles sabiam que eu os resgataria, independentemente dos problemas em que se envolvessem.
>
> Tudo isso deixou de acontecer um mês atrás. Quando recebi uma nova ligação do diretor, disse a ele que queria agir de outra maneira. Sugeri que desse a meu filho mais velho uma suspensão a ser cumprida na escola em vez de ter a festa que ele tinha em casa quando era suspenso antes. Também pedi que retivesse meu filho ali até o fim do dia letivo (o relógio ainda marcava meio-dia). Meu filho precisou ficar sentado ao lado do diretor por mais de quatro horas. Ele estava realmente nervoso quando chegou em casa. Naquela noite, pediu-me que o levasse à casa de um amigo, e eu disse "não".
>
> Enquanto isso, os dois irmãos mais novos assistiam àquilo com olhos arregalados. Era a primeira vez que a mamãe falava realmente sério. Estou mantendo minha posição há um mês, e a vida de todos nós está mudando para melhor.
>
> Janelle, Kentucky

Um pai com autoridade busca esses momentos de ensino. Ele não resgata um filho das consequências, mas caminha junto para atravessá-las.

Sim, a adolescência terá os elementos que compõem a tempestade perfeita. E haverá alguns ferimentos e arranhões pelo caminho. Mas a *sua* atitude e a maneira como você lida com as coisas no decorrer dela fazem a diferença no modo como seu adolescente sobrevive a essa tempestade.

Deixe-me perguntar uma coisa. Você já riu de si mesmo? Enquanto escrevia este capítulo, acordei um dia dando risada, pensando na época em que tinha 19 anos e recebi três multas numa única noite. Duas delas por excesso de velocidade e uma por ultrapassar o sinal vermelho. (Posso lhe garantir que aquela luz vermelha não estava acesa havia muito tempo.) Bem, a companhia de seguros descobriu, assim como meus pais, uma vez que eu dirigia o carro do meu pai. Já me sentia mal porque meus pais eram pobres, haviam confiado em mim e eu os havia decepcionado. (Esse foi o mesmo período da minha vida em que anunciei que estava noivo. Ah, agora você *tem certeza* de que minha mãe era mesmo uma santa.)

O agente de seguros poderia ter me criticado severamente. De fato, eu estava certo de que meus pais teriam o seguro cancelado e que minha carta de habilitação seria suspensa. Mas aquele agente também era pai e teve a mesma atitude compassiva que meus pais tiveram. Ele me deu uma segunda chance e me colocou num período de teste. Por causa daquele homem, por mais de quarenta anos fiz meu seguro com a mesma empresa.

Os filhos não são idiotas. Eles ouvem tudo que você diz e veem tudo que você faz. Eles até mesmo ouvem as palavras que você quer dizer mas não diz. Sempre trate seu filho ou filha com respeito. Às vezes você precisa tratá-los como se eles já tivessem se tornado quem você gostaria que fossem.

Quais exemplos de atitudes positivas você vê em seu lar? E de atitudes negativas? O que você pode fazer agora para tratar primeiro das atitudes em si mesmo e depois nos seus filhos?

A temporada de hormônios pode ser uma catástrofe para todos no lar. Mas ela foi a melhor fase para os Leman.

E também pode ser a melhor para você.

A tempestade perfeita está chegando. Pode ser uma tempestade pequena ou uma tão grande quanto o furacão Sandy. Mas está chegando.

Sabe, a atitude faz toda a diferença do mundo — acima de tudo, a *sua* atitude.

Se você quiser ajudar seus adolescentes a navegar pela tempestade perfeita, precisará colocar em prática uma atitude que funciona.

Cinco dias de avaliação comportamental

Dia 1: Tome nota de suas atitudes à medida que segue por seu dia em casa, no trabalho ou onde quer que esteja. Você é, por natureza, uma pessoa que "procura o que há de bom, pensa no melhor", ou está mais para uma pessoa com tendência a dizer "isso não vai funcionar, não vale a pena tentar, prevejo problemas"?

Dia 2: Dê uma olhada em suas anotações de ontem. Como você poderia *responder* às situações que enfrentou em vez de *reagir* a elas?

Dia 3: Cada filho chega a este mundo com uma composição interior. Seu filho é, de modo geral, otimista, motivado, entusiasmado e facilmente animado em relação às coisas? Ou seu filho é cauteloso, desconfiado, relutante em se animar e temeroso de que venha a ser desapontado?

Dia 4: Como você poderia tornar o dia de seu adolescente menos complicado ou aliviar o estresse? Pense em algumas coisas que poderiam ajudar, como lavar aquela calça *jeans* especial antes que seu filho tenha de pedir, ou colocar alguns biscoitos a mais e uma bebida energética quando ele tiver de ir direto da escola para um jogo. Faça uma dessas coisas hoje. Seu filho pode não agradecer imediatamente, mas, acredite em mim, ele vai notar, e isso vai provocar uma rachadura até mesmo na armadura do filho mais difícil.

Dia 5: Ao observar a si mesmo, a seu filho e a cada uma das atitudes que você teve esta semana, o que você aprendeu? De que forma poderia mudar a maneira como pensa? Mudar o modo como age? Se você espera que seu filho mude, você precisa fazer o primeiro movimento.

TODO MUNDO PRECISA DE UM POUCO DE DISCIPLINA

Sente-se num parque ou num *shopping center* e relaxe. Em apenas alguns minutos, você compreenderá por que, na natureza, algumas mães comem seus filhotes.

As crianças estão fora de controle. Crianças com menos de um metro de altura estão dando as cartas para adultos que têm quase o dobro do tamanho. Agem como um bando de macacos embriagados com refrigerante. Sou suficientemente velho para me lembrar da época em que as crianças costumavam obedecer aos pais. Agora os pais é que obedecem aos filhos.

"Oh, Harold, você quer ir a tal lugar neste instante? Mas claro! Vou parar no meio do meu projeto e atrasar a entrega. Tudo para fazer você feliz."

Todo mundo precisa de disciplina — e isso inclui crianças pequenas, adolescentes e pais.

Costumamos pensar na disciplina como algo que passamos a alguém. Mas ela tem mais a ver com a maneira como vivemos. Você vive de forma disciplinada e equilibrada, de modo que os outros se sentem felizes a seu lado e são enriquecidos por fazerem isso?

Quando me refiro à disciplina, estou falando de ensinar, treinar, desenvolver e exercer o autocontrole. Naturalmente, a melhor das disciplinas é a autodisciplina. Mas como você pode aprender autodisciplina sem que alguém lhe ensine isso? A questão é que temos pouco tempo para instilar disciplina em nossos filhos.

> Costumamos pensar na disciplina como algo que passamos a alguém. Mas ela tem mais a ver com a maneira como vivemos.

INSTRUA-OS!

Todos concordamos com uma coisa: queremos que nossos filhos se comportem bem. Ninguém quer admitir que é o pai ou a mãe de uma criança que está descontrolada e gritando alucinadamente no corredor de doces do supermercado.

Adoro a sabedoria profunda de Provérbios 22.6: "Instrui o menino no caminho em que deve andar, e, até quando envelhecer, não se desviará dele" (Almeida Revista e Corrigida).

"Instrui o menino."

Deixe-me perguntar uma coisa. Estamos de fato *instruindo* nossas crianças ou as estamos "desinstruindo"? Penso que, em grande parte do tempo, nós as "desinstruímos". Falamos com elas colocando-nos como superiores.

> Ninguém quer admitir que é o pai ou a mãe de uma criança que está descontrolada e gritando alucinadamente no corredor de doces do supermercado.

É comum as pessoas me perguntarem onde consigo material para meus livros. Tudo o que tenho de fazer é andar pelo supermercado e ouvir vocês, mães, conversando com seus filhos.

"Muito bem, vamos andando. Nada de pular, nem fazer bagunça; e se você pedir alguma coisa, a resposta é 'não'. Vou entrar correndo ali e pegar algumas coisas. É melhor você se comportar. Seu pai estará em casa daqui a pouco e preciso preparar o jantar."

Depois de a criança ter pulado e feito bagunça, além de ter pedido (alto e bom som) tudo o que há no mundo, a mãe exasperada diz: "Você quer ir para o carro?".

Está fazendo quarenta graus lá fora.

Oh, sim, somos pais espertos, não somos?

E também há a sabedoria do papai. "Ei, você, escute. Você vai fazer o que estou mandando. Se você quiser ter motivo para chorar, é comigo mesmo."

Mas isso não é instruir uma criança; isso é "desinstruir".
Como você "desinstrui" uma criança? É simples:

- Pense por ela.
- Tome decisões por ela.
- Humilhe-a.
- Faça as tarefas domésticas por ela.
- Fale por elas (por exemplo, responda às perguntas que outras pessoas lhes fazem).
- Faça o dever da escola por ela.

"Desinstruir" uma criança significa latir incessantemente para elas em vez de obter sua atenção de forma positiva, a fim de convencê-las pela lógica e explicar-lhes as coisas.
Como você instrui uma criança? Ensinando-a regularmente a:

- Pensar por si mesma.
- Tomar boas decisões.
- Expressar seus pensamentos sem medo de ser humilhada.

A instrução não acontece num estalar de dedos. É uma atividade cuidadosamente pensada que leva as crianças a clarear seus pensamentos, expressar suas necessidades, fundamentar suas ações e responder às perguntas que lhes fazem. Trata-se de um importante elemento para que se tornem cidadãos autossuficientes e atuantes.

Pais confiantes instruem seus filhos; pais inseguros "desinstruem" seus filhos.

O pai confiante também sabe que o lar precisa ser um lugar onde os filhos podem errar. Uma frase como esta não vai sair na edição noturna do telejornal: "No próximo bloco, ouviremos o dr. Leman, que diz que as crianças precisam errar". Errar não é um conceito popular, mas é muito importante. Se seu filho não tiver permissão para vivenciar o fracasso, se você sempre limpar a sujeira que ele faz, ele nunca aprenderá o que fazer mais tarde. E qual o melhor lugar para aprender isso? Em casa. Não é na faculdade nem no primeiro emprego. Você consegue imaginar o que um supervisor faria se um de seus funcionários tivesse um ataque de nervos?

Alguns de nós viemos de um molde paterno que espera obediência cega e progresso instantâneo. Crescemos com o pai autoritário sobre o qual falei anteriormente neste capítulo. Mas instruir exige tempo. Não é um evento único, mas um processo contínuo reforçado ao longo do caminho por meio de ações repetidas. A disciplina não acontece num estalar de dedos nem em razão de uma ordem.

Perceba que o provérbio diz: "Instrui *o menino*".

Você já teve um filhote de cachorro em casa? Ora, isso é que é experiência. Aquele cão parece tão bonitinho, sentado como um anjo na gaiola do *pet shop*, mas traga-o para casa e você descobrirá rapidamente que ele precisa de muita instrução. Longas horas de treinamento consistente. Por fim, o filhote entende: "Sabe, este lindo carpete não tem todos os tipos de cheiro de que gosto. Aquela coisa verde lá fora no quintal tem cheiros muito mais interessantes. Portanto, vou até lá para deixar meus presentinhos".

> A disciplina não acontece num estalar de dedos nem em razão de uma ordem.

Quanto mais cedo você começar o treinamento, melhor. Alguns de vocês têm filhos pequenos. Outros estão analisando a possibilidade de ter ou adotar crianças. Ainda outros estão conhecendo a temporada de hormônios. Nunca é tarde para começar a treinar, mas, quanto mais esperar, mais difícil será. É como minha amiga Anne Ortlund disse: "As crianças são cimento fresco" — é fácil deixar uma impressão. Mas, quando alcançam a temporada de hormônios, é sinal de que o cimento já começou a endurecer, e é preciso mais conhecimento e equipamento especializados para deixar-lhes uma impressão.

Meu livro *Faça a cabeça de seus filhos – sem perder a sua* vendeu mais de 1 milhão de cópias nos Estados Unidos por uma razão. É um livro bastante prático. Mas não *fazemos* de fato a cabeça de nossos filhos, não é? Nós os criamos de determinada maneira que os leva a aprender a fazer a coisa certa. Isso significa que você dá um petisco a seu filho toda vez que ele age corretamente? Não, mas significa que você reconhece o bom comportamento dele.

Devemos instruir "o menino *no caminho em que deve andar*". Todos os seus filhotes saíram da mesma toca, mas eles seguem direções diferentes. Quantos de nós nos esforçamos para fazer que nossos filhos sigam a mesma direção e, assim, os frustramos? As crianças vêm a este mundo com diferentes composições, planejadas para ser excelentes em áreas que lhes sejam apropriadas. O papel de um pai é ajudar os filhos a encontrar as áreas em que eles se sobressaem e, então, ajudá-los a desenvolver tais habilidades e talentos.

Também somos responsáveis por instruí-los a entender como desenvolver o autocontrole e agir de forma aceitável e adequada para o ponto em que se encontram na vida. Nós, pais, tendemos a pensar que existe bom comportamento e mau comportamento. Mas também existe o comportamento normal — normal para o ponto em que a criança está na vida. Não é normal que um menino de 5 anos faça uma enterrada numa cesta de basquete, por isso não há necessidade de ralhar com ele por não conseguir fazer isso. É normal que uma criança de 2 anos cometa o mesmo erro muitas e muitas vezes, porque a mente dela está experimentando a relação de causa e efeito.

O nosso desafio, como pais, é acompanhar o processo de desenvolvimento de nossos filhos e conduzi-los para que apresentem um comportamento apropriado, que tenha como base o estágio da vida em que estão. Isso significa monitorar seus pensamentos, suas ações e seu progresso, guiando-os pacientemente. O desejo interior do filho é, um dia, ser independente de você, de modo que você precisa guiá-lo rumo à independência. Se você não assumir a liderança agora, talvez não tenha outra chance mais tarde. O prazo para conduzir seu filho está se estreitando, uma vez que as crianças crescem cada vez mais rápido, pressionadas mais que nunca por influências e forças externas.

A mídia, a internet, os locais de entretenimento, os *smartphones*, os *video games* e as redes sociais lançam experiências sobre seu filho como se fossem mísseis guiados. Considere os *smartphones*. As informações do mundo e as personalidades estão disponíveis às crianças em palavras, imagens, sons e vídeos. *Video games*, filmes e programas de televisão mostram a violência como algo aprovado e aceitável. A menos que as crianças sejam instruídas corretamente — por você —, essa pode se tornar uma ideia assustadora.

Todos nós, pais, somos ocupados, mas muitos de nós terceirizamos coisas demais para outras pessoas. Para uma empresa aérea ou uma indústria automobilística, faz sentido transferir algumas atividades para terceiros; mas temos a tendência de fazer o mesmo com nossos filhos. Se alguém que você não conhece batesse à sua porta esta noite e dissesse: "Ei, posso pegar o seu carro?", você o daria? Então por que você entregaria seu filho de 7 anos a um "especialista" que você não conhece?

> Se alguém que você não conhece batesse à sua porta esta noite e dissesse: "Ei, posso pegar o seu carro?", você o daria? Então por que você entregaria seu filho de 7 anos a um "especialista" que você não conhece?

Não confie seus filhos a qualquer atividade ou qualquer pessoa que tenha "um programa maravilhoso para seu filho talentoso, quinhentos reais por mês por três noites na semana". É *você* que fará a diferença naquilo que seus filhos serão. Você é o responsável por monitorar o que eles estão aprendendo, o que estão juntando aqui e ali e quem os está influenciando.

Portanto, mantenha os filhos por perto. Se você quer que eles cresçam equilibrados, segundo sua visão de mundo e um senso de disciplina interior que os conduzirá por toda a vida, não os entregue a qualquer um que esteja disposto a ficar com eles, por mais que às vezes você queira fazer isso. Seus filhos são sua responsabilidade.

CRIANÇAS TAMBÉM SÃO PESSOAS

O que aconteceria se você tratasse seus convidados para o jantar da maneira como trata seus filhos? Digamos que você receba dois casais para jantar. Eles se sentam. Você preparou um maravilhoso lombo de porco e todo mundo está pronto para começar. De repente, você se vira para o convidado à sua direita e pergunta: "Você lavou as mãos antes de se sentar à mesa?". Ou: "Você colocou o guardanapo no colo?". Pior ainda, você solta esta: "Você está mastigando com a boca aberta. Os vizinhos conseguem escutar você comendo!".

Você não faria isso com seus convidados; então, por que faz isso com seus filhos? As crianças também são pessoas. Elas têm sentimentos. A maneira como você as trata vai trazê-las para perto da família ou vai empurrá-las para a porta da rua. Você precisa ser modelo de bom comportamento para que possa obter bom comportamento.

> Você precisa ser modelo de bom comportamento para que possa obter bom comportamento.

Quando falo sobre disciplina, não estou falando de administrar um campo militar, em que você, o comandante encarregado, profere ordens. Sim, você precisa responsabilizar seus filhos pelas coisas que eles fazem, mas deve ter em mente o estágio em que eles estão na vida.

Comportamento apropriado ao desenvolvimento

Uma mãe me disse certa vez:

— Dr. Leman, meu filho é desobediente de propósito — foi essa a expressão que ela usou.

Eu perguntei:

— Por que você diz isso? Ele fez algo que a leva a pensar assim?

— Bem — respondeu ela —, ele insistia em puxar os livros de uma prateleira e eu lhe disse: "Pare de fazer isso". Ele olhou bem nos meus olhos e, de maneira provocativa, arrancou outro livro da prateleira.

— O que você fez em seguida? — perguntei.

— Fui até lá e dei um tapa no traseiro dele.

— Deixe-me fazer uma pergunta. Qual a idade do seu filho?

— Ele fez 1 ano na semana passada.

O que aquela criança de 1 ano fez foi um comportamento apropriado ao desenvolvimento. Crianças de 1 ano adoram causa e efeito. É o que elas devem fazer: pegar um livro e jogá-lo no chão. É assim que elas aprendem.

Para a criança de 1 ano, jogar comida no chão ou empurrar aquele vaso chinês caríssimo de cima da mesa e vê-lo espatifar-se no chão é engraçado — é um comportamento apropriado ao desenvolvimento. Ela se diverte com aquilo.

Como fogos de artifício a explodir, a relação de causa e efeito o estimula. Pintar a parede da sala de jantar também é engraçado. Crianças dessa idade fazem coisas assim o tempo todo. Portanto, economize nos remédios para dor de cabeça e pressão alta. Não coloque seus livros mais preciosos ao alcance da criança... muito menos aquele vaso caríssimo. Não lhe dê lápis de cera ou marcadores permanentes; dê-lhe aquarelas laváveis e, então, divirta-se com a decoração das paredes, porque você verá uma grande amostra de arte real. Pense na diversão que vocês podem ter ao lavarem juntos a parede para transformá-la na próxima tela!

Comportamento intencional

Digamos que seu filho de 4 anos tem um ataque de nervos quando você está na casa de uma amiga. Ele quer as coisas do jeito dele. Está entediado e quer ir embora. Assim, ele pensa: "Vou tornar impossível a permanência da mamãe aqui!".

A caminho de casa, você para no supermercado e seu filho quer um chocolate, mas você não vai comprar, por causa do comportamento anterior. O menino tem um chilique enorme, chega a rolar pelo chão.

A disciplina tem tudo a ver com a maneira como você escolhe viver e responder diante das situações. Aposto que você não usou a palavra *intencional* esta semana ou este mês. Mas todo comportamento social serve a um propósito na vida de seu filho. Ao se debater no supermercado, seu filho de 4 anos está dizendo: "Eu sou a autoridade sobre você, e você vai fazer o que eu quero ou vai pagar caro por isso".

O que você faz? Você calmamente passa por cima daquele pirralho, embora sua vontade seja de passar *em cima* dele, e começa a sair.

Algumas de vocês estão dizendo: "Mas eu não conseguiria fazer isso. E quanto a todas as outras pessoas que estão assistindo?".

Você simplesmente olha para as outras pessoas nos olhos e diz: "É o filho de alguém". Balance a cabeça e continue andando. Garanto a você que aquela criança não dará continuidade a seu comportamento se mamãe ou papai não estiverem assistindo. Afinal, o ataque teve início para expressar a intenção de controlar você.

> O que você faz? Você calmamente passa por cima daquele pirralho, embora sua vontade seja de passar *em cima* dele, e começa a sair.

Adoro o que o santo, mas direto, apóstolo Paulo disse: Deus colocou *você* como autoridade sobre seus filhos, não eles sobre você (Ef 6.1). Portanto, como meu pai costumava dizer: "Levante-se e seja homem (ou mulher, para as mães)". Você é o adulto aqui, com mais sabedoria e experiência de vida. Se você fizer o que precisa ser feito, seu filho verá os olhos semicerrados e nada amigáveis que o rodeiam no supermercado e sairá correndo para as montanhas

— que, nesse caso, estão logo ali no outro corredor, nos braços protetores da mamãe ou do papai.

Quando você sabe que o comportamento é intencional, pode optar por passar por cima da criança e da situação, algo muito semelhante àquilo que minha mãe fez quando anunciei que estava noivo. Ela não tentou me fazer desistir daquele pensamento estúpido; isso só teria cimentado a ideia na minha mente. Em vez disso, ela simplesmente passou por cima da situação e pediu a travessa de ervilhas, porque sabia que, mais cedo ou mais tarde, a realidade ensinaria por si mesma.

Na criação de filhos, às vezes você passa por cima das situações. Em outros momentos, a fim de alinhar o navio da criação de filhos no meio da tempestade perfeita, você precisa traçar uma linha definitiva. Parte do processo de criar filhos é aprender quando cada uma dessas coisas é apropriada, quando você tem de dizer: "Este comportamento é absolutamente inaceitável nesta casa", ou quando precisa obter ajuda profissional para a criança.

Sua filha de 16 anos, por exemplo, diz:

— Não vou à casa da tia Mildred. É muito chato. Não estou a fim.

Como você lidaria com isso?

Veja como eu lidaria de uma maneira positiva. Primeiro, reconheceria o fato de que ela não quer ir e que odeia aquilo; respeitaria seus sentimentos.

— Entendo que você não queira ir à casa da tia Mildred e que ache isso chato. Concordo. Às vezes realmente é.

Neste momento, sua filha está escutando. "Ei, você concorda? Bem, então...", pensa ela.

Você não a desanimou com aquela cara de poucos amigos seguido de um: "Mocinha, você vai!".

Portanto, agora que tem a atenção de sua adolescente, você faz a propaganda.

— Sua mãe e eu estávamos conversando de manhã sobre ir até lá. Não pedimos que você faça muitas coisas, mas algo que realmente pedimos é que participe dos encontros de família. Portanto, quero que saiba que, daqui a uma hora e vinte minutos, quando vir você sentada à mesa junto comigo na casa da tia Mildred, ficarei feliz que, embora você não queira estar ali, por causa do respeito que tem por sua mãe e por mim, você estará. Sairemos em meia hora.

Seus filhos nem sempre gostarão de fazer tudo o que você faz. Você nem sempre gosta de fazer tudo o que já fez por eles também. O que quero dizer é: quem gosta de trocar fraldas? Ou limpar vômito? Ou, pior ainda, abrir a porta do quarto de seu filho de 10 anos e sentir aquele cheiro de meia suja? Mas, ainda assim, você faz essas coisas, não faz? Você não foi colocado neste mundo para fazer seu filho sentir-se na Disneylândia. Como eu já disse, uma criança infeliz é uma criança saudável. Quanto mais rápido na vida eles aprenderem que nem sempre se consegue o que quer, melhor.

Quando criança, eu odiava ter de ir à igreja, mas minha mãe insistia. Assim, eu costumava me sentar na galeria. Pouco antes de o pastor começar seu sermão entediante, havia sempre um hino. Minha mãe, que todas as vezes se sentava no mesmo banco, olhava para mim durante aquele hino, via minha cara de querubim lá na galeria, e sorria para mim.

Assim que ela se virava, e Deus é minha testemunha, eu sumia. Ia lá para fora. Saía pelo fundo da igreja e descia a rua para tomar um sorvete de chocolate. Custava umas moedinhas (como eu gostaria que aqueles dias voltassem!). Mas a questão é que, embora eu odiasse ter de ir à igreja, de qualquer forma eu ia com minha mãe todos os domingos, porque a respeitava e queria agradá-la.

Seus filhos também querem agradar você.

QUATRO RAZÕES POR QUE SEUS FILHOS SE COMPORTAM MAL

Já conversamos sobre o comportamento intencional — seus filhos fazem o que fazem porque funciona. Mas existem quatro razões básicas por que seus filhos se comportam mal. Posso dizer que 99% das crianças que atendi em meu consultório estavam nos dois primeiros níveis de mau comportamento. Nos outros dois níveis, estão as crianças que você vê no noticiário da televisão, aquelas que se envolvem em tiroteios em escolas ou que estão na cadeia.

Razão nº 1: atenção

O mantra inconsciente dessas crianças é: "Só tenho valor na vida quando sou notado ou quando estão me servindo".

É normal que as crianças queiram ser notadas. Todas as crianças querem atenção. Primeiro, elas tentam obtê-la fazendo coisas positivas. Contudo, se não conseguirem, tentarão a atenção negativa. Qualquer coisa que chame a sua atenção. Dito de maneira mais simples, às vezes as crianças se comportam mal porque ficam desanimadas quando não recebem incentivo de você, pai ou mãe. Ou então se comportam mal porque já viram muito disso no lar e concluíram que às vezes funciona.

É como a criança que fica batendo o lápis na carteira da escola até que a professora diz: "Thomas, pare com isso".

Alguns minutos depois, Thomas está batendo o lápis de novo. Ele quer atenção, porque obter atenção de forma negativa é melhor que atenção nenhuma.

Se uma criança que busca atenção não receber o que procura, ela segue para o próximo nível: poder.

Razão nº 2: poder

O mantra inconsciente das crianças dominadoras é: "Só tenho valor na vida quando posso controlar, dominar ou vencer, quando consigo que você faça o que quero, quando quero".

Digamos que Thomas, do exemplo anterior, seja uma criança motivada por poder. Quando a professora diz mais uma vez para ele parar, ele vai parar. Mas ele também pode cruzar os braços numa atitude de desafio e lançar aquele olhar que diz: "Sou um cara durão". Crianças dominadoras não conseguem participar de esportes de competição por muito tempo porque ficam malucas quando perdem. (Saiba mais sobre a criança dominadora no capítulo "Mude a fiação do seu lar" no meu livro *Parenting Your Powerful Child* [Educando seu filho dominador]). A questão é: se você tem em casa um filho controlador, também tem um pai ou uma mãe controladores. Não é do nada que as crianças aprendem a controlar. Elas aprendem com alguém. Será que foi com você?

> Não é do nada que as crianças aprendem a controlar. Elas aprendem com alguém.

Razão nº 3: vingança

Os mantras inconscientes dessas crianças são: "Não sou bom" e "Meus pais só se preocupam com o que os outros vão pensar. Vou acabar me tornando um rebelde; acho que já vou começar a agir como tal".

Essas são as crianças que sentem que ninguém gosta delas. Elas acreditam que a única maneira de obter atenção, de ter poder e valor na vida, é ferindo as pessoas. Filhos vingativos foram tão feridos pela vida que acham que têm direito de atacar os outros. São as crianças que, bem cedo na vida, ocupam reformatórios ou estão atrás das grades. Para esses jovens, é um círculo vicioso. Não se sentem queridos, então ferem outros, fazendo que, de fato, não sejam queridos.

Filhos que tentam cometer suicídio estão no estágio da vingança. Afinal, matar a si mesmo é a última desforra: "Tome isso, mundo estúpido. Eu tenho a palavra final".

Os filhos que estão nesse estágio apresentam grande insegurança. Não confiam em ninguém. Para eles, o mundo não é seguro. Assim, as escolhas que têm são afastar-se, ameaçar para obter poder ou matar a si próprios. O triste é que os filhos no estágio da vingança começaram buscando atenção, mas ninguém se importou o suficiente com eles ou não sabia direito como ajudá-los a interromper sua progressão rumo ao poder e, depois, à vingança. Foi assim que avançaram para esse nível.

Razão nº 4: inadequação

O mantra inconsciente dessas crianças é: "Não consigo fazer nada certo, então não vou tentar fazer nada. Desisto".

Elas desistem da vida. Não têm esperança de que alguém se importe. Crianças que chegaram a esse nível geralmente sofreram o julgamento de um pai ou uma mãe críticos e sentiram que jamais poderiam atender às expectativas; sendo assim, por que tentar? Vivem nas sombras, desanimadas e desamparadas, temendo que qualquer tentativa leve a fracasso e mais crítica. É como o cachorro que, espancado pelo dono anterior, se acovarda quando encontra um novo dono.

DISCIPLINA SAUDÁVEL

Quer ver a disciplina saudável florescer em seu lar? Não é fácil, mas é simples.

Ouça seus filhos; isso os motiva a continuar falando com você

É difícil — mas importante — que os pais mantenham os ouvidos mais abertos que a boca.

Se procurarmos saber a opinião de nossos filhos, se aconselharmos e valorizarmos seus pensamentos, nós os levaremos a tomar boas decisões, sem forçá-los a nada. Os filhos são, de fato, mais espertos do que pensamos. E, se não nos rechaçarem, poderão realmente tomar boas decisões sozinhos. Às vezes só precisam de alguém com quem processar os pensamentos.

> Os filhos são, de fato, mais espertos do que pensamos.

Andrew, 16, era um rapaz esperto, mas não estava imune à pressão do grupo. Seus amigos haviam decidido se encontrar num armazém da região tarde da noite numa sexta-feira. Ele estava com uma sensação estranha em relação àquilo, uma vez que parecia que ninguém tinha planos sobre o que fariam ali; então, levantou o assunto com seu pai.

— Você acha que devo ir, pai? — perguntou.

Sendo um homem sábio, o pai disse:

— Fale mais sobre o que você está pensando, filho.

À medida que conversavam, o próprio Andrew definiu seus argumentos sobre por que não deveria ir.

— Você sempre toma decisões sábias — disse o pai. — Confio em sua intuição.

Que papel o pai desempenhou? Ele ouviu e depois fez afirmações que mostravam a confiança que tinha no filho, capacitando André a fazer o que já sabia ser a coisa certa.

Foi a melhor escolha. Depois de algumas cervejas no estacionamento do armazém, os amigos de Andrew decidiram arrombar a porta para ver o que havia lá dentro... E foram pegos invadindo o local. Passaram o resto da noite na delegacia, no centro da cidade.

E Andrew? Ele e o pai se acomodaram na frente da televisão, na sala de estar, assistiram a filmes de espionagem, um atrás do outro, comeram pipoca e outras guloseimas.

Onde você preferiria que seu filho estivesse?

O ato de você estar junto dele e de ele querer estar junto de você começa quando você o ouve, quando se torna disponível e acessível sempre que ele precisa de você.

Enfatize as coisas boas que seus filhos realizam

Esteja sempre alerta em relação aos atos cuidadosos e agradáveis que seus filhos praticam. Depois, mencione de forma específica os traços de caráter que farão bem a eles e a todos que os cercam.

- "Outro dia, percebi como você foi legal com seu irmão mais novo, mesmo quando ele estava sendo muito chato. É preciso ter muita disciplina para não acabar com ele, e gosto disso, e de você."
- "Uau! Esta sala está maravilhosa. Você trabalhou bastante, e seus esforços valeram a pena."
- "Foi muito simpático de sua parte ajudar aquela senhora no mercado que estava com dificuldades para alcançar a lata na prateleira de baixo. Ela não pediu, mas você viu que ela estava precisando e a ajudou. Aposto que ela ficou muito feliz."

Suas palavras de incentivo e sua observação daquilo que seus filhos realizam bem fazem que eles se sintam verdadeiramente especiais.

Faça de seu lar um lugar confortável

Muitas crianças e, sobretudo, adolescentes com os quais converso dizem: "Não quero ir para casa porque meus pais estão sempre pedindo que eu faça alguma coisa". Ou: "Odeio estar ali. Minha mãe e meu pai estão sempre gritando. É muito estressante".

Como é a sua casa? É um lugar confortável, onde os filhos podem se afundar no aconchego e no conforto do lar, do mesmo modo como você se sente quando afunda naqueles enormes pufes de espuma? Ou eles chegam e logo precisam ter o melhor comportamento possível, como se estivessem se sentando na ponta de uma poltrona antiga? A "aparência" da sala pode ter seu valor, mas isso fará que as pessoas queiram repetir a visita? Tudo se resume a isto: você tem um lar ou uma casa? O primeiro é um lugar onde você quer estar. A segunda é simplesmente um local onde você dorme, de onde sai e para onde volta.

Lisa, uma mãe solteira que conheço, me disse recentemente que, quando Tracey, sua filha de 11 anos, chegou em casa depois de passar o dia na casa de uma amiga, entrou pela porta da cozinha, suspirou e disse:

— Fico tão feliz por nossa cozinha ser uma bagunça. Adoro ficar aqui!

Pega de surpresa, Lisa disse:

— Bem, essa é uma ótima notícia. Fale mais a respeito.

Lisa havia me escutado falar sobre não fazer perguntas aos filhos, de modo que deixou a conversa fluir. Que mãe esperta!

> Você tem um lar ou uma casa? O primeiro é um lugar onde você quer estar. A segunda é simplesmente um local onde você dorme, de onde sai e para onde volta.

— Ah — disse Tracey —, na casa da Becca, eu não sabia onde sentar. Tudo estava tão perfeito que eu tinha medo de mover uma almofada para o canto errado do sofá. E a cozinha parecia que nunca tinha sido usada. O único lugar em que podíamos ficar era o quarto da minha amiga, porque a mãe dela não queria nada bagunçado.

Lisa, uma mãe trabalhadora que faz mais coisas em nove horas do que a maioria de nós faria em uma semana, disse que não foi apenas a situação que a fez sorrir, mas também a confirmação de que ela estava fazendo a coisa certa. "Minha casa não apareceria na capa de uma revista, com toda certeza", disse ela, rindo, "mas agora sei que, para minha filha, bagunçado é bom, e isso significa *lar*."

Becca, a amiga que Tracey visitara, veio uma semana depois à casa de Lisa, e as meninas se divertiram muito construindo um grande forte com colchas e lençóis na sala de estar. Depois, foram ao armário do corredor, pegaram alguns jogos antigos e se esbaldaram. Lisa se divertia com os gritos vindos da sala.

Quando chegou a hora do almoço, elas correram para a geladeira e fizeram um *buffet* com as sobras, servidas em pratinhos de papelão que restaram de festinhas de aniversário. Depois de uma tarde divertida construindo tendas com gravetos no fundo do quintal, era hora de Becca voltar para casa.

Com tristeza, ela havia começado a desmontar a tenda no quintal quando Lisa ouviu, de longe, Tracey falar à amiga:

— Olha, não precisamos fazer isso. Minha mãe não se importa. Podemos deixar tudo aqui para a próxima vez que a gente brincar.

Becca olhou para ela chocada:

— Sério? Uau! — disse lentamente. — Minha mãe jamais me deixaria fazer isso. Este foi o melhor dia da minha vida.

Lisa voltou rapidamente para a cozinha e sorriu. Ela estava mesmo fazendo algumas coisas certas.

Aqui vai um princípio de vida que é muito verdadeiro: não passamos tempo em lugares onde não nos sentimos confortáveis. As crianças não precisam de coisas chiques ou caras. Precisam simplesmente que seu lar seja um lugar receptivo para elas e para os amigos.

> As crianças não precisam de coisas chiques ou caras. Precisam simplesmente que seu lar seja um lugar receptivo para elas e para os amigos.

Estou voando o tempo todo, pois viajo bastante para dar palestras. Sempre pego o assento do corredor porque tenho um pouco de claustrofobia. Como passo tanto tempo no ar, converso muito com as comissárias de bordo. Quando terminam seu trabalho, elas não saem com a tripulação para jantar, tomar sorvete ou fazer qualquer outra coisa. Elas são mais do tipo que entra no quarto do hotel, bate a porta e a fecha com chave; estão cansadas de ser sociáveis.

Se você tem um filho que gosta de ficar trancado no quarto, há uma razão para isso. Talvez seja bom olhar com atenção o ambiente de seu lar.

Dê exemplo de perdão

Dizer "Sinto muito, não deveria ter dito (ou feito) isso" não vai matar você. Estou falando especialmente com vocês, papais durões. Na verdade, pedir desculpas será bastante benéfico para o estabelecimento de uma autoridade saudável em seu lar. Ainda melhor é dizer as palavras "Eu estava errado. Por favor, me perdoe"; elas farão que seus filhos o considerem uma pessoa incrível.

Atributos importantes... sempre

Que atributos você quer que seus filhos tenham ao saírem de casa para cursar uma faculdade ou iniciar uma carreira?

- Reserve alguns minutos hoje para fazer uma lista desses atributos.
- Afixe a lista onde você (e apenas você) possa vê-la.
- Releia essa lista todos os dias da próxima semana.
- Aja com seu filho como se ele já tivesse esses traços.
- No final da semana, indique as mudanças que você vê no relacionamento com seu filho.

Se você tiver mais de um filho, faça esse exercício de cinco dias com cada um deles.

Envolva-se em conversas que mantenham você junto de seus filhos
Lembre-se de enfatizar declarações como "Fale mais a respeito" e de minimizar os questionamentos.

Inicie a boa disciplina o mais cedo possível
Pais, vocês não começam a treinar um cãozinho quando ele tem 1 ano de idade, não é? Se fizerem isso, é grande a possibilidade de terem muito mais que um cachorro que morde qualquer coisa que se mova. Não será agradável ficar perto de um cachorro assim. É por isso que é importante iniciar a boa disciplina o mais cedo possível. Aqueles de vocês que têm bebês ou que estão considerando a ideia de ter um contam com a ótima oportunidade de começar agora mesmo, e podem fazer boas escolhas sobre seu estilo de criação de filhos e a forma de disciplina que seguirão. Alguns de vocês têm sido tão permissivos com seus filhos que eles mal deixaram as fraldas e já são pequenos tiranos. Outros criam adolescentes provocadores, bocudos e rebeldes. Quanto mais velha a criança, mais tempo será preciso para disciplina-la, porque ela está acostumada a ver você agindo de determinada maneira. Contudo, se você usar os princípios deste livro de maneira *consistente*, se não retroceder e buscar mudar primeiramente a si mesmo, o plano de ação funcionará *toda vez*. Isso é garantido.

POR QUE *ELOGIO* E *INCENTIVO* SÃO POLOS OPOSTOS

A maioria das pessoas junta as palavras *elogio* e *incentivo* como se fossem similares. Mas são termos bastante diferentes.

Todo mundo sabe que elogio é bom, certo? Na verdade, não é. Elogio é destrutivo. Mas, se você tentasse vender esse conceito em rede nacional, como convidado de algum programa de entrevistas de grande audiência, os telespectadores o olhariam como se você tivesse dois parafusos soltos na cabeça. O elogio tem o seu lugar... se você estiver exaltando o Deus todo-poderoso, que é perfeito. Mas nenhum ser humano merece elogio.

O *incentivo*, por outro lado, é construtivo.

O *elogio* diz: "Olhe só isto! É o melhor desenho que já vi alguém fazer. Aposto que vai ganhar o prêmio no concurso de artes!".

O *incentivo* diz: "Você se esforçou bastante para fazer este desenho. Não é bom ver que seu esforço valeu a pena?".

O *elogio* se concentra na criança. "Você é tão talentosa e esperta. Aposto que não há mais ninguém que tenha um boletim com notas tão altas. Muito bem!" Em geral, isso é um exagero. Seu filho não é bobo. Ele sabe que não é o melhor aluno, o melhor artista ou o melhor atleta do mundo, e nem mesmo o melhor em qualquer outra coisa. Sempre haverá alguém melhor que ele.

O *incentivo* se concentra no ato, na realização. "Uau! Um A em matemática. Todas aquelas horas que você passou estudando realmente geraram o resultado que você esperava. Você deve se sentir orgulhosa de si mesma, filha".

A maioria de nós cresceu numa sociedade movida a elogios, um sistema de recompensa e punição.

"Oh, você comeu todo o jantar. Agora pode pegar a sobremesa."

"Se você comer toda a verdura, vou lhe dar uma moeda" ou "Você foi tão bom no encontro de escoteiros esta noite. Aqui está um dinheirinho para lhe mostrar quanto isso significou para mim". Estamos descaradamente subornando nossos filhos a fim de que se comportem.

"Tenho tanto orgulho de você. Você é tão bom que logo estará jogando na seleção!"

"Oh, três notas A no boletim! Isso me deixa muito feliz. Mas este B... Teremos de trabalhar para conseguir um A nessa disciplina." Isso é o mesmo que colocar uma cenoura na frente do jegue.

"Estou tão entusiasmada que vou ligar para a vovó agora mesmo e contar a ela."

O que o elogio diz? "Valorizo você *porque* você fez isso ou aquilo — porque se comportou na reunião dos escoteiros, porque entrou para o time, porque conseguiu a nota." É realmente isso o que você quer dizer a seu filho? "Só amo você *porque*..."?

O incentivo aplaude os esforços e destaca a experiência.

> O que o elogio diz? "Só amo você *porque*..."? O incentivo aplaude os esforços e destaca a experiência.

"Dava para ver que você estava se divertindo no jogo hoje. Estou feliz porque você passou ótimos momentos ali." Em vez de se concentrar na habilidade de seu filho como jogador, você se concentra na diversão e na experiência.

"Tenho certeza de que você pode lidar com isso." Quando você fala assim, está dizendo a seu filho: "Confio em você, e confio em sua intuição. Sei que você vai analisar a situação e lidar bem com ela". Isso é um amplificador de confiança para uma criança. "Puxa, mamãe e papai acreditam em mim!"

"Quanto cuidado de sua parte! A cozinha está ótima." Você está focando a apreciação de um trabalho bem feito, assim como o tipo de motivação por trás dele. Também está reconhecendo a contribuição da criança à família.

Quando o boletim chegar, diga: "Estou feliz por ver que você gosta de aprender. Parabéns. Bom trabalho!".

As crianças sabem por natureza a diferença entre elogio e incentivo, confie em mim. E confie em mim mais uma vez quando digo que não se pode enganá-las. O incentivo, por sua vez, vai trazê-las para perto de você e sempre as manterá ali.

DISCIPLINAR NÃO É FÁCIL, MAS É SIMPLES

Vivemos numa era em que as pessoas dizem coisas como: "Quando há um problema, você precisa seguir seus sentimentos. Então saberá exatamente a coisa certa a fazer".

Não consigo pensar num conselho pior.

Imagine que você esteja dirigindo por uma estrada. Alguém fecha seu carro, e então você segue seus sentimentos. *Vruuummm*, você vai atrás daquele motorista, fechando-o e tirando-o da pista.

> Disciplinar significa responsabilizar a criança pelas coisas que ela faz.

Não é uma boa ideia. Penso que isso se chama *violência no trânsito*. E você provavelmente terá de bater um papo com o policial rodoviário.

Disciplinar não é fácil, mas é simples. Disciplinar significa responsabilizar a criança pelas coisas que ela faz. Em geral, isso significa que você deixa que a realidade da situação se torne a professora.

Mantenha a bola no lado certo da quadra

Nós, pais, somos muito bons em assumir responsabilidades que não são nossas. Precisamos parar com isso e jogar a bola para o lado da quadra ao qual ela pertence, se quisermos ter uma família transformada até sexta.

Digamos que seu filho de 4 anos tenha dito alguma coisa imprópria a caminho da pré-escola. Você fez tudo o que pôde para manter-se calmo e não acrescentar algumas palavras "seletas" ao vocabulário de seu filho (um vocabulário que se atualiza com extrema rapidez).

Você o pega na hora do almoço e dirige para casa.

— Mas, mãe — ele começa a resmungar —, você prometeu que a gente ia almoçar no McDonald's.

— Sim, prometi — você diz calmamente —, mas não estou disposta a fazer isso agora.

E continua dirigindo para casa.

Ele tem um chilique e começa a se debater na cadeirinha.

— Mas você *prometeu*!

Você o deixa continuar. Não só isso, você abaixa a janela do banco de trás para que o mundo inteiro o ouça (para falar a verdade, isso faz diminuir o volume dos gritos dentro do carro).

Você estaciona na entrada da garagem de casa e o choro se encerra. Nesse momento, ele está completamente confuso e um pouco surpreso.

O silêncio reina.

— Mas *por que*, mamãe? — ele finalmente pergunta.

É hora do aprendizado.

Receita para punição	**Receita para disciplina**
1 copo de "Vou fazer você pagar por isso". Sirva com ódio e vingança.	1 copo de "Quero ensinar a você o que é certo". Sirva com calma e amor incondicional.

— Porque não gosto da maneira como você conversou comigo esta manhã. Mas o pior ainda está por vir. Você tem de se manter firme, mesmo vendo o lábio dele tremer e as lágrimas brotarem naqueles olhinhos.

— Sinto muito, mamãe — ele choraminga.

— Eu perdoo você — você diz e lhe dá um abraço.

Então, ele pergunta:

— Podemos ir ao McDonald's agora?

Se você ceder nesse instante, perderá a batalha.

— Não — você diz. — Hoje não.

Agora, até mesmo seu filho de 4 anos vai entender — e fixar — a lição.

Uma de minhas histórias favoritas está na Bíblia, no capítulo 2 do evangelho de João. Sendo você uma pessoa cristã ou não, ainda assim vai se beneficiar da história. Trata-se do primeiro milagre realizado por Jesus, na pequena vila de Caná, na Galileia. Jesus, sua mãe, Maria, e os discípulos estavam todos numa animada festa de casamento. Mas, então, a tragédia: os anfitriões ficaram sem vinho. Naquela cultura, isso causaria um constrangimento enorme, e não havia nenhum mercadinho 24 horas onde pudessem comprar mais bebida.

Maria vai até Jesus e sussurra:

— Filho, venha até aqui. Eles não têm mais vinho. Faça a sua parte.

Jesus se ajeita e diz:

— Que temos nós em comum, mulher?

Ele se separa da mãe; até mesmo a chama de *mulher* e, basicamente, lhe diz *não*.

O que Maria poderia ter dito em resposta? "O que você disse, seu metido ingrato? Você sabe quem eu sou? Sou sua mãe. Eu tinha 15 anos quando você nasceu e, acredite, não foi fácil. Passei nove horas e meia em trabalho de parto para que você nascesse."

Mas não é o que a Escritura diz. Em vez disso, aquela sábia mãe judia afastou-se de algo que tinha todo o potencial para ser uma discussão. Ela se voltou aos servos e simplesmente disse:

— Façam tudo o que ele lhes mandar (Jo 2.1-10).

Interessante, não é?

Ela sabia quem Jesus era?

É claro.
E manteve a bola na quadra dele.

Responsabilize seus filhos pelo que fazem

Já falei sobre um de meus filmes preferidos, *Três amigos*. Outro favorito é *Momentos decisivos*, com Gene Hackman, que faz o papel de técnico do time de basquete de uma pequena cidade do estado americano de Indiana. Se você não assistiu ao filme, vou lhe contar. Há um garoto muito habilidoso que é a estrela do time. Ele não faz o que o técnico pede, que o coloca no banco. Um outro garoto estoura em faltas. Resumindo, o time agora está com quatro jogadores, sem mais ninguém para entrar. Para aqueles que não estão familiarizados com o basquete, isso é ruim. É preciso cinco jogadores em quadra.

Assim, o craque do time, que fora tirado do jogo, se levanta e tira o agasalho. Ele passa por Hackman, que diz:

— Aonde você vai?

— Vou entrar — diz o craque.

— Sente-se — responde Hackman.

O juiz vai até Hackman.

— Treinador, você só tem quatro em quadra. É preciso ter cinco.

O que Hackman diz?

— Estou sem time.

Percebeu? Isso é que é disciplina: responsabilizar os membros do time por aquilo que fazem.

Digamos que seu filho de 17 anos desrespeita você, mãe. São dez horas da manhã de uma sexta-feira, e ele tem um jogo de futebol aquela noite. Ele é uma das estrelas do time.

> Nenhum filho é estúpido a ponto de mexer com a mamãe depois de ela ter feito uma manobra como essa.

Meu conselho? Ligue para a escola e converse com o técnico. Diga: "Meu filho não tem minha permissão para jogar hoje à noite".

Seu filho é titular do time. Se você queria a atenção dele, conseguiu. Ele vai ficar feliz? Não, não vai. Mas, dali em diante, você exercerá uma autoridade saudável sobre ele.

Nenhum filho é estúpido a ponto de mexer com a mamãe depois de ela ter feito uma manobra como essa.

Não dê desculpas para livrar seus filhos

As desculpas tornam o fraco ainda mais fraco.

Digamos que sua filha de 12 anos odeia levantar-se da cama para ir à escola. Você escuta o despertador ser desligado... E nada acontece. Então, você chama: "Shelly, hora de levantar!".

Três minutos depois, nenhum barulho de água correndo do chuveiro, nem de passos no corredor em direção ao banheiro.

Você decide ir até o andar de cima e, com a voz levemente mais alta, chama de novo:

— Shelly, hora de levantar!

Um grunhido vem do quarto:

— Tá bom, tá bom, mãe.

Você desce as escadas, deixa o cachorro sair para fazer as necessidades, coloca uma fatia de pão na torradeira e Shelly ainda não está na cozinha.

Com o canto do olho, vê o ônibus escolar indo embora. Ela o perdeu pelo quinto dia seguido.

— Shelly, desça aqui *agora*! — você grita, exasperada.

Alguns minutos depois, ela entra arrastando os pés, com olhos turvos, pega o pão na torradeira e se encaminha para o carro.

Você escreve um bilhete para a escola: "Minha filha Shelly não tem se sentido bem esta semana, por isso tem chegado atrasada à escola todas as manhãs. Desculpe-me".

Depois de deixá-la na escola, você vai para o trabalho, bufando e atrasada, e se lembra: "Ai, ai, não deixei o cachorro entrar de volta!".

Será que as manhãs precisam ser assim estressantes? Não, não precisam, e quanto mais cedo você der um basta, melhor.

E se sua manhã pudesse acontecer de outra maneira?

Você escuta o despertador de sua filha tocar... E nada. Você sorri. É a oportunidade que você vem esperando, já que tem um plano. Você não a chama, não a acorda. Prepara uma torrada, faz um pouco de café, pega a xícara e o cachorro e sai para uma pequena caminhada tranquila.

Você vê o ônibus indo embora e continua sua caminhada.

No caminho de volta para casa, sua filha corre até você com a mochila nas costas, em pânico:

— Mãe! Você não me acordou. Vou me atrasar para a escola! Você tem de me levar, agora!

Você anda um pouco mais devagar e então para, de modo que o cachorro possa se distrair um pouco.

— Estarei em casa num minuto — você diz calmamente.

Quando finalmente volta para casa, você deixa o cachorro entrar e coloca um pouco mais de café na xícara, antes de ir para o carro.

Enquanto vocês seguem para a escola, sua filha segura o caderno de anotações. Você sabe o que ela quer, mas simplesmente olha para a mão dela, estendida.

— O bilhete, mãe, o bilhete — diz ela, irritada.

— Nada de bilhete hoje — você responde.

Ela agarra a mochila.

— Mas, mãe, vou me meter em confusão! Você precisa escrever um bilhete para a escola.

— Hoje não.

Ela olha para você, surpresa, e sai lentamente do carro.

— Mas, mãe...

— Nós nos vemos depois da aula, querida — você diz com voz tranquila, e até mesmo sorri.

> **Surpreenda seus filhos**
> Flagre seus filhos fazendo algo certo hoje.
> Depois, derrame incentivo sobre eles.

Depois de pegar um ônibus para casa, no final da tarde, sua filha chega e joga um papel azul sobre a mesa. Nele está escrito: "Atraso não justificado". Bufando de raiva, ela vai para o quarto e cumpre a rotina de bater a porta e trancar a fechadura.

Adivinhe quem estará no ônibus amanhã no horário certo?

Problema resolvido.

Deixe que a realidade fale

Eric toca violoncelo na orquestra da escola de ensino médio. Na sexta-feira ele chegou em casa... sem o violoncelo. Sua mãe, Diane, estava ciente de que ele sabia que tinha de trazer o violoncelo para casa e praticar no final de semana. Mas o instrumento não veio. Quando perguntou a ele, a resposta foi: "Ah, esqueci", e ele seguiu direto para o armário pegar um salgadinho.

A escola ficava a seis quarteirões de casa.

O que a maioria dos pais faria? "Tudo bem, Eric, entre no carro. Vamos voltar para a escola e pegar seu violoncelo."

Mas o que Diane disse? Ela afirmou calmamente:

— Eric, volte à escola e pegue seu violoncelo.

Ele olhou surpreso, depois abaixou a cabeça e disse:

— Tá bom, mãe.

Meia hora depois, ele está de volta... sem o violoncelo.

— Onde está o violoncelo? — perguntou ela.

— Ah, a escola estava fechada — disse ele.

— Bem, você deu a volta e verificou a porta dos fundos? Ela está sempre aberta.

— Ih, não — disse ele.

Nesse momento, Diane poderia ter cedido e pensado: "Pobre garoto, ele já foi e voltou da escola duas vezes hoje".

Mas ela sabia que precisava ficar firme em suas posições para alcançar alguma coisa. Assim, disse:

— Então volte e pegue seu violoncelo. Use a porta do fundo da escola. Quando você voltar, prepararei um lanche para você.

Você acha que Eric vai esquecer o violoncelo de novo? Nunca mais! Quem gosta de ir e voltar da escola três vezes no mesmo dia?

Disciplinar é arranjar situações calmamente, de modo que as crianças aprendam, por experiência, a fazer a coisa certa.

Espere o melhor de seus filhos
Nenhum dos filhos da família Leman tinha horário estabelecido para voltar para casa.

"O quê?", você deve estar dizendo. "O que você quer dizer? Seus filhos não voltavam para casa?"

Eles perguntavam: "Pai, a que horas devo estar em casa?".

E eu simplesmente dizia: "Esteja em casa num horário razoável".

As crianças gostavam disso? Não, elas odiavam. Elas preferiam que eu dissesse: "Esteja em casa às onze, senão você vai virar abóbora".

Mas o fato de eu dizer "Esteja em casa num horário razoável" transmitia esta mensagem: "Acredito em você e confio que vai tomar uma boa decisão. Você é um jovem adulto agora; portanto, use sua cabeça".

"Leman", você diz, "isso nunca funcionaria com meu filho. Ele ficaria fora até às cinco da manhã."

Se isso acontecesse, só depois de muito tempo um filho meu sairia sozinho à noite.

Isso se chama disciplina. Se seu filho tem idade suficiente para sair à noite, então você precisa confiar que ele próprio vai estabelecer o horário e voltar para casa numa hora decente.

> Eles perguntavam: "Pai, a que horas devo estar em casa?".
> E eu simplesmente dizia: "Esteja em casa num horário razoável".

Em vez de fazer um sermão para seus filhos, enfatize sua confiança de que eles são capazes de tomar boas decisões. Dê a eles a vitamina I, de "incentivo", quando tomarem decisões certas. Lembre-se de que o que eles mais querem é agradar os pais.

Se, e quando, eles não se mostrarem dignos de confiança, você precisará dar a eles uma dose de vitamina N, de "não".

Até lá, trate-os como os jovens adultos que já são e os adultos em que estão se transformando. Espere o melhor deles.

Esteja aberto e disponível para seus filhos
Crianças são crianças e fazem coisas estúpidas. Às vezes, elas também estarão sob enorme pressão e precisarão de sua ajuda. Há uma diferença entre ajudar

seus filhos com as tarefas de vez em quando, durante os momentos de estresse, e resgatá-los o tempo todo.

Kaylee, 14, é uma boa aluna, esforçada e respeitada pelos colegas. Depois de concluir a oitava série, mergulhou de cabeça nos estudos durante as férias de verão, a fim de conseguir tempo durante o ano seguinte para ter as aulas adicionais em que estava bastante interessada. Kaylee era o tipo de menina ordeira que mantinha o quarto arrumado e os animais de estimação alimentados. Naquele mês, porém, seu quarto estava completamente bagunçado, e os bichinhos demoravam a ter o que comer.

A mãe de Kaylee poderia ter implicado com o fato de ela não fazer o que normalmente fazia. Em vez disso, percebendo que a filha havia mergulhado numa situação intensa — horas e horas de estudo em casa, em plenas férias — logo depois das provas finais e da conclusão da oitava série, aquela mãe não disse uma palavra. Em segredo, ela arrumava e dobrava as roupas da filha e alimentava os animais quando Kaylee se esquecia de fazê-lo.

Estaria ela permitindo que sua filha fosse preguiçosa? Absolutamente não. Kaylee não tinha um padrão de preguiça. Estava apenas passando por um período difícil, tentando dar conta da transição para o ensino médio. Sua mãe foi muito sábia para entender a diferença.

Portanto, pais, sejam sábios para compreender a diferença e espertos para admitir quando um padrão estiver em desenvolvimento. Quando as coisas precisarem mudar em seu lar, mantenha a bola no lado certo da quadra, responsabilize seus filhos pelo que fazem, não dê desculpas por eles, deixe a realidade falar, espere o melhor e esteja aberto e disponível. Quando graça e alguma ajuda forem necessárias, conceda-as também. O que você acha deste conselho de ouro: "Façam aos outros o que vocês desejam que eles lhes façam" (Mt 7.12)? É realmente um bom conselho.

Questionário familiar

1. Em sua opinião, quais são as cinco coisas que seu filho adolescente mais quer na vida agora? Por quê? O que você colocaria no topo de sua lista de "Cinco coisas que mais quero"? Depois, pergunte a seu filho o que ele diria. Quais as semelhanças entre as listas de vocês dois?

2. Que exemplos de atitudes positivas você vê em seu lar neste momento? Como essas atitudes foram criadas?

3. Que atitudes negativas você consegue identificar? Como lidar criativamente com as necessidades ou os problemas por trás dessas atitudes?

4. Que tipo de disciplinador você tende a ser? Como ajustar seu estilo de disciplina a fim de que funcione melhor para você e para seus filhos?

5. Como você pode tornar seu lar um ambiente que não apenas deixa sua filha adolescente confortável, mas também faz que ela convide as amigas para se reunirem em casa? Converse com ela, compartilhem ideias e então, nesta semana, tentem pôr em prática uma ou duas delas.

QUINTA-FEIRA

Por que papai não pode ser mamãe e mamãe não pode ser papai

Ajustem seus papéis — e seu casamento — para alcançar o melhor e mais indelével brilho. (Se você é solteiro, também há coisas boas para você aqui.)

Estou casado há 47 anos, sem interrupções, com a mesma felizarda mulher. Temos cinco filhos, três genros e dois netos adoráveis. Em meio a uma agenda repleta de palestras e envolvido com a preparação de livros, aprendi algumas coisas sobre a vida familiar. A maior delas é que a pessoa que você é no seu íntimo determinará o tipo de família que você tem. A forma como você reage, de maneira geral, àquilo que a vida lhe põe nas mãos estabelecerá o destino de sua família, e isso inclui filhos e casamento.

Você pode transformar sua família até sexta? Sim.

Até mesmo a quarta-feira é uma possibilidade. Se você estiver seguindo os princípios deste livro,

> A pessoa que você é no seu íntimo determinará o tipo de família que você tem.

já deve estar vendo milagres nas áreas de comunicação, prioridades, atitudes e disciplina. Tudo porque decidiu fazer algumas poucas coisas de outro modo e está seguindo o plano.

Mas você pode perguntar: "Podemos de fato ter um casamento transformado em cinco dias? Estamos enfrentando dificuldades há bastante tempo!".

A resposta é: "Sim, vocês podem! Eu prometo". Vocês podem ter um casamento mais feliz até mesmo depois do pôr do sol de hoje!

Quer você seja solteiro, casado ou separado, quer esteja esperando ou pensando em se casar, quer seja casado e deseje estar solteiro, esta seção é para você.

O QUE VOCÊ REALMENTE RECEBE QUANDO CAMINHA POR AQUELE CORREDOR

Quando eu era pequeno e minha mãe me mandava para a escola dominical, cantávamos uma música chamada "Na rocha firme o sábio construiu". Sim, a rocha — algo sólido, inalterável, imutável.

Sande, minha adorável esposa, e eu já encaramos a construção de uma casa. Se você já construiu uma casa nova, então sabe como é o entusiasmo. Você a visita várias vezes para verificar o progresso. Quer ver cada tijolo nela colocado.

Um dia, ao amanhecer, fui ver a casa; o chefão, o mestre de obras, estava lá.

— Por que você está aqui hoje? — perguntei. Eu costumava ver todas as abelhas operárias por lá, mas não a abelha-rainha.

— Hoje é o dia em que vamos lançar as fundações — disse ele.

Estúpido como sou, perguntei:

— E daí?

Ele olhou bem nos meus olhos.

— E daí que, se a fundação de sua casa não estiver certa, todo o resto cairá.

Dááááá.

> Se a fundação de sua casa não estiver certa, todo o resto cairá.

Lição nº 1 sobre casamento.

Costumo pensar na época em que eu era jovem, em pé no altar, tremendo dentro dos sapatos, joelhos balançando. Então, a mais linda noiva do mundo veio caminhando por aquele corredor, na minha direção, e fiquei boquiaberto. Até hoje considero Sande a esposa mais linda do mundo, e ela fica mais bela a cada ano.

Mas havia algo que eu não percebera. Por baixo daquele adorável buquê de noiva havia um livro de regras. Ele continha uma porção de normas das quais não fazia a mínima ideia até que me casei com Sande. Deus devia estar sorrindo quando disse: "Os dois se tornam um só" (Ef 5.31). Puxa! Como conseguiríamos fazer isso? Mas temos conseguido — por muito tempo.

Uma pergunta para você: quando você se casou, quantas pessoas *realmente* caminharam por aquele corredor forrado de pétalas de flor?

Duas?

Quatro?

Não, normalmente são pelo menos seis.

"Ei, sua matemática está errada", você está pensando. "De onde você está tirando esse número?"

Estou tirando esse número de seus parentes por afinidade, em especial dos sogros e sogras. Vocês não necessariamente vivem com seus pais, mas estão se casando com eles também. Eles vêm junto no pacote. Espera-se que isso se torne uma coisa boa, mas às vezes é desafiador. Ou você colhe os benefícios do que aconteceu na família de seu cônjuge ou paga pelo que aconteceu. Se vocês dois vêm de uma família reconstituída, esse número sobe de seis para dez.

E isso pode tornar a vida ainda mais... bem, interessante.

QUATRO FATORES DE SUCESSO PARA UM ÓTIMO CASAMENTO

Depois de aconselhar milhares de famílias no decorrer da vida profissional, não tenho dúvida de quais são os maiores fatores de sucesso no casamento. Eles podem levar não apenas a um casamento que funciona — para ambos os cônjuges —, mas também ao tipo de relacionamento que beneficia toda a família.

Fator de sucesso nº 1: comunicação

O que você precisa entender sobre homens e mulheres é que eles se comunicam de maneira diferente. As mulheres, por exemplo, mentem descaradamente. Não se ofendam, senhoras! Num minuto vocês entenderão o que quero dizer. As mulheres não pretendem mentir, mas o fazem.

Veja um exemplo. Estou voltando para casa, certa noite, com minha esposa, Sande, depois de termos jantado. Recusamos a sobremesa no restaurante, para economizar. A caminho de casa, porém, ela se vira para mim e pergunta:

— Você não quer parar para tomarmos um sorvete?

— Não — digo eu, e continuo dirigindo.

Dez segundos depois, lágrimas começam a rolar de sua face.

Dou uma olhada.

— O que há com você? — pergunto, com a típica rispidez masculina.

— Nada — diz ela com voz baixa, e fica olhando para o nada.

— Como assim, nada? Você está chorando.

Esses somos nós, homens, apontando para o óbvio.

Ela responde bruscamente:

— Eu *disse* que não há nada de errado.

Agora, porém, estou desesperado.

— O que há com você?

Se não funcionou da primeira vez, deve funcionar da segunda, certo?

Ela revela:

— Eu quero parar para tomar sorvete!

Como você vê, as mulheres são interessantes.

Cavalheiros, aprendam comigo: as mulheres querem que vocês saibam como elas estão se sentindo sem que precisem dizer a vocês como estão se sentindo.

"Harold, vem me dar um abraço?", pede a esposa.

Então Harold deixa o jornal de lado, levanta-se, vai até ela e lhe dá um abraço meio frio. Em seguida, volta para o jornal.

O que ela diz a si mesma? "Bem, ele me abraçou direito, mas só porque eu pedi que ele o fizesse, não porque ele de fato quisesse fazê-lo."

Entende o que quero dizer?

Senhoras, se vocês estão querendo um *sundae* com cobertura de chocolate e uma cereja por cima, façam um favor a seu marido. Digam a ele de maneira direta. Muito provavelmente, ele terá prazer em atender ao pedido. A maioria dos homens pede opinião: "Querida, me diga o que você quer que eu faça e eu farei". (Imagine Rocky Balboa dizendo isso e você vai me entender.) Mas não espere jamais que seu marido leia sua mente. O cérebro de homens e mulheres funciona de maneira diferente.

As mulheres são especialistas em multitarefa. O que dizer de nós, homens? Somos pensadores simples e lineares. Uma coisa por vez. (Preciso desligar o rádio quando estou procurando um endereço.) Mas o cérebro feminino? Complicado. Definitivamente complicado. Uma vez que vocês, mulheres, conseguem equilibrar múltiplas tarefas ao mesmo tempo, seu cérebro é complexo demais para que seu marido consiga compreendê-lo.

> As mulheres são especialistas em multitarefa. O que dizer de nós, homens? Somos pensadores simples e lineares.

Portanto, se você precisa de um cafuné, diga isso com todas as letras. Não espere que ele "perceba". Os homens podem ser burros como portas, especialmente quando se trata de compreender a esposa.

Mas não é porque eles não as amem ou não se importem. Na verdade, seu homem tanto se importou e a amou que foi atrás e conquistou o prêmio: você. Ora, isso é um elogio.

Portanto, se você quiser alguma coisa, por favor, peça.

A comunicação é a trilha pela qual os relacionamentos caminham, especialmente os conjugais. Vocês precisam dividir pensamentos, sentimentos, opiniões, desejos e crenças livremente um com o outro — sem que ninguém receie ser desprezado, menosprezado, rejeitado ou criticado.

Adoro vocês, mulheres. É um pouco embaraçoso admitir, mas, depois de todos esses anos falando sobre casamento, estou ficando bom em pensar como uma mulher.

Parece claro que as mulheres se comunicam de maneira diferente. De fato, em uma semana, vocês usam três vezes e meia mais palavras que os homens. Isso significa, senhoras, que o repertório de seu marido se esgota lá pela noite de quarta-feira, quando ele chega em casa do trabalho, e vocês ainda estão fortes até sexta-feira. Não é surpresa que vocês às vezes exijam: "Fale comigo!", e nós homens pensemos: "Mas eu estou falando!".

As mulheres também tendem a conversar em termos relacionais, usando palavras como *vamos*, *nós* e *nosso*. Os homens tendem a falar mais em termos solitários, usando palavras como *vou*, *eu* e *meu*. Isso não torna nenhum dos lados certo ou errado, apenas diferentes.

Sei que suas amigas querem todos os detalhes minuciosos do que aconteceu em determinada situação, mas lembre-se de que seu marido não é sua amiga. Ele quer os destaques, os resumos, pelo menos por ora. Você poderá passar alguns poucos detalhes no meio do caminho, mais tarde, se forem realmente importantes para você, mas não os despeje de uma vez. Esperar que ele diga "Oh", "Nossa!" e pergunte: "Então, o que aconteceu em seguida?" é colocar nele uma saia. Acredite em mim: ele não tem as pernas próprias para isso.

Serei bem direto. Sou feliz por ser homem e estou confortável sendo homem. Enquanto espero o semáforo abrir, posso cuidar das unhas das mãos num segundo... com meus dentes da frente. Não preciso passar a tarde inteira no salão com loções, banho de sais, tesouras e aquela história de esmalte. Quando vou à casa de um amigo, não tenho de levar uma lembrancinha. Ele não vai se ofender se eu me esquecer do aniversário dele. Não saímos para tomar chá... Nunca. E nunca temos de dividir a comida.

Assim, quando o Deus todo-poderoso colocou macho e fêmea juntos e disse que era "bom", ele se tornou o primeiro humorista. Não há um só dia em que Sande e eu não damos risadas de nossas diferenças.

Fator de sucesso nº 2: transparência e autenticidade

Somente a abertura e a honestidade podem levar àquilo que chamo de "conexão íntima". Quando dois se tornam um, não há segredos guardados. É preciso que as mentes se misturem e os sentimentos sejam compartilhados, assim como o amor incondicional. Quando esses elementos não se fazem presentes num casamento, a confiança entre marido e esposa acaba desaparecendo. Isso significa que a habilidade de coexistir com confiança vai embora.

> Somente a abertura e a honestidade podem levar àquilo que chamo de "conexão íntima".

Aqui está a questão. Se você quiser ter essa valiosa comunicação com seu cônjuge, vocês precisam ter os mesmos valores fundamentais; no topo da lista, estão a transparência (alguns a chamam de honestidade) e a autenticidade. Ninguém fica muito tempo num casamento se não estiver sendo verdadeiro.

Por que você acha que os casamentos duram em média sete anos e, então, marido e esposa anunciam que não se amam mais? Será de fato possível se desapaixonar? Ou será que o amor nunca esteve de fato presente?

Os casamentos que não apenas duram como também beneficiam ricamente ambas as partes se baseiam em atitudes reais e honestas de um para com o outro, o tempo todo.

Fator de sucesso nº 3: uma vida sexual ativa e recompensadora

Vamos ser francos. Tenho 70 anos de idade. Para alguns de vocês, isso é o mesmo que estar com o pé na cova. Estou aqui para lhe dizer que ficamos mais lentos quando envelhecemos — em termos físicos, emocionais e sexuais. Mas ainda desejo minha esposa, e ela ainda me deseja. Nossa vida sexual mutuamente recompensadora ainda acontece. Essa é uma das razões pelas quais escrevi *Entre lençóis*, que traz conselhos práticos para ter um ótimo sexo no casamento, porque vejo muitos casais enfrentando dificuldades nessa área.

Contudo, para que vocês possam desfrutar desse tipo de vida sexual, certas condições precisam ser satisfeitas. A primeira coisa que Sande e eu fizemos depois de casados foi parar no acostamento da estrada, e ali oramos para que Deus abençoasse nossa união. Quarenta e oito anos de casamento e cinco filhos depois, podemos dizer que ele mais que honrou nosso pedido. De fato, um de nossos filhos foi uma surpresa, pois Sande estava com 42 anos, e eu, com 44; e o último de nossos filhos foi um choque: Sande com 48 anos, e eu, com 50.

Quando ainda era menina, Sande orava pedindo um homem de caráter. Bem, uma vez que Deus é o maior de todos os humoristas, Sande recebeu aquilo pelo que havia orado: uma figura como eu.

No passado, nunca havíamos sonhado que Deus me usaria e permitiria que eu ensinasse milhões de pessoas, por meio de literatura, a construir lares e famílias mais felizes e enriquecer casamentos.

Mas somos muito felizes por ele ter feito isso.

Fator de sucesso nº 4: concordância quanto a valores fundamentais

As estatísticas relacionadas ao casamento são sombrias. Uma vez que a pesquisa psicológica não é uma ciência exata, raramente as estatísticas vindas de múltiplas fontes têm resultados idênticos. Contudo, a experiência e a pesquisa como psicólogo praticante me mostram que o casamento típico é cozido e finalizado em sete anos. Os casais estão se casando mais tarde (as mulheres com cerca de 26 anos, e os homens, com 28) e tendo filhos mais tarde. Mais de 50% de todos os casais em primeiro casamento vivem juntos antes de se casar no papel. A taxa de divórcio entre pessoas que vivem com seu futuro cônjuge antes de se casar é 80% maior que a taxa dos que não agem assim. Praticamente metade dos casamentos termina em divórcio. Cerca de 60% dos que se casam com idade entre 20 e 25 anos se divorciam. Por que isso acontece? Examine de perto os casamentos falidos e você descobrirá que neles faltam valores fundamentais compartilhados.

O que quero dizer ao usar o termo "valores fundamentais"? Refiro-me àquelas coisas que têm importância fundamental para você — seus objetivos na vida, a maneira como você se comporta, sua visão de mundo e suas crenças espirituais. Outros valores fundamentais incluem o modo como você disciplina seus filhos, como quer que eles sejam educados, sua perspectiva em relação à vida em consequência de como você foi criado e o exemplo que você estabelece para os outros. Compartilhar valores fundamentais significa conviver de maneira sábia (1Pe 3.7).

Por que 60% dos casamentos entre pessoas na faixa dos 20 a 25 anos acaba fracassando? Estou convencido de que isso se deve ao fato de que, nesse grupo etário — formado por gente que está concluindo ou abandonando a faculdade e estabelecendo sua carreira —, as pessoas ainda não estão certas de quem são; diante disso, como escolher um parceiro para toda a vida?

Denise, uma mãe inteligente que conheço e que criou diversos adolescentes, tem um desenho gasto colado na porta da geladeira. Seus filhos sabem de cor o significado daquele desenho. Na verdade, eles fazem aquela cara quando o veem, mas compreendem o significado:

Em outras palavras, metade mais metade não formam um casamento completo até que ambos saibam a direção na qual estão se movendo e tenham estabelecido de maneira sólida aquilo em que estão se transformando.

Alex, 31, o filho mais velho de Denise, vive um casamento feliz e tem filhos com 6 e 4 anos que o mantêm bastante ocupado. "Aquele desenho maluco ficava aparecendo na minha mente quando eu namorava", diz ele com um sorriso. "Mas por duas vezes ele evitou que eu cometesse um enorme erro na minha fase de namoro."

Maura, 29, também tem um casamento feliz, além de um filho de 3 anos. "A mamãe e o papai não precisavam dizer uma palavra. O desenho na porta da geladeira era um lembrete constante", diz ela.

Tasha, 25, gerencia uma galeria de arte e está noiva do rapaz que conheceu no ensino médio. "Nós dois concordamos que queremos primeiro fazer a faculdade e iniciar nossa carreira, para garantir que nada em nosso relacionamento tenha mudado. Acredite em mim, o desenho da geladeira plantou isso na minha cabeça."

"Também não pude deixar de notar", adiciona Sam, o noivo de Tasha, com um sorriso maroto. "Estava em vermelho negrito na porta da geladeira. Quem quisesse comer era obrigado a vê-lo. O desenho causou grande impacto em nós dois. Ele nos convenceu a esperar até que tivéssemos certeza de que a hora certa havia chegado."

Matthew, 21, terminou recentemente a faculdade de engenharia. Atualmente, não namora ninguém. "Quero usar esse tempo para me concentrar no desenvolvimento de minhas habilidades profissionais e me certificar de que esse é o campo certo para mim."

Megan, 17, está no último ano do ensino médio. Morena cheia de energia, equilibrada e querida por todos, atrai rapazes como o mel atrai abelhas. Mas optou por não se envolver seriamente com nenhum deles. "Agora não é o momento para esse tipo de relacionamento. Quero explorar primeiro quem sou e quais são meus talentos."

Quando perguntei a Megan como ela vê tudo isso, considerando os altos e baixos da vida adolescente, ela riu e começou a procurar algo em sua bolsa. Entregou-me um cartão plastificado em que havia a mesma figura exposta na geladeira de sua mãe. "A mamãe e o papai deram a cada um de nós um cartão como este quando iniciamos o ensino médio e pediram que o carregássemos conosco. Isso mantém o nosso foco."

Mas há outra coisa que você precisa saber sobre aquela mãe. Ela vem de um passado de maus-tratos por causa de um pai alcoólico, e a vida era bastante incerta. Denise conheceu Mark, seu marido, na faculdade. Mas eles só se casaram pouco antes dos 30 anos, depois de ambos terem passado por muito aconselhamento para trabalhar as questões de confiança de Denise e depois de terem chegado a um acordo sobre seus valores fundamentais.

Foi um vizinho atencioso quem primeiro falou com Denise, então com 16 anos, sobre o conceito de que metade mais metade não é igual a um inteiro. "Rejeitei na época", diz Denise, "mas o conceito ficou gravado fundo em minha mente. Quando conheci Mark na faculdade, ele foi o primeiro rapaz que entendeu isso e que me amou incondicionalmente por eu ser quem sou."

O dia em que Denise soube que estava grávida do primeiro filho foi o dia em que ela colocou o desenho na porta da geladeira. Ele tem servido muito bem à família há quase 32 anos. "O desenho nos ajudou a nos concentrarmos naquilo que é mais importante", diz Mark.

Todos os filhos de Denise são dignos de confiança, trabalhadores esforçados, pessoas bondosas e generosas. Os valores fundamentais dos pais foram transferidos para os relacionamentos dos filhos e para os cônjuges que dois deles encontraram.

Isso não significa que a vida foi sempre fácil, mas Denise e Mark permaneceram juntos no caminho, lado a lado, e agora estão colhendo as recompensas.

DO QUE MULHERES E HOMENS MAIS PRECISAM

Há algo que você precisa saber: as mulheres são esquisitas, e os homens são estranhos. Eles também têm necessidades bastante diferentes, que afetam seus relacionamentos.

Necessidades fundamentais das mulheres

As quatro principais necessidades das mulheres, pela ordem, são afeição, compreensão, apoio e comunicação. Os homens não costumam ser bons nessas coisas. Eles realmente precisam se esforçar para supri-las. Mais uma vez, Deus é um cara engraçado, com enorme senso de humor, não é?

Vivo na cidade de Tucson, Arizona, com minha esposa, a Sra. Certinha, a quem às vezes chamo carinhosamente de "Abonada". Mas ela faz compras em Phoenix. Evidentemente, as lojas em Tucson são inferiores.

Quando sai para fazer compras, a Abonada leva consigo nossa filha mais velha ou uma amiga. Elas começam cedo, o que, para minha esposa, significa mais ou menos duas da tarde. Primeiro, param para comer uma torta de limão no Starbucks; em seguida, partem para Phoenix (cerca de 170 quilômetros de Tucson) e dividem uma refeição ligeira: um peito de frango com salada, sabe como é. Então, vão às compras. Ah, sim, elas passam a noite por lá. É uma excursão de dois dias.

Sempre pergunto, quando ela está de saída:

— Querida, a que horas você espera estar de volta?

— Chegaremos em casa cedo, lá pelas cinco — ela responde.

O que eu disse anteriormente sobre as mulheres mentirem descaradamente?

Sei que ela não estará em casa às cinco. Diante disso, sabe o que eu faço? Adiciono cinco horas ao horário que ela disse. E, quando ela entra em casa, às dez da noite, eu não lato: "Por onde você andou? Eu estava preocupado". Em vez disso, levanto calmamente do sofá e digo: "Oi, querida, divertiu-se bastante? Posso ajudá-la com os pacotes?".

E só.

Sabe como é que alguém se casa e permanece casado todos esses anos? Fazendo coisas assim.

Certa vez, perguntei à Sande:

— Você poderia me dar uma lista de coisas que poderiam me tornar um marido melhor?

Sabe o que ela respondeu?

— Claro.

Não gostei da maneira como ela disse aquilo.

Mas achei muito interessante como ela começou a lista: "Quando eu não me sentir bem, leve as crianças à igreja mesmo assim".

Ah, isso retorna a um tema central dos valores fundamentais, não é? As mulheres são o centro da família. Quando a mamãe está doente, é interessante ver como as coisas meio que derretem. Nós, homens, podemos tentar manter tudo em ordem, mas não somos os gênios da multitarefa como são as mulheres. Não nos lembramos de detalhes, como o fato de Brianna querer seu sanduíche sem maionese e de Josh querer o seu dividido ao meio.

> Certa vez perguntei à Sande: "Você poderia me dar uma lista de coisas que poderiam me tornar um marido melhor?". Sabe o que ela respondeu? "Claro." Não gostei da maneira como ela disse aquilo.

Mas o que Sande estava dizendo sobre suas expectativas em relação ao tipo de marido que ela queria que Kevin Leman fosse? O líder da família. O homem forte que é, ao mesmo tempo, afetuoso e amoroso e que também apoia toda a estrutura familiar.

Nós, homens, precisamos assumir a responsabilidade e ser quem devemos ser.

Como os maridos podem oferecer afeição, compreensão, apoio e comunicação que satisfaçam as necessidades de sua esposa? As mulheres precisam de afeição antes, durante e depois do sexo. Elas também precisam de afeição que não esteja ligada à atividade sexual — massagens nas costas, doces bobagens sussurradas no ouvido, palavras gentis de apreciação. Precisam de afeição que possam ouvir, perceber, ver e sentir. Anseiam que suas opiniões sejam entendidas e valorizadas, e que sua natureza multitarefa, sua sabedoria e seu bom senso sejam apreciados. Querem que seu homem seja forte e as apoiem em todos os sentidos — emocional, físico e financeiro, bem como na defesa dos valores fundamentais compartilhados por ambos. Elas precisam de comunicação, cavalheiros. E isso significa mais que grunhidos e frases desconexas durante os comerciais de TV.

As mulheres querem ouvir que as amamos, que as apreciamos e que temos orgulho de sermos vistos com elas. Mas cuidado, senhores, pois suas palavras precisam ser apoiadas por ações diárias. Nos primeiros estágios da criação de filhos, as mulheres costumam estar cercadas de filhotes o dia inteiro, e isso é desgastante. No final do dia, estão cansadas demais para namorar. Seu incentivo e sua atitude cuidadosa podem fazer toda a diferença.

Em seu livro *His Needs, Her Needs*,[1] meu amigo Willard Harley fala sobre fazer depósitos no banco de amor de seu cônjuge. Adoro essa comparação. Ou você está fazendo saques ou está fazendo depósitos. A cada dia, a mulher olha para o marido e, no íntimo, faz a pergunta: "Você realmente me ama? Você realmente se importa?". A resposta está na maneira como vocês se comportam, cavalheiros.

Se você dissesse à sua esposa, neste exato momento: "O que posso fazer para ajudá-la, querida?", como ela reagiria? Ela cairia de costas, chocada? Em caso afirmativo, isso é uma pista de quantas vezes você disse isso no passado.

Essa oferta de ajuda é muito mais importante para ela do que suas tentativas de resolver os problemas que ela enfrenta. Nós, homens, somos grandes solucionadores de problemas. Mas não é isso que as esposas geralmente querem. Elas querem ser ouvidas e desejam que você saiba o que elas estão enfrentando. Em geral, as esposas conseguem resolver os próprios problemas. E, quando não conseguirem, um "O que posso fazer para ajudá-la, querida?" será música para os ouvidos.

Maridos: o que fazer e o que não fazer para sua esposa

- Incentive e apoie.
- Não lhe diga o que fazer.
- Encoraje-a com palavras (ou mesmo com frases completas, um parágrafo ou dois).
- Não resolva os problemas dela; escute-a.
- Memorize estas palavras: "O que posso fazer para ajudá-la, querida?".

Necessidades fundamentais dos homens

Eis as quatro principais necessidades dos homens: serem necessários, serem queridos, serem respeitados e serem satisfeitos.

Acredite se quiser, mas a maioria dos homens não tem muitos amigos. Sabe de quem seu marido quer ser o melhor amigo? De você. Saber desse segredo gerará enormes recompensas para seu casamento. Isso acontece porque respeito, admiração e companhia são muito importantes para ele. Seu homem precisa que você precise dele e o queira. Ele tem de saber que você o considera o melhor cara do mundo. Ele quer estar próximo de você e sentir que você genuinamente se importa com ele e com os problemas que ele enfrenta. Ele deseja saber que a opinião e a presença dele no lar são importantes.

A próxima coisa que vou dizer é como pedir ao fogo que não queime. Senhoras, não façam perguntas a seu marido. Não o interroguem como a polícia interrogaria um suspeito de assassinato. Se você quiser matar a comunicação com um homem, faça-lhe perguntas. Ele vai entrar imediatamente na concha, e você não conseguirá abri-la. Também não use a temível expressão que começa com P: *Por quê?* Isso vai fechá-lo de vez.

> Se você quiser matar a comunicação com um homem, faça-lhe perguntas.

"Desculpe-me, dr. Leman", você está pensando. "O que exatamente devo dizer a meu marido se não posso fazer perguntas?"

Certas perguntas, como "A que horas você quer sair para o jantar?" e "Onde nos encontraremos?", são necessárias. Mas, em vez de lançar perguntas quando seu marido faz um comentário do tipo "Puxa, a pressão no trabalho está aumentando", faça observações.

Diga: "Conte mais a respeito" ou "Parece que você teve um dia difícil. É espantosa a quantidade de coisas que você teve de fazer ultimamente".

Acreditem em mim, senhoras, ele responderá. Vocês aprenderão muito mais sobre seu marido — seus objetivos, seu coração, seus sucessos, suas frustrações — falando menos e ouvindo mais.

Quando seu marido disser algo intrigante, um simples "Isso parece interessante. Fale mais sobre isso" é a isca perfeita. O engraçado é que "Fale mais sobre isso" é uma ordem. Mas, se você a disser num tom calmo, ele vai achar que você está exigindo algo? Ele vai levantar as defesas? Não, vai pensar que você se importa com ele.

Os homens são como portos, senhoras: têm uma entrada pequena e estreita que leva direto ao coração e à alma. Se você vier em alta velocidade com um barco potente, ele vai fechar o porto. Em vez disso, você precisa aproximar-se como se estivesse numa canoa. Os canoeiros têm a habilidade de tocar os remos nas águas tão suavemente que parece que elas mal se separam, causando pouquíssima agitação na superfície. Essa é a maneira de você entrar no coração de seu homem: com gentileza.

As necessidades dos homens são simples. Eles desejam ser necessários, queridos, respeitados e satisfeitos por *você*. É você que faz a diferença. Uma coisa muito importante que você precisa entender é: por natureza, os homens são criaturas solitárias. Sim, é claro que seu marido vai passar tempo jogando bilhar com um amigo. Ele pescará por duas horas na companhia de outro cara; mas dificilmente trocarão uma palavra.

Para lhe mostrar como isso funciona, vou contar como me meti em confusão com minha esposa certa noite. Sande e eu estávamos na casa de outro casal para jantar, e nós, homens, estávamos lá fora no quintal, preparando um filé. Todos nos divertíamos muito.

Assim que voltamos para casa, Sande começou a me bombardear com perguntas.

— Então, o que está acontecendo com o Joe?

Olhei para ela e disse:

— Nada.

Ela levantou aquela sobrancelha que só os primogênitos têm.

— O que você quer dizer com *nada*?

Dei de ombros e disse:

— Nada.

— Bem, você ficou com ele lá fora uma eternidade. Sobre o que conversaram?

O caminho para chegar ao coração do homem

- Mostre que você precisa dele e que o quer.
- Diga que ele é o único para você.
- Trate-o como seu melhor amigo.
- Respeite-o e admire a força que ele tem (todo homem gosta de flexionar os músculos).
- Permita que ele seja seu herói.
- Incentive o papel singular dele na família.
- Agradeça pelas pequenas coisas que ele faz e que às vezes passam despercebidas.
- Reserve tempo apenas para ele, para mostrar que ele é sempre o nº 1.
- Satisfaça-o emocional, física e sexualmente, e ele nunca será tentado a olhar para outro lugar.

Dei de ombros novamente e disse:
— Nada.

Senhoras, é totalmente possível para seu marido estar com um bom amigo e eles conversarem sobre nada. Nós somos assim. Não precisamos de uma bateria de palavras para passar bons momentos juntos. Nós simplesmente gostamos de estar presentes no momento.

Mas adivinhem de quem queremos ser os melhores amigos? De você. Nosso plano funcionou bem por um tempo, mas então, uma ou mais daquelas... — como você chama? — crianças... entrou em cena e você se distraiu.

Você já ouviu as estatísticas antes: muitos casamentos duram sete anos e, então, terminam. O que você está fazendo neste momento para garantir a força do seu casamento — para o seu benefício, para o de seu cônjuge e o de seus filhos?

Coloquem um ao outro em primeiro lugar

Irônico, não é? A humanidade chegou à lua em 1969, mas ainda não entendemos um ao outro como homens e mulheres.

Uma vez, enquanto falava para uma multidão de cerca de 4.600 mulheres, com idade média de 32 anos, fiz esta declaração: "Senhoras, vocês precisam colocar seu marido em primeiro lugar".

A onda de choque provocada por um enorme "Ah" foi tão grande que quase fui sugado para a plateia pelo vácuo.

Uma senhora levantou a mão.

— Dr. Leman, eu o respeito, mas se eu colocar meu marido em primeiro lugar, perderei a identidade de quem sou como mulher.

Eu lhe disse:

— Se você quiser ficar bastante tempo com seu marido, então precisa colocá-lo em primeiro lugar. E você não me deixou terminar. Se eu estivesse falando a homens, eu diria: "Homens, vocês precisam colocar sua esposa em primeiro lugar".

Sabe, o casamento é um acordo mútuo, no qual cada um pensa nas necessidades do outro em primeiro lugar, antes de suas próprias necessidades.

Por que as mulheres ficam arrepiadas diante da ideia de colocar o marido em primeiro lugar? Provavelmente porque nós, maridos, não temos feito um bom trabalho na satisfação das necessidades femininas, e alguns de nós temos até abusado do "poder" que detemos. Gosto muito das instruções que o sábio apóstolo Paulo deu quando falou sobre o casamento: "Sujeitem-se uns aos outros, por temor a Cristo" (Ef 5.21). Traduzo isso da seguinte maneira: "Sejamos respeitosos uns com os outros, importem-se uns com os outros". Ele não diz para você olhar primeiro para o seu umbigo.

Veja este grande exemplo. Em 8 de janeiro de 2011, eu havia acabado de aparecer como convidado num programa de TV na cidade de Nova York quando uma de minhas filhas telefonou. "Pai, você ouviu o noticiário? Gabrielle Giffords foi baleada!" (Ela era a representante do estado de Arizona no Congresso Nacional.)

Corri para o quarto e liguei no noticiário. Havia um mercado que ficava do outro lado da rua onde eu tinha meu consultório de psicólogo. O louco Jared Loughner sacou uma arma ali e baleou dezenove pessoas; seis delas morreram. No momento em que o atirador abriu fogo, Dory Stoddard, de 76 anos, trabalhador aposentado da construção civil, pegou sua esposa, Mavy, e a colocou atrás de si, para protegê-la. Ele levou uma bala no peito e morreu. Ela sobreviveu, com alguns ferimentos causados por estilhaços. No velório de Dory, seu pastor o honrou dizendo: "Dory Stoddard não morreu como um herói; ele viveu como um herói". Dory foi lembrado como "um herói gentil que sempre procurava ajudar os outros".[2] Ora, aquele foi um homem de caráter — e um homem que de fato colocou a esposa em primeiro lugar, mesmo diante da circunstância mais trágica.

> Senhoras, esse seu homem levaria um tiro por você. Ele quer ser seu herói.

Senhoras, esse seu homem pode arrotar com mais frequência do que você gostaria e talvez goste de ficar sentado, usando cueca samba-canção, na poltrona reclinável, assistindo a dois jogos ao mesmo tempo, com um pedaço de *pizza* numa mão e o controle remoto na outra, mas ele levaria um tiro por você. Ele quer ser seu herói. Isso pode soar antiquado para algumas de vocês, mas é verdade.

Tudo o que ele precisa de você é um pouco de apreço — um "É isso aí!" de vez em quando.

Em sua opinião, quais são as quatro ou cinco necessidades mais profundas de seu cônjuge? Consegue identificá-las? Reserve alguns minutos para fazer algumas anotações.

Se uma dessas necessidades for *comunicação* ou *conversação*, faça todos os esforços para mostrar interesse naquilo pelo que seu cônjuge se interessa — por exemplo, filhos, necessidades da casa, trabalho, saúde. Ao se comunicar, evite o questionamento excessivo. Tente falar por meio de comentários ou observações. Lembre-se de que a *maneira* como você diz pode ser mais importante do que *aquilo* que você diz. É por isso que seu tom de voz reflete sua atitude, o que você de fato sente por dentro.

Se uma dessas necessidades for *companheirismo*, sugiro que façam alguma coisa juntos — uma atividade, uma tarefa, um jantar fora, uma ida ao *shopping*, um passeio na livraria. Seja o que for que vocês fizerem, não deixe seu cônjuge pensar que você não quer estar ali. Ainda que a atividade ou tarefa realmente não desperte interesse em você, faça mesmo assim. Conheço um rapaz que levou a esposa, artista, a uma feira de artesanato e passou nove horas escutando sobre como fazer os mais modernos arranjos de flores e trabalhos artesanais. Depois, num fim de semana, ela o levou a uma feira automobilística, mesmo não sabendo a diferença entre um Camaro e um Mustang. Mas os dois aprenderam alegremente um com o outro e gostaram muito de enxergar as coisas sob uma perspectiva diversa. Isso também deu a eles um denominador comum em seus mundos completamente diferentes.

Se você se apresentar aberto, disponível e interessado nos *hobbies* de seu cônjuge, da próxima vez que você buscar companhia, seu cônjuge provavelmente vai se mostrar disposto. Com o passar do tempo, hesitação e recusa podem ser interpretadas como rejeição, e o companheirismo desfalece. Portanto, seja honesto e direto. Diga: "Meu bem, gostaria de ir [a determinado lugar ou evento]. Quero que você vá comigo. Preciso de sua ajuda, sua capacidade, suas ideias. Valorizo muito sua opinião". Depois, expresse gratidão, dizendo: "O fato de você estar comigo significou muito, especialmente porque sei que aquilo que fizemos não é sua praia. Mas aprecio mesmo isso. Gosto de passar tempo com você. Se houver qualquer coisa que queira fazer, ainda que seja algo que nunca tenhamos feito juntos, estou dentro. Basta pedir".

Se uma das necessidades de seu cônjuge é *afeição* ou *intimidade*, seja atencioso, cuidadoso e solícito ao longo de todo o dia. Pequenas palavras e ações significam muito. Evite palavras negativas e atitudes críticas. Permaneça positivo, lisonjeiro e sincero. Mas não seja falso. Qualquer um pode reconhecer uma pessoa

Dê um presente para seus filhos hoje

- Por meio de suas palavras e ações, mostre-lhes hoje quanto você ama e admira seu cônjuge.
- Crie oportunidades para seus filhos verem você e seu cônjuge falando amorosamente um com o outro, segurando as mãos e dando beijos de despedida e de boas-vindas.

Parece piegas? Talvez um pouco. Quando seus filhos virem vocês se abraçando e se beijando, eles podem dizer: "Argh!" por fora, mas no fundo estão dizendo: "Oba! Eles se amam e nunca vão se separar".

---

dissimulada a dez metros de distância. Romance e intimidade começam com atitudes positivas e palavras bondosas, que levam a sentimentos de proximidade e conforto entre o marido e a esposa.

Em resumo, o casamento tem tudo a ver com servir um ao outro e colocar o outro em primeiro lugar. Tenha em mente que os filhos pequenos e os adolescentes, e todos os outros entre eles, veem os pais como modelos e observam como amam um ao outro. Se vocês amarem um ao outro e colocarem um ao outro em primeiro lugar, vão gerar um senso de segurança em toda a família.

Mais uma vez, a pessoa que você é em seu íntimo determina em torno do que vão girar seu casamento e sua vida familiar em geral. Por mais que você queira fugir, não há como se separar de quem e do que você é. Você aprendeu coisas com sua família de origem e as escreveu em seu livro de regras. Algumas das coisas que aprendeu foram impressas negativamente sobre você. Elas não são boas para você e não são boas para seu casamento.

> Romance e intimidade começam com atitudes positivas e palavras bondosas.

Alguns de vocês nunca foram casados. Outros são divorciados. Ainda outros são casados e pensam em se divorciar.

Mas deixe-me compartilhar com você uma perspectiva bastante importante. Qual você acha que é o medo nº 1 dos filhos hoje em dia?

Não é o holocausto nuclear. É o divórcio. As crianças têm medo de que seus pais se divorciem. E quem controla isso? Nós controlamos. Todo relacionamento envolve duas pessoas. Você não pode controlar o que a outra pessoa vai fazer; você só pode se encarregar daquilo sob seu poder, ou seja, suas próprias ações. Se você é casado e tem filhos, essas crianças estão sempre olhando para você, tomando nota de como papai e mamãe tratam um ao outro.

Nós, adultos, devemos assumir a responsabilidade e ser quem precisamos ser, não apenas como pais, mas também como cônjuges. Portanto, faça tudo o que estiver ao alcance para trabalhar os problemas entre você e seu cônjuge. Conversem juntos com um amigo de confiança. Busquem ajuda profissional. Seus filhos contam com vocês.

Alexander Pope disse certa vez: "Bem-aventurado é aquele que não espera nada, pois nunca será desapontado". Que coisa terrível! Para ter uma família transformada em cinco dias, você precisa formar expectativas positivas para si e para os outros, e precisa firmar-se nelas.

Obviamente, o componente espiritual do casamento — compartilhar da mesma fé e de valores fundamentais comuns — é essencial para a saúde do casamento. Se vocês forem encorajadores e ouvintes, se lutarem para atender às necessidades um do outro diariamente, se orarem juntos, se forem honestos e fiéis, mantendo-se "no amor de Deus" (Jd 1.21), terão uma família transformada na sexta-feira.

Colocar um ao outro em primeiro lugar é a chave para a mudança que você quer ver em sua família.

Recentemente, enquanto fazia uma caminhada, parei num cruzamento. Não pude deixar de pensar: "O casamento é como um cruzamento". Existe uma luz vermelha, existe uma luz verde e existe uma luz de alerta. No casamento, você não pode fazer tudo o que quer. Agora vocês são dois, e é preciso ceder ao outro primeiro. Você precisa se especializar em se colocar atrás dos olhos do cônjuge e experimentar a vida da perspectiva dele.

> Um casamento precisa ter direção, propósito e compromisso para atacar os problemas da maldição dos sete anos.

Mas imagine o que aconteceria se todas as luzes se apagassem naquele cruzamento. Um casamento precisa ter direção, propósito e compromisso para atacar os problemas da maldição dos sete anos.

UM CASAMENTO VIVO NA MEIA-IDADE

Norman Corwin, um renomado escritor e diretor de novelas de rádio da rede americana CBS, disse, aos 82 anos: "Lembro-me agora de que o aniversário mais difícil que enfrentei foi o de 40 anos. Foi um símbolo muito importante porque significava adeus, adeus, adeus à juventude".[3]

O artigo "Preocupações e desafios: o que exatamente é a meia-idade?" fala sobre como as pessoas de meia-idade hoje se vestem, agem e se sentem mais jovens que as pessoas de meia-idade das gerações anteriores. Uma vez que os casais adiaram o casamento, a concepção, a adoção e a criação de filhos, o momento em que as pessoas de meia-idade estão começando a diminuir o ritmo é quando seu salário precisa ser elevado para cobrir as necessidades dos filhos. "A meia-idade não é mais o tempo de relaxar. Ela evoluiu para se tornar uma fase de continuar ajudando, de prevenir e impedir coisas que podem nos matar e de gerenciar quaisquer problemas que tenhamos".[4] Também é o momento em que muitos pais, crendo que seu papel imediato na criação de filhos acabou, se tornam pais de seus netos quando seus filhos abdicam desse papel.

A meia-idade também é fascinante porque é quando, em geral, homens e mulheres trocam de posição. Uma vez que os homens passaram anos estabelecendo sua carreira, eles costumam ter tempo e oportunidade de ficar mais com a esposa e os filhos. Por outro lado, à medida que os filhos ficam mais velhos e passam mais tempo fora de casa, as mulheres que colocaram carreira e sonhos em compasso de espera enquanto criavam os filhos voltam ao mercado de trabalho. A transição costuma ser acidentada, uma vez que ela exige que ambos os cônjuges aceitem as necessidades do parceiro e se adaptem a elas. Ainda mais importante é o fato de os objetivos completamente opostos do casal estarem em rota de colisão. Uma das estatísticas que mais cresce em relação ao casamento hoje é a de pessoas que se divorciam depois que os filhos deixam o ninho. Cerca de 30% dos divórcios acontecem depois da meia-idade.[5]

> A meia-idade é quando, em geral, homens e mulheres trocam de posição.

Como manter o casamento firme em meio a esse tempo de transição, além de fazer que ele traga mais satisfação que nunca? Você pode se concentrar nos "Rs" apresentados a seguir.

Reinventem a direção de vocês dois como casal
Quem disse que vocês precisam viver no mesmo lugar, fazer as mesmas coisas, viajar nas férias para os mesmos locais, continuar no mesmo emprego? O mundo está aberto para vocês.

Reinvistam um no outro
Depois de o foco ter ficado tanto tempo na criação dos filhos, é hora de recriar o relacionamento com foco no parceiro. Façam um curso juntos. Talvez vocês sempre tenham se interessado em observar pássaros mas nunca dispuseram de tempo para isso. Procurem um grupo, comprem um livro sobre o assunto e mantenham-no na mesa de centro da sala. Anotem quando virem certas espécies dessas aves.

Façam um do outro uma prioridade.

Revitalizem sua vida sexual
As rapidinhas podem ter sido o padrão enquanto as crianças eram pequenas, e sua intimidade pode ter se transformado em rotina ou simplesmente ter estagnado.

Mas agora vocês têm bastante tempo; portanto, divirtam-se! Não há um homem vivo que não adoraria a ideia de sua esposa inventar uma razão para pegá-lo no trabalho e levá-lo para uma noite romântica e *sexy*. Faça seu homem sentir-se seu herói e relaxe no papel de mulher que toma a iniciativa.

Você pode estar pensando: "Sinto muito, mas isso vai custar dinheiro e estamos apertados. Ainda temos mais um filho na faculdade para sustentar".

Se for esse o caso, façam uma reavaliação.

Vocês investem em tudo, incluindo as coisas da vida que não fazem sentido e todos aqueles aparelhos que um dia vão se desgastar. Por que não investir em seu casamento? Assim, ele vai durar muito mais que as pilhas do coelhinho do comercial.

Se quiser mais ideias, leia meu livro *Entre lençóis*.

Agora é a hora de reacender seu romance e envolver-se num caso de amor para a vida toda com seu cônjuge.

Reconectem-se um com o outro

Reservem tempo um para o outro. E não estou falando sobre sentar no mesmo sofá para assistir à televisão. Esposa, se quiser fazer seu marido cair da cadeira algum dia, diga: "Você me faz um favor? Pode me ensinar as regras do futebol?". A verdade é que os olhos de seu marido vão pular das órbitas, e você terá atenção total e extasiada da parte dele.

Resolvam conflitos de modo eficiente

Durante o período passado nas trincheiras da criação dos filhos, é fácil deixar os desapontamentos e os ressentimentos de lado. Agora, o desafio é permitir que eles voltem à tona, bem como trabalhá-los de maneira calma e criativa que venha a beneficiar vocês dois.

Reexaminem os relacionamentos que vocês têm com os outros

Nessa fase, os papéis costumam se reverter no que se refere a pais idosos. Discutam juntos sobre como vão atender às crescentes demandas e qual será o limite de quanto se pode fazer antes de buscar ajuda fora da família.

Reavaliem juntos a saúde, as finanças e os planos de aposentadoria

Façam mudanças enquanto podem. Onde vocês querem viver no futuro? Perto dos filhos ou dos netos? Que importância têm o clima e a saúde em suas considerações? Precisam viver no campo ou na cidade? É possível simplificar as coisas, a fim de viverem do modo mais independente possível?

A meia-idade é um momento empolgante, quando o barco da família pode receber vento novo para suas velas e seguir nova direção. Tirem vantagem disso!

TUDO FUNCIONA MELHOR QUANDO O CASAMENTO FUNCIONA

Sei que amamos nossos filhos. Eu levaria um tiro por eles. Mas também sei que cada um deles precisa ser um pouco como uma empresa que está em segundo lugar no mercado e que se esforça para alcançar o topo. Minha esposa sempre vem em primeiro lugar. Quando as palavras "Eu aceito" saíram de minha boca, o que elas disseram foi: "Escolherei colocar você em primeiro lugar pelo resto de meus dias na terra".

Se você é casado, o casamento precisa ser sua maior prioridade. Precisa ser o lugar onde você investe a maior parte de seu tempo.

Para aqueles que estão ansiosos por se casar algum dia, concentrem-se primeiro em se tornar uma pessoa completa. Mantenha os olhos abertos durante a caminhada, para conseguir identificar alguém com estes traços importantes: ótimo relacionamento com o Criador, relação maravilhosa com a principal mulher, ou o principal homem, de sua vida, e temperamento equilibrado — alguém que não se leve muito a sério. Quando encontrar essa pessoa, considere-se um vencedor!

Se você já é casado, não há nada mais importante para a solidez da família que um casamento sólido. Tudo funciona melhor quando o casamento funciona, porque os relacionamentos são muito mais importantes que as coisas.

Vou dizer novamente: a pessoa que você é em seu íntimo vai determinar o tipo de casamento e de família que você terá.

É realmente possível ter um casamento transformado na sexta-feira? Mesmo que vocês estejam enfrentando dificuldades há bastante tempo?

> **Cinco dicas para melhorar seu casamento**
>
> 1. Identifique as boas qualidades de seu cônjuge.
> 2. Edifique seu cônjuge por meio de palavras e atitudes.
> 3. Localize as duas principais necessidades de seu cônjuge. Registre maneiras de satisfazer essas necessidades.
> 4. Agradeça a seu cônjuge por uma maneira singular pela qual ele contribui para a família.
> 5. Antes que o dia termine, diga a seu cônjuge como ele é importante para você.

Sim, é possível. Eu garanto. De fato, só é preciso que você se decida a fazer algumas coisas de modo diferente. Siga os princípios deste capítulo e você terá um casamento transformado antes mesmo do pôr do sol.

MÃE, A PEÇA CENTRAL DA FAMÍLIA

Imagine um enorme auditório ocupado por três mil crianças de todas as idades. No fundo do auditório há duas enormes cabines telefônicas com todo tipo de telefone celular. Uma das cabines tem uma placa onde está escrito "Ligue para a mamãe". A outra tem uma placa com os dizeres "Ligue para o papai".

Digamos que, repentinamente, todas aquelas crianças fiquem gripadas, e um anúncio vem dos alto-falantes: "Sentimos muito por vocês estarem doentes. Vocês podem fazer uma ligação telefônica. Dirijam-se às cabines no fundo do auditório".

O que se segue é um caos, uma massa humana correndo para o fundo do auditório. O que você vê? Há 2.999 crianças tentando entrar na cabine "Ligue para a mamãe", e apenas um menino pequeno, que não sabe ler, teclando num telefone na cabine "Ligue para o papai".

Por que isso acontece? Quando tem um problema, você não liga para os caça-fantasmas. Você liga para a mamãe. Na maioria dos casos, ela é o coração da família. E você sabe que ela vai sentir sua dor e consertar o que puder. A mamãe é a peça central da família, e sua influência deixa uma marca que não se pode apagar.

Quando eu era criança, minha mãe preparava sopa de tomate para mim e colocava uma colher de manteiga cremosa por cima. O gosto era bom demais. Quando tentei preparar sozinho uma sopa dessas, o efeito nem chegou perto. Como minha mãe a fazia especialmente para mim, eu podia jurar que o gosto era melhor!

> Quando tem um problema, você não liga para os caça-fantasmas. Você liga para a mamãe.

Não é fácil ter uma família hoje em dia. A estrutura familiar mudou muito com os anos. Apenas 14% de todos os casais com filhos em casa têm famílias "tradicionais". Refiro-me a isso como o arranjo em que a mamãe fica em casa com as crianças e está em seu primeiro casamento, e os filhos têm todos menos de 18 anos. Devido às altas taxas de divórcio e ao crescente número de pais solteiros, centenas de crianças não têm os dois pais em casa. Isso aumenta o peso sobre qualquer mãe ou pai.

Contudo, a despeito dessas mudanças, há algo nas mães que as leva a enfrentar qualquer situação, seja lá o que esteja acontecendo ao redor. As mães são como o coelho do comercial de pilhas: continuam quando os outros param. São inteligentes, intuitivas e excelentes comunicadoras. Lá no fundo, querem uma vida familiar intacta, onde amor e respeito sejam a regra. Elas também anseiam exercer sobre os filhos o tipo de influência que deixa uma marca indelével. Sejam elas casadas ou solteiras, seu coração almeja o bem dos filhos.

As mães de hoje exercem múltiplas atividades: esposa, mãe e profissional, sem mencionar faxineira, cozinheira, motorista, consultora de moda... e a lista prossegue. Um dia e meio depois de a mãe dar à luz o filho, o convênio médico a coloca para fora do hospital com seu pequeno pacote. E esse pacote, embora precioso, pode ser extremamente exaustivo num casamento.

Quando eu era adolescente, ninguém me colocou numa cadeira e me disse: "Kevin, quando você se casar, irá ao supermercado, comprará uma caixa daqueles absorventes para sua adorável esposa e pedirá a Deus que o caixa não queira verificar se o preço está correto. Depois disso, meu amigo, espere até ter filhos e precisar limpar vômito e diarreia".

Estou aqui para lhe dizer que fiz todas essas coisas, muitas e muitas vezes. Com quatro filhas em casa, há muito deixei de ficar envergonhado nas idas frequentes ao mercado. Simplesmente vou para o caixa como quem não quer nada e coloco todos aqueles itens de higiene feminina sobre a esteira. Adoro sorrir para as senhorinhas à frente, que parecem um pouco nervosas diante de minhas compras, e para os meninos do caixa, que ficam vermelhos quando tocam naqueles itens. Tornou-se uma espécie de brincadeira.

Mas deixe-me dizer algo: quando os bebezinhos chegarem, eles vão drenar suas forças.

Quando nossas duas filhas mais velhas tinham 3 anos e meio e 2 anos, Sande subia na cama, à noite, se arrastando e dizendo: "Oh, cama, eu amo você!".

Ora, às vezes eu posso ser tapado como uma porta, como todos os machos, mas aquilo era uma boa indicação de que minha esposa precisava de alguma ajuda. Eu ficava feliz em poder ajudar, ciente de que ela estava de plantão em tempo integral.

Quando as crianças eram pequenas e ficavam doentes com alguma frequência, minha esposa se sentava na cadeira de balanço e, pacientemente, as embalava enquanto eu corrigia trabalhos de minhas turmas da universidade e preparava algum manuscrito. De fato, ela ficava tantas vezes naquela cadeira que, em minha memória, ainda consigo vê-la embalando aqueles bebês para a frente e para trás, para a frente e para trás, até que os olhos deles se fechavam e a cabeça pendia para o lado. E, sim, houve muitas noites em que o gordinho aqui fez a mesma coisa, pode crer. Essa é outra razão por que Sande e eu estamos casados e felizes há tantos anos. Compartilhamos desses momentos especiais juntos.

Se você é o tipo de cara que chega em casa e se esquece do mundo em sua poltrona reclinável, assistindo a reprises de séries na TV, e sua esposa o acorda às dez da noite, é melhor prestar atenção.

"Levante-se", diz ela, chacoalhando seu ombro. "Você tem de acordar para poder dormir."

Isso não faz muito sentido para você, mas, repito, muitas coisas que as mulheres dizem não fazem sentido para nós, homens.

Então você se levanta e segue para o banheiro.

De repente, um novo ânimo se acende, e você começa a olhar para sua esposa com aqueles olhos arregalados de um alce no cio.

"Ei, querida, vamos brincar um pouco? As crianças estão dormindo..."

O que ela vai responder? "Por acaso parece que estou com vontade de brincar?", ela dispara em sua direção, com a entonação de voz de um lutador de MMA.

Rapazes, essa é outra indicação de que vocês precisam ajudar mais a sua esposa. Durante os primeiros anos de criação de filhos, ela ficará exausta. As crianças são, naturalmente, muito exigentes. Aquele choro que dão assim que saem do ventre da mãe é uma indicação de sua natureza que diz: "Preste atenção em mim". Contudo, todos os especialistas em crianças concordam: os primeiros anos de vida são da maior importância na formação da personalidade e da visão de mundo de uma criança.

AS DEZ MAIORES CAUSAS DE ESTRESSE FEMININO

Certa vez, realizei um estudo sobre as causas de estresse na vida de uma mulher. Os resultados da pesquisa foram muito úteis para entender quem são as mulheres. Você sabe o que mais lhes causa estresse?

Não, não é o marido (ufa!).

São os filhos.

Qual é o nº 2? O marido? Ei, você já está torcendo por esse, não é?

Não, é o tempo — mais especificamente, a falta dele.

E o nº 3? Finalmente, o marido. (Pelo menos não estamos no topo.)

Diante disso, eis as perguntas que faço às mulheres: "Na lista das dez principais causas de estresse, onde ficam as tarefas do lar? E a sua carreira?". As mulheres têm presença massiva no mercado de trabalho. Elas não apenas colocam o pão em cima da mesa, como também recolhem as migalhas e limpam o chão! Sendo assim, por que as tarefas de casa, o dinheiro e a carreira ocupam a quarta, a quinta e a sexta posições na lista de causas de estresse?

É porque, lá no fundo, as mulheres são muito relacionais. Elas são mestres em relacionamentos. Valorizam mais as pessoas que as coisas, especialmente enquanto as crianças estão crescendo. As mulheres são criadoras de filhos por natureza. São multitarefa e conseguem equilibrar com maestria uma porção de coisas ao mesmo tempo. Imagine um malabarista que consegue manter cinco laranjas no ar simultaneamente. Assim é a mãe numa família. Então, ali está o papai, jogando para o alto apenas uma laranja por vez.

> As mulheres têm presença massiva no mercado de trabalho. Elas não apenas colocam o pão em cima da mesa, como também recolhem as migalhas e limpam o chão!

Na época em que minha esposa e minha filha mais velha cuidavam de uma loja de antiguidades, eu tentava ajudar cozinhando à noite quando minha esposa trabalhava durante o dia (ênfase na palavra *tentava*). Até hoje, minha pergunta para toda mulher é: "Como exatamente você consegue fazer o jantar inteiro ficar pronto ao mesmo tempo?". Com certeza não sou o tipo de cara multitarefa. Toda vez que cozinhava, eu gritava: "Muito bem, crianças, venham jantar! Vamos comer milho". Dez minutos depois, eu chamava: "Muito bem, pessoal, as batatas estão prontas", e eles se reuniam em torno da mesa de novo. Comíamos em estágios. Eu preferia chamar de *pratos* — soava melhor. Por alguma razão, aquele prato de iscas de peixe feitas no micro-ondas parecia um pouco solitário em cima da mesa. Ainda assim, ele conseguia encher a barriga de todo mundo.

Homens e mulheres agem de maneira diferente? Sem dúvida. Mas tudo isso é parte do plano de Deus: pegar duas pessoas completamente diferentes, vindas de ambientes diversos e com personalidades e habilidades distintas, colocá-las juntas e desafiá-las a construir um lar estável. Quando você pensa nisso, percebe que se trata de algo realmente maravilhoso. Sendo assim, por que não dar um tapinha nas costas um do outro por aquilo que vocês têm feito bem enquanto trabalham para fazer um ajuste fino naquilo que desejam mudar?

A MULHER DE PROVÉRBIOS 31: VOCÊ A AMA OU A ODEIA?

Quer você seja uma pessoa de fé, quer não, provavelmente já ouvir falar da mulher de Provérbios 31. Ela é aquilo que qualquer pessoa chamaria de ideal de mulher, esposa e mãe. Como é uma boa esposa e uma boa mãe? O texto de Provérbios 31.10-31 é a mais completa descrição que alguém pode fazer de suas dez qualidades.

1. Ela é virtuosa e capaz, valiosa além da medida.
2. É digna de confiança e enriquece a vida dos outros, a começar pela de seu marido.
3. É uma trabalhadora produtiva e provedora da casa e das necessidades familiares.
4. É cheia de energia e forte, negocia bem suas compras, trabalha por longas horas e se ocupa com suas tarefas.
5. É uma costureira de mão cheia. Se desejar, pode vestir-se como uma rainha. (Bem, nos dias de hoje, com roupas vendidas em todo lugar, talvez você possa comprá-las por um valor menor do que se as costurasse.)
6. É empreendedora: faz roupas para vender e contribui para o sustento do lar.
7. Possui força interior e dignidade.

8. Tem senso de humor e não teme o futuro. Sua camiseta traz a inscrição: "Destemida". A Mamãe Ursa não teme nada. Uma vez que já teve filhos, sabe como é uma sessão de tortura. Sua filosofia é: "Mexa com meus filhotes e você está frito!".
9. Fala com sabedoria e bondade como líder do lar.
10. Monitora tudo o que acontece na casa e num amplo raio ao redor.

Qual o resultado disso tudo? Seus filhos vão se levantar para elogiá-la. Não vão simplesmente cumprimentá-la e dizer: "E aí, mãe?". Um dia — provavelmente depois de completarem 18 anos, quando estiverem fora de casa e tiverem de lavar a própria roupa — eles a aplaudirão porque finalmente vão reconhecer quem

Caindo na real: problemas reais, soluções reais

Fui criada num lar onde a palavra de meu pai era lei absoluta, e minha mãe era passiva e submissa. Ela cozinhava e faxinava, cuidava de mim e basicamente fazia qualquer coisa que meu pai a mandava fazer. Meu pai era quem dava as ordens... e tornou-se agressivo. Depois de ele me socar quando eu tinha 10 anos, mamãe me pegou e fugimos para a casa de um amigo no meio da noite. Não vejo meu pai desde então.

Minha mãe pediu divórcio, passou por aconselhamento e me levou para um conselheiro. Tivemos uma boa vida juntas, só nós duas.

Três anos atrás, quando finalmente senti que estava pronta para namorar — estou agora com 28 anos, mas, compreensivelmente, tem sido difícil confiar em homens —, um bom amigo sugeriu que eu lesse alguns livros, incluindo *Mais velho, do meio ou caçula* e *Transforme a si mesmo até sexta*. Percebi quanto fora influenciada pelo olhar crítico de meu pai, que nunca me achava boa o suficiente, de modo que eu era submissa a todos. Acima de tudo, eu me preocupava em agradar, como fazia minha mãe. A leitura de seus livros me levou a avaliar a mim mesma e a me tornar muito mais forte, embora os velhos hábitos ainda surjam de vez em quando.

Seis meses atrás, casei-me com o amor da minha vida, um rapaz chamado Joseph. Ele é um homem bondoso e gentil, em nada parecido com meu pai. Por causa de minhas experiências passadas, Joseph e eu nos encontramos uma vez por mês com um casal mais velho e maravilhoso, e assim mantemos nosso relacionamento nos trilhos. Prometi à minha mãe que repetiria as coisas boas que ela fez comigo, mas que nunca me submeteria aos maus-tratos, como aconteceu com ela.

Obrigada por conscientizar as mulheres dos efeitos de longo prazo provocados pela crítica e pela mentalidade que almeja agradar a todos. Vou passar esses ensinamentos adiante.

Corina, Nova Jersey

lhes passou manteiga no pão durante todos aqueles anos. Finalmente verão que grande tesouro ela é.

Mas, nesta cultura maluca em que vivemos, essa descrição é realista? Parece algo inalcançável. Algumas de vocês estão dizendo: "Certo. Em vez de elogiá-la, quero matá-la. Já fico feliz quando consigo preparar macarrão instantâneo, colocá-lo numa tigela plástica sobre a mesa e gritar: 'O jantar está pronto!'".

Às vezes acho que nos concentramos demais na lista da mulher de Provérbios 31 e não olhamos para o coração dela. A lista do que ela faz diz algo realmente importante: o coração dela está enraizado *no lar*. O que acontece com seu marido e seus filhos é sua prioridade máxima. Perceba que a mulher de Provérbios 31 é também uma mãe "trabalhadora" — ela faz e vende roupas, e contribui para a renda da família. Mas, quando a situação é crítica, sua família vem em primeiro lugar.

E o marido dela? Ele a elogia. Ele não é bobo; faz questão de acertar nesse quesito. Proclama todas as qualidades dela, provavelmente na frente de todo mundo. Ele está pensando: "Continue assim, querida. Não trocaria você por nada".

Certa vez, li um classificado que dizia: "Fazendeiro procura esposa que tenha trator. Favor mandar foto do trator".

Se o marido da mulher de Provérbios 31 tiver cérebro, ele sabe o que tem nas mãos. A atitude dele deve ser: "Se ela decidir ir embora, irei com ela!".

Ao optar por se concentrar em casa e na família como sua principal prioridade, é possível que você nem sempre receba cumprimentos. Mas, se continuar a jornada, colherá recompensas à medida que seus filhos crescerem. Eles e seu cônjuge terão respeito profundo por você.

O QUE SEUS FILHOS PRECISAM DE VOCÊ

Já falamos neste livro sobre tratar os filhos de maneira diferente de acordo com a personalidade e o estágio de vida em que cada um se encontra. Também já conversamos sobre esperar o melhor, porque seus filhos querem muito agradar você. Mas aqui estão outros tópicos que filhos de todas as idades me dizem ser importantes.

Esteja presente

Os filhos têm períodos de tempo em que se fecham e ficam introspectivos, e outros em que querem falar. Esses períodos não podem ser medidos ou agendados, como se faz com uma consulta médica ou a ida ao cabeleireiro. Isso significa que é preciso estar disponível aos filhos física e emocionalmente. Significa ouvi-los mesmo depois de um dia cansativo, sacrificar o sono para ouvi-los processar os pensamentos. Mas, a cada vez que se envolve com seu filho, você penetra mais fundo no coração dele.

Estabeleça limites muito bem definidos

É preciso saber as regras antes de participar de um jogo. As crianças também precisam saber que, em casa, existem regras para mantê-las seguras. Elas precisam de limites, que fornecem senso de pertencimento, fazendo que se sintam bem consigo mesmas e confortáveis no ambiente familiar. Se as regras forem alteradas o tempo todo, as crianças vão se rebelar. Isso significa que você, mãe, deve estabelecer regras simples, como: "Sempre trataremos uns aos outros com respeito, independentemente de concordarmos ou não" e "Nunca vamos bater uns nos outros, por nenhuma razão".

Se você realmente ama seus filhos, vai tanto amá-los incondicionalmente como discipliná-los. Não é possível separar os dois conceitos e ter um lar saudável e funcional.

Por mais que você possa pensar o contrário, as crianças adoram limites, regras e coisas previsíveis.

Pense nisto: quando colocar sua filha para dormir à noite, esqueça um detalhe qualquer. Ela vai virar uma fera: "Mamãe, você se esqueceu de [beijar minha gata de estimação, trazer um copo de água, verificar se não há monstros debaixo da cama...]". Fazer a mesma coisa repetidamente cria rituais que geram conforto e estabilidade à criança.

> As crianças adoram limites, regras e coisas previsíveis.

O mesmo acontece com limites e regras no lar. Enquanto estiverem presentes e não se alterarem, as crianças se sentirão seguras. Sem regras estabelecidas, nada funciona.

Para mim, a chave de toda a criação de filhos vem de Efésios 6.1-4. O apóstolo Paulo enxerga os dois lados da moeda, porque fala primeiro com os filhos e depois com os pais. Primeiro, ele diz: "Filhos, obedeçam a seus pais no Senhor, porque isso é o certo a fazer". Deus colocou os pais como autoridade sobre os filhos. Hoje em dia, a maioria das pessoas não gosta da palavra *autoridade*. Ela soa como algo severo e fora de moda, até assustador. Mas é uma ótima palavra. Paulo prossegue e diz: "'Honre seu pai e sua mãe.' Esse é o primeiro mandamento com promessa. Se honrar pai e mãe, 'tudo lhe irá bem e terá vida longa na terra'". Então, ele acrescenta: "Pais, não tratem seus filhos de modo a irritá-los; antes, eduquem-nos com a disciplina e a instrução que vêm do Senhor".

Isso significa que, seja qual for o limite que você estabelece para seus filhos, você também precisa respeitá-lo em sua vida.

Incentive constantemente

Não conheço uma pessoa neste planeta que não goste de um elogio sincero. Quando as pessoas me dizem que um dos meus livros fez diferença na vida delas, sinto-me como uma foca num circo: depois de me jogarem um peixe, fico feliz em poder fazer mais coisas.

Nossos filhos vivem num mundo difícil, que os golpeia continuamente. Algumas palavras de incentivo podem fazer toda a diferença. Uma fofoca do bem também não machuca: "A sra. Andrews, nossa vizinha, disse que ficou impressionada com o jeito como você ajudou sua irmã menor a entrar e sair do balanço ontem. Ela viu pela janela vocês duas brincarem por bastante tempo". Ou: "Encontrei sua professora de piano no mercado. Ela me disse que fica feliz por ter você como aluno, porque você se esforça bastante a cada semana para preparar suas lições".

Ore diariamente

Quando garoto, não queria nada com o cristianismo. Achava que os cristãos eram todos esquisitos e malucos. Mas lembro-me de descer as escadas todas as manhãs e ver minha mãe em sua cadeira favorita, com a Bíblia aberta. Era comum seus olhos estarem fechados, e eu sabia que ela estava orando ao Criador. Provavelmente ela estava orando por mim. Certamente lhe dei razões suficientes para orar, com todas as minhas travessuras. Talvez as orações de minha mãe sejam a razão de eu ter vivido até esta idade e ter me tornado alguém que contribui para a sociedade.

Eu precisava das orações de minha mãe. Honestamente, não sei o que teria sido de mim se ela não tivesse acreditado que eu poderia ser alguém, se não tivesse me apoiado e me incentivado, além de ter orado por mim diariamente.

Se você é uma pessoa de fé, ore diariamente em favor de cada um de seus filhos. Se você não é uma pessoa de fé, garanto que terá pelo menos um filho que vai seguir por uma trilha diferente e que, com isso, vai despertar em você pensamentos sobre o Todo-poderoso.

Mas não se subestime — nem a Deus —, ainda que não veja seus filhos seguirem exatamente o caminho que você gostaria que eles trilhassem.

Vi recentemente um quadro na cozinha de uma senhora de 91 anos, que dizia: "A oração muda tudo".

Esteja certo disso. Sou uma prova viva.

ESPECIALMENTE PARA MÃES SOLTEIRAS

Muitos de vocês que estão lendo este livro são mães e pais solteiros. Nesta seção, vou falar sobre o pai ausente.

De vez em quando, tenho vontade de comer um hambúrguer do restaurante In-N-Out [entra-e-sai]. Eles fazem um dos melhores hambúrgueres que já comi em todos os Estados Unidos. Seus lanches são dos meus favoritos e provavelmente uma das razões dessa minha aparência — um pouco cheinho no meio, diria. Os hambúrgueres da In-N-Out são fabulosos.

Mas o que dizer dos pais In-N-Out, aqueles que entram e saem da vida dos filhos? Eles não são bons. Na verdade, depois de tantos anos aconselhando famílias, cheguei a uma conclusão. É melhor para a criança viver sem pai do que com um pai que entra na vida do filho uma vez a cada um ou dois anos.

Quando os pais estão ausentes, as mães solteiras podem fazer coisas que, de outro modo, não fariam. De fato, as circunstâncias que as levaram a se tornar mães solteiras podem levá-las a fazer as piores coisas a si mesmas e a seus filhos.

Veja a seguir algumas coisas sobre as quais vocês, mães solteiras, devem pensar. Vocês encontrarão mais conselhos e ideias práticas, úteis e criteriosas em meu livro *Single Parenting that Works* [Pais solteiros que dão conta do recado].

Não se deixe guiar pela culpa

A culpa é propulsora da maioria das decisões ruins que você vai tomar na condição de mãe. Embora você se sinta mal por seus filhos não contarem com um pai, não lhes dê coisas que não daria em outras condições. Não permita que eles façam coisas que você normalmente não permitiria.

Seja consistente

Estabeleça regras e mantenha-se firme. É certo que seu filho pode ir para a casa de seu ex-marido e, lá, as regras serem diferentes, mas você não tem controle sobre isso. As crianças se sentem seguras quando conhecem os limites e têm confiança de que todos que moram naquela casa vão respeitá-las. Crianças de famílias divorciadas costumam sofrer com a inconsistência, de modo que você deve dar o melhor de si para ser consistente quando elas estiverem em sua casa. Sim, seja amorosa, mas saiba onde estabelecer limite, e não volte atrás. Seja a Mamãe Ursa protetora dos filhotes; eu sei que você pode ser assim. Seja vigilante e atenciosa.

Não tente ser mãe e pai

Você não precisa correr até uma loja de material esportivo para comprar uma bola e tentar se transformar na Mamãe Atleta para seu filho. Em vez disso, seja a mãe que Deus quer que você seja. Quando seus filhos passarem por dificuldades, não presuma que isso está acontecendo porque eles não têm um pai. Com relação a comportamentos aceitáveis, aplique os mesmos bons princípios que você aplicaria se houvesse um pai em casa.

Sim, existe aquela coisa chamada "pais substitutos". Um avô, um tio ou outro homem de confiança pode entrar na vida de seu filho e ser uma boa influência.

Mas eles não devem assumir o papel de mãe. Você está no controle, e é capaz de fazer isso. Na verdade, você pode fazê-lo com maestria!

Em certas situações, você pode ter de morar temporariamente com membros da família. Se isso acontecer, não se esqueça de manter seu título de maternidade. Sim, você talvez precise de ajuda naquele momento para fazer as coisas andarem, mas você ainda é a mãe, a capitã do navio da família.

Espere o melhor e garanta que todos contribuam para a família

Estabeleça expectativas elevadas, mas realistas, para seus filhos e garanta que todos contribuam para a família. Deixe-me fazer uma pergunta: você cria seus filhos num lar ou num hotel? A maioria de nós os cria num hotel. Damos a eles serviço de quarto, roupa lavada, petiscos e serviço completo, com computador, TV de tela plana, *smartphone* e todas as outras comodidades — esperando pouca coisa em contrapartida. Não, na família, todo mundo participa. Nenhuma pessoa é mais importante que a unidade familiar. Isso significa que todos os filhos têm responsabilidades e espera-se que as realizem sem reclamação.

> Você cria seus filhos num lar ou num hotel?

Jamais fale mal de seu ex-marido

Ele pode ser uma pessoa desprezível com D maiúsculo. Mas não fale mal dele. Se o fizer, seu filho vai elevá-lo à condição de "Pai do ano". Confie em mim. As crianças são contraditórias mesmo. Também confie em mim quando digo que, uma vez crescidos e tendo formado o relacionamento com o pai, seus filhos descobrirão como ele realmente é. Você não precisa lhes dizer. Conserve sua integridade intacta, mantendo a boca fechada, caso não consiga encontrar alguma coisa boa a dizer sobre ele.

Dê poder a seus filhos

A palavra *empoderamento* tem muito peso hoje em dia. Dá a ideia de conceder poder ou autoridade a pessoas para que elas tomem decisões. Muitos pais solteiros, porém, acham que não podem empoderar seus filhos porque a vida lhes deu cartas ruins.

Pergunte a qualquer professora de pré-escola ou do primeiro ano sobre a função do monitor de classe. Nesses estágios, há crianças que fariam tudo para exercer a função. O monitor de classe é aquele que escolhe qual pessoa ou fileira sai primeiro para o recreio. Até mesmo crianças pequenas clamam por esse sentimento de poder.

Mãe solteira, o mesmo acontece com seus filhos. Existem maneiras excelentes e fáceis de lhes dar poder, e que também vão ajudar você. Digamos que você tenha uma entrevista de emprego e precise estar linda. E sua filha de 13 anos parece respirar moda.

Quer saber como poderia ser uma conversa entre as duas?

Diga a ela: "Você sabe como não sou ligada na última moda. Preciso muito de uma roupa legal para minha entrevista. Já olhei meu guarda-roupa e não consigo fazer nenhuma combinação que funcione. Não gostaria de dar uma olhada? Ou, então, será que você não iria comigo ao brechó? Só tenho alguns trocados para gastar nisso, e valorizo muito sua opinião".

Ora, isso é conceder poder e dar um incentivo incrível ao coração de uma jovem.

O mesmo vale para os meninos. Pedir a ajuda de seu filho e tratar a opinião dele como importante são coisas que dizem muito sobre como você não apenas o valoriza, mas também leva em conta o papel que ele desempenha na família. Mãe, não há nada que seu filho queira mais do que agradar você. Portanto, deixe que ele a agrade. Deixe que ele ajude você e que retribua à família. Desenvolver essas habilidades é um grande passo para que um dia ele possa estabelecer o próprio lar, tomando por base relacionamentos saudáveis.

Em meu livro *A diferença que a mãe faz*, falo sobre a influência da mãe na vida do filho. No decorrer dos anos, já discorri bastante sobre a importância do relacionamento entre gêneros opostos, como a relação do pai com a filha e a da mãe com o filho. As pessoas tendem a pensar que os relacionamentos pai-filho e mãe-filha são os mais importantes na definição de quem a criança vai se tornar. Mas não é assim. De fato, nesse livro, há um capítulo maravilhoso sobre como planejar o casamento de seu filho de colo.

"O que é isso?", você diz.

Serei direto. Se você tem um filho em casa, você representa tudo o que é feminilidade para ele. É por isso que você não aceita conversa fiada da parte dele — nunca. Você está prestando um ótimo serviço à sua futura nora quando o responsabiliza pelos atos que comete. É preciso ficar claro para seu filho que ele não pode passar por cima de você. Você é a *mãe* dele, não um capacho. Isso é particularmente importante caso você tenha saído de uma situação abusiva com seu ex-marido e seu filho tenha presenciado a situação. Lembra-se do ditado "Tal pai, tal filho"? Agora é a hora de estabelecer os parâmetros para seu lar. Você nunca tolerará abuso da parte de seus filhos.

> Se você tem um filho em casa, você representa tudo o que é feminilidade para ele. É por isso que você não aceita conversa fiada da parte dele — nunca.

Se você deixar que a culpa a guie e se não for uma autoridade saudável sobre seu filho, você criará outro ciclo no qual ele se casará com uma moça que não será boa para ele, ou alguém que se tornará um saco de pancadas psicológico para seu filho controlador.

Nunca se deprecie. As palavras e ações que você escolhe com seu filho farão toda a diferença do mundo, não apenas na transformação da família até sexta-feira, mas também no fornecimento de uma base para que seu filho tenha um lar mais feliz quando for adulto.

Ensine bons modos a seus filhos

É importante ensinar boas maneiras às meninas, mas é ainda mais importante ensiná-las aos meninos. Imagine um menino de 10 anos que você conhece (no caso de você não ter um filho). Os meninos fazem coisas estúpidas. Fazem concursos para saber quem faz xixi mais longe. Se um menino dessa idade gosta de uma menina, ele vai até ela e a empurra, bate no ombro e puxa o cabelo dela e, em geral, se faz de bobo. Ele também leva alguns outros caras com ele, para criar coragem. Naturalmente, ele está se relacionando com a garota da mesma forma que está acostumado a se relacionar com meninos, ou seja, por meio do toque físico, do machismo e da competição. Em resumo, ele tenta se exibir na frente dela.

O único problema é que ele está lidando com o gênero errado.

Qual a reação da menina? Ela coloca a mão na cintura e olha furiosamente para ele: "Por que você não cresce?". Depois, sai batendo os pés e bufando de raiva, cercada por um bando de amigas que tentam acalmar suas penas eriçadas.

E o que o menino diz pelas costas dela, com voz estridente que ainda não amadureceu? "Estou tentando."

Quem melhor para ensinar um filho sobre os relacionamentos com meninas do que você, mãe?

Ninguém. Você sabe como uma mulher quer ser tratada.

Portanto, ajude seu filho a começar do jeito certo com as garotas. Ele não precisa — e não deve — usar uma saia, mas precisa mesmo de uma dose de feminilidade para entender a mente feminina.

Fale com seu filho sobre sexo, namoro e casamento

O que você faz, mãe solteira, quando chega a hora de conversar com seus filhos sobre a temida palavra que começa com "S"? Já é suficientemente difícil ter "a conversa" com sua filha; quando se trata de seu filho, então...

"Oh, não", você está dizendo. "Não quero mesmo falar com meu filho sobre sexo."

Mas quem é mais bem preparada para fazer isso? Em geral, essa tarefa é deixada para o pai. Repito, porém, que você tem melhores condições para falar com seu filho sobre como as mulheres querem ser tratadas. (E, sim, você também precisará falar com sua filha. A melhor solução é que converse com sua filha e, depois, peça a um amigo, um homem de confiança — alguém que sua filha respeite e admire — que converse com ela sobre namoro e sexo do ponto de vista de um rapaz.)

Como você aborda o assunto? Grande parte da literatura disponível insiste que comunicar olho no olho é a melhor abordagem. Discordo amplamente. Sendo assim, como eu faria?

Simples. Não daria nenhum aviso prévio. Simplesmente colocaria o menino no carro a caminho de algum lugar e começaria a dirigir pela estrada, onde não haja de fato nenhuma saída. Há algo maravilhoso nisso de olhar para fora na direção do horizonte e dizer: "E há uma outra coisa...".

Enquanto isso, seu filho está olhando pela janela e pensando: "Não acredito que estamos tendo essa conversa. E estou preso aqui. Preso mesmo".

Não se esquive da conversa porque ela é desconfortável. Seu filho vai descobrir mais cedo ou mais tarde, e não seria melhor que os fatos lhe fossem apresentados por você, e não pelos colegas ou por uma revista pornográfica?

Você quer ensinar a seus filhos a realidade do que é o amor conjugal saudável? Então existe uma oportunidade única de fazê-lo, e sou da opinião que fazer isso quando a criança tiver entre 9 e 10 anos não é cedo demais. Pesquisadores dizem que crianças entre 9 e 10 anos pensam bastante em sexo e amor, que entre 11 e 12 anos elas falam bastante sobre isso, e que entre 13 e 14... bem, vou poupar você dessa. Mas é realmente importante que *você* seja a pessoa a dar a informação.

> Não seria melhor que os fatos lhe fossem apresentados por você, e não pelos colegas ou por uma revista pornográfica?

Agora é a hora de capturar o coração de seu filho e ensinar a ele o respeito pelas mulheres.

Muitos anos atrás, eu estava no escritório de Bobby Bowden. Ele já foi técnico do time de futebol americano da Universidade Estadual da Flórida. Em seu escritório, há um retrato autografado de seu filho. Ali está escrito: "Ao papai: vejo você na final do campeonato". Sabe como o filho de Bobby assinou? "Com amor, o menino da mamãe".

Não importa a idade de seu filho; ele sempre será seu menino.

A MARCA INDELÉVEL DA MAMÃE URSA

Certa vez, vi uma mãe num parque, ensinando um pequeno garoto a andar. Ver aquilo disparou em mim todo tipo de lembranças de minha mãe, de como era estar com ela quando eu era pequeno. Minha mãe trabalhava fora, numa época em que mães de verdade não faziam isso. Uma de minhas lembranças mais vívidas é a de vê-la entrar em casa, depois de descer no ponto de ônibus por volta das seis e meia da manhã e andar por um caminho coberto por meio metro de neve. Nós, os Leman, éramos bem pobres, e minha mãe trabalhava à noite num hospital, como enfermeira, para ajudar a pôr comida na mesa. Como muitas de vocês, mães de hoje, ela vivia ocupada em tempo integral.

Contudo, ela sempre tinha tempo de cortar meu sanduíche de queijo de uma maneira que, é sério, ficava muito mais gostoso. Ela me levava a corridas de *motocross*, incentivava meus poucos talentos musicais e me levava a eventos esportivos. Se eu me interessasse por alguma coisa, ela também se interessava.

Meus momentos favoritos, porém, aconteciam quando ela me levava para pescar. Quando eu tinha 5 anos, ela se sentou e ficou me vendo pescar. Somente muito tempo depois é que percebi: "Ela provavelmente queria se certificar de que eu não cairia na água". Toda vez que eu pegava um peixe, ela partilhava do meu entusiasmo. Não tinha dúvidas de que minha mãe me amava.

Além disso, eu também tinha grande respeito por minha mãe. Não era uma mulher que você podia enrolar. Insistia que eu fosse à igreja com ela — com grande dificuldade, devo dizer. Você já sabe que eu não queria estar ali e que escapava na primeira oportunidade.

Então, ela levou a igreja a um passo adiante: matriculou-me numa classe de confirmação. Ah, como eu odiava a classe de confirmação. Uma das perguntas da prova final era: "O que a confirmação significa para você?".

Minha resposta: "Significa que tenho de entrar num ônibus estúpido todas as manhãs de sábado e vir até aqui".

Outra pergunta do exame final: "Por que Paulo foi para Corinto?".

Minha resposta: "Ele ouviu dizer que havia muito peixe por lá".

Como me lembro de tudo isso, todos esses anos depois? Porque visitei a casa do pastor pouco tempo atrás e ele me mostrou os papéis com as respostas. Disse que nunca vira uma prova final com respostas como aquelas, de modo que decidiu guardá-la.

Sim, eu era uma figura. Sei que houve alguns dias em que minha mãe pensou: "Puxa, isso está difícil. Será que vale a pena?".

May Leman viveu até os 95 anos. Depois de vários anos acreditando em mim, com todas as evidências na direção contrária, ela viu algumas das conquistas de seu caçula. Ela sempre me dizia, e também a outras pessoas, como sentia orgulho de mim. Ela me encorajou, embora, durante um longo tempo, parecesse que eu seguia depressa em direção a lugar nenhum. Bem mais tarde, depois que acertei o rumo, minha mãe me contou que, quando eu estava no ensino médio, ela costumava orar para que pelo menos uma nota C aparecesse no meu boletim.

Não há nada como o amor da Mamãe Ursa.

Ela esteve presente comigo, incondicionalmente, quando fui expulso do meu grupo de escoteiros, quando me formei quatro posições à frente do último da classe, no ensino médio, e quando fui expulso da faculdade.

Mas é interessante ver como a vida funciona às vezes, não? Anos depois, retornei à escola onde fiz o ensino médio e eles me incluíram no que chamam de "Galeria da Fama".

Enquanto minha mãe e eu seguíamos de carro para a cerimônia na escola, nossa conversa foi mais ou menos assim:

EU: "É, mãe, acho que enganamos bem aquele pessoal, não foi?"

MAMÃE: "Querido, estou muito orgulhosa de você."

EU: "A senhora se lembra da noite em que a polícia me levou para casa?"

MAMÃE: "Ah, sim. Mas você era um menino muito bom."

EU: "Lembra-se de quando fui pego arremessando bolas de golfe na rodovia estadual de Nova York?"

MAMÃE: "Oh, sim, eu me lembro. Mas você era um menino muito bom."

O apóstolo Paulo disse que nada pode nos separar do amor de Cristo (Rm 8.39). Eu adicionaria: "Nem do amor de uma Mamãe Ursa".

Enquanto eu crescia, minha mãe colocou uma placa na parede do meu quarto. Odiava aquela placa. Ficava envergonhado por causa dela. Mas ninguém mexia com a Mamãe Ursa Leman. Assim, a placa permaneceu na minha parede.

A placa dizia: "Apenas uma vida, que em breve passará. Apenas o que for feito para Cristo durará".

Passaram-se muitos anos até que eu entendesse o poder daquelas palavras.

Muitas de vocês talvez estejam olhando para o teto esta noite e pensando: "Puxa, quando aquela peste vai tomar jeito?". Não posso dizer. Eu não sei. Mas, se você fizer as coisas sobre as quais conversamos neste livro, se encorajar seu menino e orar por ele todos os dias, você terá uma boa noção do que May Leman viu em Kevin, seu caçula.

Grandes perguntas para as mães

1. Durante sua fase de crescimento, que papel sua mãe desempenhou? Que pontos fortes você admirava nela?
2. Quais lições de sua mãe você colocou em prática em seu lar?
3. Se você pudesse mudar algo de sua infância com sua mãe, o que seria?
4. Que características da mulher de Provérbios 31 descrevem você? Em que áreas você gostaria de crescer?
5. A fim de transformar sua família até sexta-feira, quais são as duas coisas que você precisa mudar em relação à maneira como se relaciona com seus filhos?

Sempre existe uma esperança. Como Winston Churchill disse durante uma época negra da Segunda Guerra Mundial: "Nunca desista". Seus filhos precisam ver e ouvir evidências reais de seu amor e comprometimento.

Seus filhos precisam de você, mãe. Sua influência deixa uma marca indelével que o tempo simplesmente não consegue apagar. Você é a peça central dessa família transformada.

A DIFERENÇA QUE O PAI FAZ

Lembro-me do instante em que soube que seria pai.

Estava sentado com Sande, minha adorável esposa, num restaurante onde se podia comer um bom filé por alguns trocados. Ela me deu uma pequena caixa. Sande é criativa, uma verdadeira artista, e vive colocando bilhetes em minha pasta, por isso sorri e pensei: "Olha só! O que temos aqui?". Caçula, adoro surpresas de qualquer tipo.

Abri a caixa e dentro dela havia dois pequenos sapatos de bebê feitos em cetim. Olhei para eles, suspirei e então disse, com a voz embargada: "Vamos ter um bebê?". Uau! Mal podia esperar para ser pai. Se há um cara que adora ser pai, esse cara sou eu! E, mesmo depois de todos esses anos, posso dizer honestamente que adoro cada minuto dessa aventura.

> Nunca me esquecerei do dia em que trouxemos Holly, nossa primogênita, para casa.

Nunca me esquecerei do dia em que trouxemos Holly, nossa primogênita, para casa. Lembro-me de ter olhado para ela pelo vidro do berçário do hospital, tentando tirar fotos pela janela. Lá estava ela, com todos os seus 49 centímetros.

Assim que chegamos em casa, Sande estava na cozinha, se abanando.

— Estou morrendo aqui — disse ela. — Está muito quente!

Ela estava certa. Estava quente. Eu também estava quente. Havia virado o termostato totalmente para a direita.

Sande foi até o termostato e deu uma olhada.

— Leemie — disse ela naquela voz firme e direta, típica de primogênitos —, o que você fez?

— Minha filhinha não vai passar frio — anunciei.

Minha esposa levantou uma sobrancelha e, então, calmamente virou o termostato para a esquerda.

— Ora, também não queremos cozinhá-la, não é?

Quando me tornei pai, toda sorte de novos sentimentos e o peso das novas responsabilidades se acumularam dentro de mim. Tornei-me instantaneamente um Papai Urso protetor. Naquele momento, tinha não apenas uma menina da qual cuidar, mas duas.

Na próxima seção, falarei com os pais, mas, mães, não desanimem. É muito importante que vocês também saibam o que vou dizer a eles. E não estou falando apenas com pais casados. Você pode ser um pai solteiro, um avô ou até mesmo nem ser pai ainda. A coisa mais importante que você pode fazer como pai é estar presente junto à esposa e aos filhos — de maneira consistente, amorosa e firme, com autoridade e envolvimento.

OS BENEFÍCIOS DE UM PAI ATIVAMENTE ENVOLVIDO

Você sabia que algumas meninas e mulheres estão tão desesperadas por ter uma figura paterna adequada que chegam a desenvolver uma "fome por pai"? Sem uma boa figura paterna, elas inventam uma que nunca existiu e, então, grudam essa invenção em seu pai verdadeiro, entrando num intrincado jogo de faz de conta. Todos queremos relacionamentos bons e sólidos na vida, e pais envolvidos na vida de seus filhos os preparam para desenvolver esses relacionamentos.

Quando há um pai comprometido em casa, os filhos colhem todo tipo de benefícios para a vida.

Os filhos desenvolvem relacionamentos mais saudáveis quando adultos

Nossa sociedade está tão focada nas mães e na interação da mãe com os filhos que esta verdade surpreende muitas pessoas: a habilidade de formar relacionamentos de longo prazo na vida vem da presença do pai em casa.

Isso é particularmente verdadeiro no relacionamento pai-filha. Senhoritas, vocês poderiam por favor concluir esta frase para mim? "Quero me casar com um homem igual ao...".

Se você disse "papai", então acertou em cheio. Aquilo que uma filha vê em seu pai se traduz no tipo de homem que ela procura como parceiro conjugal.

Os filhos têm autoestima mais positiva

Filhos que têm pais envolvidos os veem como os maiorais (ainda que o pai tenha um metro e sessenta e pese uns setenta quilos) e os consideram capazes de protegê-los. Essa segurança e esse amor incondicional dão à criança a força para se levantar sozinha e tomar boas decisões, mesmo quando confrontada pela pressão dos colegas.

Para os que têm fé, o papai também representa Deus. Se você tem filhos e eles estão curiosos para saber como Deus é, eles precisam ser capazes de olhar para você e ter uma boa ideia disso. Ou seja, você representa Deus em seu lar pelo seu modo de agir e de falar.

O que eu amo em meu pai

- "Ele desce comigo pelo escorregador" — Vanessa, 5
- "Ele me faz rir" — Thomas, 4
- "Ele é paciente quando me ajuda com matemática, que é difícil para mim" — Janet, 12
- "Ele me defendeu quando fui intimidado na escola" — Micah, 9
- "Ele conversa com meus amigos quando saímos. Às vezes me dá vergonha, mas também é legal. Sei que meu pai está me protegendo" — Lauren, 17
- "Ele beija minha mãe todos os dias quando chega do trabalho. Parece meio nojento, mas eu gosto" — Sarah, 8
- "Ele assiste a todos os meus jogos" — Matthew, 11
- "Ele ajuda minha mãe a lavar a louça" — Jana, 7

Os filhos têm menos problemas de comportamento

Pais que estão ativamente envolvidos de maneira positiva com seus filhos conquistam o amor, o respeito e a confiança deles.

O pai crítico, mandão e sabichão, que governa com mão de ferro, exige amor, respeito e confiança simplesmente "porque sou seu pai". É bem provável que ele esteja criando os filhos da maneira que foi criado. Mas, se você quiser plantar sementes de rebeldia em seus filhos, seja aquele que sabe tudo, fala alto, tem opiniões radicais, está sempre certo, é rígido e inflexível. Com a rigidez extrema vem a resistência extrema. Plante sementes de rigidez em seus filhos, e você colherá uma safra de resistência que se transformará em todo tipo de comportamento excessivo que você não quer.

Em Efésios 6.4, existe uma palavra profunda para os pais: "Não tratem seus filhos de modo a irritá-los; antes, eduquem-nos com a disciplina e a instrução que vêm do Senhor". Quando seus filhos olham para você, o que eles veem?

Pai, esta é uma promessa: você pode ter uma família transformada até sexta-feira se escolher bem as palavras que usa com aqueles a quem ama.

Os filhos têm mais sucesso na vida

Lembra-se do que eu disse sobre minha mãe acreditar em mim? Essa confiança me sustentou durante os primeiros e difíceis anos da vida adulta, até que descobri meu chamado e comecei a voar. Mas o que dizer da confiança de um pai no filho? Se seu pai acredita em você, você pode voar até a lua e voltar. Não há nada como a estabilidade e o encorajamento de um pai para colocar um filho numa trajetória de vida bem-sucedida, de modo que encontre o trabalho que ama e estabeleça relacionamentos saudáveis.

Os filhos têm menos chances de se envolver com crime, engravidar ou usar drogas

Filhos que crescem com um pai envolvido não têm necessidade de procurar amor e aceitação em outro lugar. Eles têm tudo de que precisam no próprio lar.

Hoje, porém, existe uma grande ruptura na visão da sociedade sobre o papel do pai, o que leva a uma ruptura nas famílias. No final da década de 1980, Homer Simpson, o pai da série *Os Simpsons* — que incorpora os estereótipos da classe trabalhadora americana: rude, obeso, incompetente, desajeitado, preguiçoso, beberrão e ignorante — substituiu Ward Cleaver — o pai sábio que promove incontáveis ocasiões de ensinamento na bem-sucedida série de TV *Leave It to Beaver*, exibida nos Estados Unidos entre o final da década de 1950 e o início dos anos 1960. Os dois entraram na lista intitulada "Os 10 pais mais memoráveis da história da televisão", publicada pela revista *Time* em 2009.[6] As *sitcoms* de hoje progrediram — ou será que regrediram? — ainda mais. Desperdice trinta minutos de sua vida algum dia e assista a uma dessas comédias de costumes. Veja você mesmo como os pais são massacrados nesses programas, que os retratam como estúpidos incompetentes. Você acha que retratar os pais como estúpidos ajuda na educação dos jovens para que sejam bons pais que ficam junto de sua família?

> **Caindo na real: problemas reais, soluções reais**
>
> Cresci sem pai. O meu saiu de casa quando eu tinha 3 anos; minha irmã estava com 1 ano. Minha mãe e nós, as crianças, fomos morar com a vovó; minha mãe trabalhava e fazia faculdade. Ainda me lembro de quando finalmente nos mudamos para nossa própria casa; eu tinha 10 anos. Foi um momento muito importante para mim. Olhei em volta, para todo aquele espaço vazio, e disse para mim mesmo: "Um dia eu terei minha casa e vou enchê-la de crianças. Mas estarei presente, junto delas".
>
> Minha esposa e eu estamos perto de ter uma casa cheia agora, com o quarto filho a caminho. Mas tornar-me pai não foi fácil. Não tive um modelo a seguir. E, com as lembranças que tenho de meu pai, provavelmente tenha sido melhor mesmo que ele não estivesse em casa. Agora, minha esposa e eu estamos envolvidos com um ótimo grupo que estuda livros sobre casamento, família, criação de filhos e como tornar-se uma pessoa mais sábia de modo geral. Seu livro *The Way of the Wise* [O caminho do sábio], que estudamos recentemente, despertou novas ideias sobre o tipo de pai que quero ser para nossos filhos. Sim, meu passado foi difícil, mas, como você, tive uma mãe amorosa que permaneceu conosco na jornada e nos guiou. Agora, quero ser isso para meus filhos.
>
> Evan, Washington

Em 9 de junho de 2013, a BBC informou: "Um milhão de crianças no Reino Unido crescem sem pai", e três milhões "crescem predominantemente com a mãe". O relatório chama isso de *tsunami* da ruptura familiar, ligando a ausência dos pais a "taxas mais elevadas de criminalidade na adolescência, gravidez e desvantagens profissionais".[7]

Como combater essa tendência? Você, pai, pode optar por estar disponível à sua família. Sim, isso talvez signifique que você terá de fazer alguns sacrifícios em sua carreira, mas os benefícios para você e para seus filhos valerão muito a pena e durarão a vida toda.

COMO OS PAIS PODEM SER GRANDES VENCEDORES

Pai, no que diz respeito a construir um bom relacionamento com os filhos, deixe-me dizer uma coisa. Você pode ser um grande vencedor com sua esposa, com seus filhos, com seus colegas no trabalho e em seus relacionamentos, se você criar o hábito de usar de gentileza e respeito ao falar com essas pessoas. Um pai viril e corajoso, mas gentil e cuidadoso, é ouro puro num lar.

Pense nisso. O que aconteceria se um pai falasse com seu melhor cliente da mesma maneira como fala com sua esposa e seus filhos? Espera-se que seja algo bom. Em muitos casos, porém, o cliente sumiria como um rato numa sala cheia de gatos.

Deus nos deu livre-arbítrio para que digamos e façamos tudo o que quisermos, dentro da lei. Mas o fato de você e eu nos sentarmos atrás do volante da vida não significa que não há problema em dizer e fazer o que nos agrada. Existe um preço para isso, e todo mundo paga.

Você pode fazer muitas coisas erradas como pai. Afinal, nenhum humano é perfeito. Mas, se você trabalhar nos itens a seguir, seus filhos pensarão que você é um verdadeiro super-herói.

Seja uma força positiva para o bem

Nossa sociedade em geral se concentra no negativo. Até mesmo nosso sistema educacional trabalha assim. Quando seu filho recebe de volta do professor uma prova de gramática, vê escrito na parte superior "–5". Por que não dizer "+95"? E todos os erros estão grifados em vermelho, de modo que se destacam e chamam a atenção da criança. Mesmo quando a criança acerta 100% da prova, a professora costuma apenas escrever "Satisfatório". Que tal: "É isso aí, garota! Você se esforçou e o resultado apareceu. Acertou todas!"? Não é à toa que tantas crianças se sentem verdadeiros fracassos, como se fossem incapazes de obter uma boa nota na escola.

A educadora Elizabeth Harrison disse com sabedoria: "As pessoas que levam o mundo para a frente e para cima são aquelas que incentivam mais do que criticam".[8]

Em vez de criticar em detalhes e incentivar de forma generalizada, tente incentivar de forma detalhada e criticar em termos gerais. Em outras palavras, mantenha o foco no positivo e não haverá tempo suficiente para se concentrar no negativo. Reforce o bom comportamento cada vez mais e o comportamento inaceitável cada vez menos. Em pouco tempo, o comportamento inaceitável tenderá a ser deixado de lado.

Pense nisto: há centenas de anos, domesticadores de animais praticam esse conceito de reforçar o bom comportamento e *não* se concentrar no comportamento incorreto. Você acha que, para ensinar uma baleia a rolar de lado e jogar água na multidão de crianças de algum parque aquático, o treinador grita ou a pune quando ela não faz o que é certo durante os exercícios? Você acha que, para ensinar três golfinhos a saltar da água no momento exato, combinando giros no ar, o treinador lança mão de reforço positivo quando eles acertam ou que os pune quando erram? Você sabe a resposta. Os mamíferos aprendem rapidamente que recebem coisas boas (petiscos) quando fazem as coisas certas. Sendo assim, por que desejariam fazer as coisas erradas? O reforço positivo funciona!

> Tente incentivar de forma detalhada e criticar em termos gerais.

Seja homem

As meninas pequenas, em especial, veem o papai como o protetor e solucionador de problemas.

Nossa filha Lauren foi a criança mais fácil de criar que você poderia imaginar. Embora seja a mais nova, em termos de comportamento ela é uma filha única, visto que a tivemos bem tarde na vida e há um intervalo de mais de cinco anos entre ela e sua irmã Hannah.

Depois que ia para a cama, Lauren raramente saía de lá. Uma noite, porém, quando Lauren tinha 5 anos, ouvi uma voz queixosa perto do meu ouvido.

— Papai, papai, há uma aranha no meu quarto.

— Ei, querida — disse eu —, não se preocupe com uma aranha pequena. Está tudo bem.

Houve uma pausa e, então:

— Mas, papai, e se ela me picar?

Uma luz se acendeu em minha cabeça cansada.

— Bem, nesse caso, vou lhe dizer uma coisa. Você pode ir dormir lá em cima que o papai vai cuidar disso.

Sim, eu levaria a família inteira até lá e eles dariam um jeito naquela criatura. Esse seria o acordo.

É muito fácil para os pais minimizarem o medo da criança e dizer: "Não se preocupe com isso. É coisa pequena". Mas, para uma criança de 5 anos que tem uma aranha no quarto, será que é?

E tem também minha esposa. Uns meses atrás, ouvi um grito e corri para a cozinha.

— Kevin, entre aqui — chamou Sande. — Tem uma mosca aqui!

Ela ainda estava gritando quando cheguei à cozinha.

Sim, era uma mosca assassina. Talvez eu devesse ter levado meu rifle para resolver a situação.

Pergunte a uma criança qual a diferença entre mãe e pai e talvez você ouça coisas do tipo:

- "Os pais são maiores que as mães."
- "Os pais falam uma vez. As mães falam um monte de vezes." (Hum, por que será que é assim? Será porque, por ficarem muito tempo perto da mãe, elas ficam imunes ao som da voz materna?)
- "Os pais falam com uma voz mais suave que as mães." (Será por isso que as crianças atendem prontamente quando ouvem a voz do pai? Ou porque ele não está por perto tantas vezes quanto a mãe?)
- "Os pais brincam de 'lutinha' com a gente."

Parece claro que o papel do pai é singular e complementar ao da mãe. Juntas, essas diferenças podem atuar em benefício dos filhos e ajudar no objetivo de ter uma família transformada em cinco dias.

Você pode ser um pai que pega no pesado ou que trabalha atrás de uma mesa de escritório. Mas seja homem. Desempenhe seu papel na família. Envolva-se com seus filhos com um coração terno.

Seja um bom ouvinte

De maneira geral, nós, homens, não ouvimos muito bem. Não sei quantas vezes apareci no lugar errado e disse a mim mesmo: "Minha esposa está atrasada de novo!".

Mas, então, ligo para Sande e ela pergunta, naquele tom de voz poderoso que lhe rendeu o adorável apelido de Sra. Certinha:

— Leemie, onde você está?

— Estou aqui na churrascaria — informo.

Uma pausa e, depois:

— Você está onde?

Um suspiro vem do outro lado da linha.

— Bem, Leemie, meu querido, havíamos conversado e eu lhe disse para ir à pizzaria...

Admito que ouvir não é das minhas melhores virtudes.

Se aprendi a ser melhor ouvinte com o passar dos anos? Sim, e espero que você também.

Ao ouvir seus filhos, você ouve o que eles estão realmente dizendo antes de falar alguma coisa? É muito comum que eles vejam bocas gigantes derramando termos que não entendem, sobre assuntos que não conhecem, quando o que eles realmente precisam são de dois ouvidos gigantes que captem cada palavra que estiverem dizendo. Se seus filhos tiverem isso de que precisam, os ouvidos deles estarão prontos para absorver suas palavras quando você de fato falar sobre assuntos importantes.

Seja líder

Quero lhe fazer uma pergunta pessoal: você se vê como um líder?

Todo pai precisa não apenas ser um líder no lar, mas também precisa saber a quem lidera.

Todos os seus filhos são clones uns dos outros? Não.

Toda mulher é igual? Não.

Todo homem é igual? Não.

Para ser um bom líder, você precisa se colocar atrás dos olhos das pessoas a quem ama e entender como elas enxergam a vida. Isso se faz descobrindo quem elas são e estando atento a quem são.

Sempre pensamos nas ovelhas como animais idiotas. Mas elas não são assim tão idiotas quanto possam parecer. Enquanto me preparava para escrever um livro sobre liderança intitulado *The Way of the Shepherd* [O caminho do pastor], em parceria com William Pentak, fiz algumas pesquisas sobre ovelhas e pastores. Também encontrei um estudo bastante interessante (um grupo de psicólogos pode explicar isso). Eles removeram o pastor verdadeiro do campo e o substituíram por um impostor. O pastor falso não apenas usava as roupas do pastor verdadeiro como também tinha uma gravação digital de sua fala ao chamar o rebanho.

O impostor caminhou pela pradaria e reproduziu a gravação. Quando ouviram o chamado do pastor, todas as ovelhas se viraram e olharam. Mas quer saber o que aconteceu? Elas não o seguiram.

Você ainda acha que as ovelhas são idiotas? A verdade é que elas são bastante espertas. Num segundo aquelas ovelhas reconheceram o impostor. E elas só seguiriam seu pastor verdadeiro.

Se você se vê como um líder, é bom saber a quem está liderando. É melhor ser autêntico. Seus filhos reconhecem um impostor a cinquenta passos de distância — é aquele cara que tem boa lábia, mas não age de acordo com o que diz.

E, já que o assunto é esse, seja um líder com sua esposa. Você sabe o que isso implica? Ser um servo. Certa vez, perguntei a um grupo de mulheres: "Quantas de vocês adorariam receber uma boa massagem nos pés ou nas costas hoje à noite?". Cerca de 99% das mãos se ergueram. Ora, a Sra. Certinha, minha esposa, não teria erguido a mão. Vou citá-la: "Não gosto de receber massagem". Mas ela ama ter as costas arranhadas levemente em formato de S.

> Seus filhos reconhecem um impostor a cinquenta passos de distância — é aquele cara que tem boa lábia, mas não age de acordo com o que diz.

Homens, são coisas desse tipo que vocês devem saber sobre sua esposa, e devem se deliciar em servi-la.

Envolva-se

Todo dia sua esposa e seus filhos olham para você e perguntam: "Você realmente me ama? Você realmente se importa?". Cada filho tem diferentes interesses e necessidades, e cada um anseia por um tempo com você — com *você*. Nenhuma outra pessoa do universo pode tomar seu lugar.

Uma das melhores lembranças que tenho de minha infância na cidade de Buffalo, no estado de Nova York, é de quando meu pai me levou ao jogo de abertura da temporada do Buffalo Bisons, time semiprofissional infantil de beisebol. Era um lindo dia de primavera, e eu achava que havia morrido e ido para o céu. Em primeiro lugar, não precisei ir à escola. Meu pai deixou que eu ficasse o dia inteiro de folga. E, em segundo, consegui passar um tempo com ele. Quando criança, não via meu pai com muita frequência. Para conseguir pagar as contas, ele trabalhava até às oito da noite. Mas aquele dia, quando meu pai passou um tempo apenas comigo, vai ficar para sempre na minha memória.

Contudo, há algo que você precisa saber. Meu pai não era perfeito, em nenhum aspecto — na verdade, ele era muito chegado numa cerveja. Houve até mesmo uma época em minha vida que o odiei. Mas, conforme fui ficando mais velho, percebi que meu pai, que havia concluído apenas o ensino fundamental, fazia o melhor que podia. Quando ele estava com 56 anos, Deus entrou em sua vida e o mudou. Interessante, não é? Tal pai, tal filho. Nós dois passamos por mudanças enormes.

Pai, seus filhos precisam que você esteja envolvido. Portanto, abrace-os, ame-os, deixe que eles lhe ensinem um pouco sobre a vida. Converse sempre com eles. Descubra um jeito de ser um pai "sim" ("Claro, vou pensar nisso" ou "Pode apostar que vamos analisar essa questão") em vez de ser um pai "não". Esteja aberto a coisas sobre as quais seus filhos perguntam. Investigue o mundo deles com eles. Seja um bom pai. Perceba que eu não disse "um pai perfeito" — essa coisa não existe; portanto, nem sequer tente.

Seu envolvimento como pai influenciará diretamente quem seus filhos se tornarão mais tarde na vida... e como eles vão criar os filhos deles.

Seja um difusor de alegria
Na tentativa de me criar da maneira certa, minha mãe, que Deus a tenha, me matriculou no Clube da Alegria. Eu odiava o Clube da Alegria. Seu lema era "Jesus, os outros e você".

Vamos voltar ao tempo em que tínhamos flanelógrafos. Você consegue imaginar um menino agitado, que estava sempre prestes a fazer uma travessura, sentado por horas durante uma apresentação feita com um flanelógrafo? Era desumano. Mas minha mãe tentava me conduzir pelo caminho por onde eu deveria andar, ainda mais porque meu pai não frequentava a igreja. E não é interessante que, até hoje, mais de sessenta anos depois, eu ainda me lembre do lema do Clube da Alegria?

Pais, seus filhos veem alegria em sua vida? Eles precisam ver. Quando isso acontece, faz aumentar neles o senso de valor próprio e o contentamento em relação à vida.

Com que frequência você incentiva seus filhos? Você reconhece quando eles fazem algo certo e os aplaude? Quando comentamos sobre algo que eles estão fazendo bem, chamo isso de "Hora da propaganda":

"Uau, vou falar uma coisa, você está muito bem vestida. Você sempre se veste de um jeito bacana. Não é como outras crianças da escola, que parecem que entraram numa lata de lixo."

"Vi que você deu àquele garoto um convite para a festa da escola. Não é ele que não tem condições de comprar o convite? Isso foi muito generoso e atencioso de sua parte. Estou orgulhoso de você por ter feito isso."

"Querida, você está na direção certa. O que você está fazendo é muito importante. Por favor, quando precisar de ajuda, é só dizer."

Não há nada que sua esposa gostaria mais de fazer do que se sentar e ver um pai sendo atencioso com seus filhos.

E não se esqueça de que sua esposa também precisa de incentivos. Você a trata com bondade e respeito? Você pergunta todos os dias o que pode fazer para ajudar?

Depois de todos esses anos de casamento, sou como uma foca treinada. Se vou passar na frente do mercado, ligo para minha esposa e pergunto: "Meu bem, você precisa de alguma coisa?".

Vindo de um marido, uma coisa assim é como ouro puro. A esposa pensa: "Sou tão feliz por ter me casado com esse homem" e ronrona como uma gatinha feliz.

> As mulheres valorizam coisas sutis e simples.

As mulheres valorizam coisas sutis e simples que afirmam: "Eu me importo com você e com nossa família".

Aprenda a responder em vez de reagir
Eu estava fora, dando palestras, como faço bastante, e nossa filha mais nova decidiu vir para casa mais cedo da faculdade, a fim de passar o Dia de Ação de Graças conosco. Sande me mandou uma mensagem e me alertou: "Lorney apareceu com cabelo azul".

Lorney é o apelido de Lauren, também conhecida como LB ou Lorneybeth. Embora aja como primogênita, por ser a caçula da família ela tem um monte de apelidos. Lauren estuda artes no sul da Califórnia e, evidentemente, decidiu tingir parte do cabelo de azul.

Embora estivesse viajando, deixei dois ingressos para um jogo de basquete na Universidade do Arizona e um vale-estacionamento para que Lauren e o namorado pudessem ir ao jogo. Então, mandei uma mensagem para ela: "Lauren, vá até a UA. Estacione na seção APENAS PARA CABEÇAS AZUIS".

Eu reagi ou respondi criativamente? Será que é algo assim tão importante ela chegar em casa com uma mecha azul no cabelo? Não, não para mim. Mas entenda que nós, pais, temos que dominar a técnica de passar por cima de situações desse tipo em vez de nos envolvermos na batalha. Isso exige visão de longo prazo. Não é provável que ela venha a ter cabelo azul nos próximos cinco anos. Então, repito, será que isso é de fato importante?

Você reage às situações de maneira crítica e negativa, agindo como se estivesse sempre certo? Se você é crítico ao extremo, apontando as falhas de seu filho, talvez ele nunca venha a sentir que pode estar à altura. Ou você é vulnerável, admitindo que não é perfeito e deixando que as expressões "Sinto muito" e "Você me perdoa?" passem por seus lábios?

> Quando seus filhos fizerem alguma coisa negativa, feche a boca por um instante.

Quando seus filhos fizerem alguma coisa negativa, feche a boca por um instante. Não diga a primeira coisa que lhe vier à mente, porque o mais comum é que não seja uma coisa boa.

Se seu filho vier a você com uma proposta que parece um pouco maluca, não o faça sentir-se estúpido. Se o fizer, ele pensará duas vezes antes de vir a você outra vez. Em vez disso, diga algo como: "Ideia interessante. Vamos conversar sobre isso". Ou: "Fale mais a respeito". Ou ainda: "Explique o que você está pensando. Podemos refletir sobre isso juntos". Se a ideia simplesmente não funcionar depois de dialogarem sobre ela, você pode dizer: "Talvez possamos pensar juntos em alguma outra coisa que seja ainda melhor".

Qualquer coisa que você possa dizer para manter o diálogo fluindo vale muito a pena. Você não prefere que seus filhos conversem com você em vez de evitarem sua presença?

Sendo assim, como você se relaciona com eles? Apenas em termos de comportamento? Você vê esse comportamento somente como algo bom ou ruim, sem nenhum meio-termo?

Hoje em dia, muitos pais deixam de incentivar o bom comportamento; na verdade, eles nem o percebem. Mas o mau comportamento? Bem, esse recebe resposta irada, e a punição certamente virá.

Mas espere um minuto. Como eu disse anteriormente, crianças são crianças; elas fazem coisas bobas. Elas fazem o que fazem porque pensam como pensam, e não refletem sobre os resultados de forma lógica. Não viveram o suficiente para entender tudo sobre causa e efeito. Às vezes, quando você acha que seu filho de 7 anos está se comportando mal, ele na verdade está apenas sendo uma criança de 7 anos. Crianças pequenas deixam os brinquedos espalhados pela sala porque são crianças pequenas. É isso que crianças pequenas fazem. Porém, com o tempo, com ensino paciente e mais foco na disciplina (aprendizado) que na punição, elas aprenderão a agir melhor.

E quanto aos adolescentes? Eles podem ter a sua altura ou serem até mais altos, mas não espere que pensem como você. Eles não sabem o

> Crianças são crianças; elas fazem coisas bobas.

que você sabe e não estiveram onde você já esteve. ("Graças a Deus!", você está dizendo.) Eles estão lutando para não se afogar naquela tempestade perfeita da adolescência.

A melhor coisa que você pode fazer é observar o comportamento de seus filhos. Boa parte dele será normal e aceitável. Outros aspectos precisarão melhorar. Com paciência, tempo e foco no relacionamento, você guiará seus filhos a um nível de comportamento apropriado para o ponto em que estão na vida.

Seja o modelo de quem você quer que eles sejam

Quer ensinar a seus filhos o que é certo? Digamos que você esteja pagando suas compras no supermercado e a caixa lhe dá um troco a mais do que você deveria receber. Você sorri e diz a ela: "Desculpe, moça, mas creio que você me deu o troco errado". Em seguida, devolve a nota que veio a mais. Quer apostar que seu filho, que o acompanha, estará vendo? Lição aprendida. Por acaso você precisou se sentar com seu filho e dizer: "Filho, é importante ser íntegro em todas as coisas, pequenas ou grandes"? Não, porque o que você fez junto ao caixa do supermercado numa situação da vida real falou muito alto, e ele ouviu mais claramente do que teria ouvido se você tivesse feito um discurso.

Seus filhos estão sempre de olho em você.

> **A coisa nº 1 que um pai pode fazer pelos filhos**
> Amar e estimar a mãe deles.

Pai, você é o modelo e o principal fator relacionado a quem seus filhos vão se tornar. Seu comportamento, seus valores e seu caráter são extremamente importantes.

Em psicologia, usamos os termos *eu real* e *eu ideal*. Seu *eu real* é quem você de fato é em suas palavras, ações e caráter. Seu *eu ideal* é quem você se projeta ser para os outros. Quando há uma dissonância entre os dois, você pode até enganar aqueles que não o veem sempre, mas não consegue enganar sua família.

Como é a sua boca? Você usa linguagem vulgar em casa e fala de maneira depreciativa sobre outras pessoas? Se faz isso, todo mundo perde, especialmente seus filhos. E, se você for um pai solteiro, nunca calunie sua ex-mulher, não importa como ela seja ou quanto você tenha sido ferido. Deixe que os filhos descubram a verdade por si mesmos mais tarde, quando estiverem formando seu próprio relacionamento adulto com ela.

Dou muitas palestras para algumas das maiores convenções comerciais dos Estados Unidos. Depois de ter falado num grande evento da Pepsi, um alto executivo veio até mim e disse: "Kevin, uma coisa que aprendi é que todo mundo precisa ganhar e se sentir vencedor em minha organização". O mesmo deve acontecer no lar. Todos os membros da família precisam se sentir vencedores. Eles precisam ser convidados para fazer parte da família, e isso acontece quando ouvem de você que eles têm valor e que a opinião e os pensamentos deles são importantes. Eles precisam saber que você está junto deles e quer ajudá-los a vencer na vida.

Adoro ser pai. Acho que guardei cada bilhete que meus filhos já escreveram para mim, incluindo um de Krissy, antes de ela saber soletrar: "Para o papai: amo você DE MAIS".

Pais, podemos deixar uma marca indelével em nossos filhos e em nosso lar se nossas ações estiverem de acordo com nossas palavras.

> Se você quiser chegar a algum lugar, é melhor ter um mapa específico!

Portanto, fixe sua mente na imagem de quem você quer que seus filhos sejam quando estiverem para sair de casa, já adultos. Uma coisa é querer que eles "deem certo". Outra bem diferente é ter uma visão clara de quem você quer que eles sejam em termos de caráter, valores morais, autoestima e convicções pessoais — e criá-los com essa visão bem clara na mente. É como diz o velho ditado: "Se você não sabe aonde está indo, qualquer mapa velho vai levá-lo até lá". Mas, se você quiser chegar a algum lugar, é melhor ter um mapa específico!

O que você quer ver em seus filhos? Como você quer que eles se saiam? Você os está criando para serem respeitosos, responsáveis e capazes? Eles sairão de casa sentindo-se bem em relação à família e à criação que receberam, agradecidos pelos exemplos que a mãe e o pai lhes deram, e também confiantes de que podem se dar bem na vida? Se você criar filhos com essa imagem, terá muitos dividendos!

PAIS E FILHAS

Não é tão difícil como parece, meu amigo. Ser bom pai faz uma enorme diferença. Um lar feliz espera por você.

Obviamente, você está ensinando a seus filhos sobre o que é ser homem. Afinal, você é o modelo, com defeitos e tudo o mais. Mas o que você está ensinando a suas filhas? Um bocado de coisas.

A carta a seguir, de minha filha Hannah, foi enviada por fax ao hotel onde eu estava, em Colorado Springs, no Dia dos Pais de 2011. Todas as vezes que a compartilho, fico com a voz um pouco embargada.

Ao meu pai

Feliz Dia dos Pais!

Este é sempre o cartão mais difícil de escrever porque mal posso colocar em palavras o que você significa para mim. Quase não dá para acreditar que, daqui a alguns dias, você estará me conduzindo pelo corredor da igreja. Fico muito feliz por saber que você estará ao meu lado no dia mais importante da minha vida.

Quero agradecer-lhe por me preparar para este momento desde que eu era uma menininha. Você me ensinou a amar e me mostrou, por suas ações, como é um casamento cheio de amor. Nunca quis decepcionar ou frustrar meu pai. Sempre confiei em cada palavra de conselho porque sei que MEU *pai sabe de tudo.*

E, por causa disso, sou tão grata por ter me preservado para meu marido — e ele para mim. Sei que fui capaz de tomar essa decisão por causa do meu relacionamento com você, e essa é uma bênção pela qual sou imensamente grata. Obrigada por apoiar a mim e ao Josh. Sei que pelo resto da minha vida ele vai me amar e cuidar de mim como você.

Eu amo você, e sempre serei a sua amendoinzinha.

Com amor,

Hannah

Grandes perguntas para os pais

1. Seu pai estava presente — física ou emocionalmente — na sua infância e adolescência? Se não, como isso impactou você? Se estava, que qualidades positivas ele apresentava? E negativas?
2. Pense na maneira como seu pai tratava você. Como isso influenciou seu estilo de criação de filhos?
3. Você trata sua esposa do mesmo modo que seu pai tratava sua mãe? Quais são as semelhanças? E as diferenças?
4. Quais são suas maiores esperanças e sonhos para seus filhos? Faça anotações para cada filho. Como, na prática, você pode incentivar essas esperanças e sonhos na vida deles agora?
5. Descreva o que você mais gostaria de mudar na maneira de interagir com seus filhos, a fim de deixar uma marca positiva e duradoura na vida deles. Que medidas você poderia tomar visando a essa mudança, a começar por hoje?

Vamos lá, homens, admitam. Quando recebem bilhetes carinhosos de seus filhos, vocês também ficam meio engasgados.

Mas bilhetes como esse fazem valer a pena qualquer esforço. No longo prazo, aquilo que você faz, pai, tem uma importância enorme. Lembra-se de quando conversei sobre como é importante conhecer seus filhos e tratá-los como indivíduos? Em nossa família temos "a amendoinzinha" (Hannah) e "a biscoitinha" (Lauren). E é melhor eu não confundir as duas, senão vou pagar por isso.

Lembre-se de que, para sua filha, você representa a masculinidade

Enquanto escrevia este capítulo, aconteceu uma tragédia na família Leman.

Nossa filha Hannah e seu marido, Josh, vivem em Chicago, num apartamento amplo e que tem toda a aparência de um hotel de luxo. No aniversário de Josh, Hannah o surpreendeu comprando-lhe a pequena Duffy, uma cadela da raça *springer spaniel* com mais energia que dez cães. Nós a apelidamos de Duffy Doida, por causa de seu comportamento.

Enquanto Hannah e Josh visitavam o apartamento de outra pessoa, a cadela saltou por cima da grade da varanda, de 1,2 metro de altura, e caiu quatro andares. Recebi uma mensagem de Hannah no momento em que ela corria para levar a cadela ao hospital. Alguns minutos depois, Duffy morreu. Nós, os Leman, temos um serviço de mensagens em grupo, de modo que todos veem o que todos estão escrevendo. Fiquei com lágrimas nos olhos ao ver a família inteira cuidando de Hannah e Josh. Na verdade, minha esposa deixou de fazer uma viagem de negócios para poder viajar até Chicago e passar algum tempo dando-lhes conforto.

Quando a tragédia se abate, como seus filhos respondem? Provavelmente eles responderão exatamente da mesma forma que viram você responder.

Lembro-me do dia em que minha sogra morreu inesperadamente no gramado à frente de casa; minha esposa estava grávida de nove meses. Eu estava dando uma palestra quando recebi a ligação. O que você faz? Pega um avião imediatamente e vai para casa. E foi exatamente o que fiz.

Pai, você é a fortaleza da família. Você precisa ser forte. Talvez não se sinta forte neste momento, mas precisa assumir a responsabilidade, física e emocional, e fazer o que for preciso. Você consegue. Sua família precisa de você.

Sua filha vai procurar um homem "igual ao papai"

O maior elogio que você pode receber na vida é o momento em que sua filha lhe diz: "Pai, quero me casar com alguém igual a você".

Um pai certa vez me perguntou: "Em que momento termina a criação dos filhos? Quando o último deles sai pela porta para cursar a faculdade?".

Tenho uma notícia para você: ela não termina. Veja o que quero dizer.

Escrevi cerca de 45 livros sobre casamento, família e criação de filhos. Os editores e seus representantes costumam visitar a mim e a Sande. Numa ocasião, três pessoas de uma editora já estavam a caminho para nos levar a um jantar e discutir o projeto de um novo livro; mas, naquela manhã, descobrimos que nossa filha Krissy havia perdido seu bebê.

Isso é desesperador para um pai. O que você faz, pai? Você vai para o hospital. Conforta sua filha, chora com ela e ora com ela. De algum modo, nós conseguimos passar por aquele dia.

À noite, porém, tínhamos um jantar de negócios para ir. Você acha que minha mente estava no jantar com aquele editor? De jeito nenhum. Ainda estava pensando em Krissy e em sua dor. Ser pai é um processo para a vida toda.

Depois do jantar, quando Sande e eu saímos do restaurante, um pequeno carro esportivo estava parado bem em frente. Meu genro Dennis abaixou o vidro e olhou para mim. "Krissy tinha de ver você de novo", disse ele, apontando para o banco do passageiro.

Corri até o outro lado do carro e abri a porta para Krissy. Ela saiu e jogou os braços ao meu redor. Ficamos ali em pé por bastante tempo, abraçados. Eu lhe disse que a amava e que, com o tempo, as coisas ficariam bem. Ficariam mesmo? Sim, porque eu sabia que o Deus todo-poderoso se importava com ela e com aquele bebê. De fato, há um livro maravilhoso de Jack Hayford intitulado *I'll Hold You in Heaven* [Vou segurar você no céu], que foi muito significativo para nossa família durante aquele período difícil, e já o recomendei a famílias que sofreram a perda de um pequenino.

Alguém deixa de ser pai algum dia? Não.

Não consigo enumerar quantas vezes na semana passada recebi uma ligação ou uma mensagem dizendo: "Pai, posso pedir sua opinião sobre uma coisa?".

> Alguém deixa de ser pai algum dia? Não.

A confiança básica — ou a falta dela — de uma filha nos homens é formada em razão do relacionamento que ela tem com o pai. Se você for duro, punitivo ou crítico, isso levará sua filha a ter uma série de fracassos com o sexo oposto. Mas, se você for gentil, amoroso e protetor, esse é o tipo de homem que sua filha vai procurar.

Portanto, não meça esforços. Mande flores para sua filha por uma realização especial — o que ela vai achar disso? Surpreenda seu filho que está muito chateado porque não conseguiu acertar nenhum passe no jogo — o que será que ele vai pensar? Sussurre a seus filhos que você está preparando uma surpresa para a mamãe, com uma noite especial fora porque você a ama — e o que eles vão concluir? "Uau! Tenho o melhor pai do mundo!" O que mamãe vai pensar? "Meu marido é um doce. Como ele cuida bem de nós! Vou fazê-lo feliz por me levar a esse encontro."

É por isso que enviei flores à nossa filha mais velha, Holly, quando ela estava na faculdade: simplesmente porque a amo.

É por isso que chorei baldes de lágrimas no casamento de Hannah, por mais que ame Josh. E (abençoada seja minha família) eles simplesmente disseram: "Papai está tendo um ataque!". Não há como não amá-los!

É por isso que trabalhei duro para gerar confiança bem cedo com Lauren. Eu a colocava numa escada e chamava: "Lauren, pule para o papai". E eu sempre a segurava.

Se alguém perguntasse a seu filho o que ele mais ama em você, o que você acha que ele diria?

A resposta pode fazer você sorrir ou pode impulsioná-lo a fazer uma mudança.

As palavras que você escolhe usar com aqueles a quem ama provocam uma marca indelével.

Qual você quer que seja a sua marca?

Questionário familiar

1. Para ter uma família transformada até sexta, que mudanças você gostaria de ver em seu casamento, ou, se você é solteiro, em sua vida familiar como um todo?
2. O que você precisa fazer para que as mudanças ocorram? Pare e pense sobre isso. (O melhor ponto para começar é sempre você. Você não é responsável pelo modo como os outros vão responder, mas é responsável por aquilo que você mesmo faz.)

3. Para os homens: Que necessidades você tem como homem e que estão sendo atendidas em seu casamento? E quais não estão?
4. Para as mulheres: Que necessidades você tem como mulher e que estão sendo atendidas em seu casamento? E quais não estão?
5. Se você é divorciado e sabe que não pode mudar o que acontece no lar de seu ex-cônjuge, como você está se saindo na tentativa de ser consistente com o que acontece no seu lar (disciplina, expectativas, responder em vez de reagir)?
6. Como você pode melhorar seu casamento, a começar por hoje, optando por satisfazer uma ou mais necessidades de seu cônjuge?

SEXTA-FEIRA

Missão possível

Como aproveitar o tempo que vocês têm juntos e estabelecer conexões duradouras.

Lembro-me do lançamento do primeiro longa-metragem *Missão impossível*, com mulheres de todas as idades ficando maluquinhas pelo ator Tom Cruise. O pessoal da nova geração não sabia que *Missão impossível* havia sido uma série de televisão transmitida do final da década de 1960 até o início dos anos 1970, que cativou uma enorme audiência ao apresentar uma unidade de elite secreta que realizava missões altamente intrincadas e aparentemente impossíveis. Contudo, de alguma maneira, aquelas missões eram executadas de acordo com um plano detalhado que funcionava. Visto que os membros confiavam no líder, dedicado e habilidoso, quando ele dava as cartas, eles obedeciam.

Agora, minha esposa me faz assistir a um programa chamado *Restaurante impossível*. O apresentador do programa, Robert Irvine, vai até um restaurante que está à beira da falência. Ele não apenas o redecora, mas, em especial, muda a forma como a equipe conduz os negócios — tudo, desde o jeito como preparam a comida até o modo de interagirem. É impressionante ver como, num curto período de tempo, Irvine consegue modificar um restaurante bastante problemático (normalmente é um negócio familiar e os membros da família não estão se dando bem) e transformá-lo num sucesso.

Você tem uma grande missão a cumprir e, neste exato momento, ela pode se parecer com *Missão impossível* ou *Restaurante impossível*. Mas garanto a você uma coisa: é uma *missão possível*. Sabe qual? Instruir seus filhos no caminho em que devem seguir, de modo que se tornem responsáveis, confiáveis e capazes de ficar bem por muito tempo depois de você deixar este mundo. Se eles confiarem em você como líder, e se você estabelecer para eles expectativas positivas, que sejam razoáveis e possíveis de serem alcançadas, vocês vão dar risadas e aprender sobre a vida juntos e vão desfrutar da jornada. Seu papel é ser a força estável que conduz a família ao objetivo de ser uma família transformada na sexta-feira.

Os membros de sua missão estão aprendendo sobre a vida tendo você como base. Eles estão seguindo suas indicações — o que você diz e como você age. O que você está lhes ensinando?

SUA "LUZ DE IDIOTA" ESTÁ PISCANDO?

Os carros de hoje são inteligentes. A cada oito mil quilômetros, eles piscam uma luz dizendo que você precisa trocar o óleo. É a chamada "luz de idiota". Você não consegue deixar de notá-la (a não ser que seja um perfeito idiota).

Estou falando de mim mesmo aqui. Sou um idiota. Às vezes preciso ser lembrado do que é importante na vida. E você?

> Sou um idiota. Às vezes preciso ser lembrado do que é importante na vida. E você?

Quando lecionava na Universidade do Arizona, costumava passar de carro por um lugar que vendia flores no estilo "pague e leve", e minha luz de idiota piscava. Sande e eu não tínhamos um tostão furado naquela época, mas a loja oferecia um negócio bem interessante: algumas moedas por uma dúzia de rosas. Isso apelava à minha natureza econômica, e eu sabia quão importante seria aquele gesto para minha esposa. Eu esperava uma ocasião marcante? Não, bastava eu passar em frente do lugar para minha luz de idiota cutucar minha mente. Eu estacionava o carro, entrava e comprava lindas rosas vermelhas. Até hoje ainda amo esse tipo de flor, porque são um lembrete de minha gratidão por minha esposa.

Dia desses, estava no supermercado e vi um buquê adorável. Comprei as flores, cortei os talos e as coloquei num vaso para quando Sande chegasse em casa, depois das compras.

E quanto a você? Sua luz de idiota está piscando neste exato momento em favor de sua família? Então é hora de parar e fazer uma revisão para ver o que está funcionando e o que não está.

Quando foi a última vez que você jantou sozinho com sua esposa? Quando foi a última vez que você perguntou a ela se podia lhe fazer uma massagem nos pés? Quando foi a última vez que trouxe um buquê de flores para sua amada?

Quando foi a última vez que você levou cada um de seus filhos, individualmente, para passarem um tempo sozinhos, concentrados numa atividade que ele aprecie? Quando foi a última vez que você flagrou seu filho fazendo algo positivo e o incentivou? Quando foi a última vez que você agradeceu à sua mãe ou a seu pai por passarem tempo com seus filhos?

São as coisas simples que enriquecem o relacionamento e dizem à outra pessoa: "Eu me importo com você. Valorizo sua companhia. Você, como pessoa, é especial e singular. Você é um membro valioso desta família".

Sempre disse a meus filhos que, no caso de terem dúvida sobre o que fazer numa situação, eles deveriam se lembrar: "Você é um Leman". O que eu estava lhes dizendo? "Você pertence a esta família. Você sabe quem é. Você sabe quais são nossos valores. Portanto, levante-se e não deixe ninguém mexer com você". Saber que pertencem à nossa família e que compartilhamos valores é algo que tem mantido meus filhos longe de problemas em mais situações do que eu provavelmente gostaria de saber.

Também nos esforçamos para incorporar algumas pessoas muito especiais à diversão e às atividades de nossa família: os avós de nossos filhos. Três de nossas crianças — Holly, Krissy e Kevin II — tiveram um relacionamento bem próximo com todos os quatro avós antes de eles irem para o céu.

> **Um provérbio a ser seguido**
>
> A família que ora unida permanece unida.

Quando nossos três primeiros filhos eram pequenos, bastava eu chegar em casa e dar uma farejada para perceber imediatamente que tipo de dia fora aquele para minha esposa. Se havia algum aroma vindo do forno, sabia que o dia tinha sido muito bom. Se não sentia cheiro nenhum, sabia que teríamos de jantar num restaurante da vizinhança. Quando íamos ao restaurante, ligávamos para minha mãe e meu pai, que moravam a poucos quilômetros dali, e perguntávamos se eles queriam ir também. Meus pais eram do tipo que nunca tinham um tostão furado no bolso. De fato, quando meu pai disse que achava que nunca veria o mar, nós levamos os dois até Laguna Beach, no litoral da Califórnia. Eram gente simples, mas havia riqueza em seu relacionamento com os netos. Meus pais sempre diziam que se sentiam como se seus netos fossem seus filhos outra vez.

A vovó Leman era a única avó viva quando nossa quarta filha, Hannah, nasceu. Hannah tinha 8 anos, e Lauren, 3, quando minha mãe morreu e, puxa, como elas amavam a avó, que deixou um legado de amor incondicional por nossos filhos e apoio a cada um deles.

UM LEGADO QUE VOCÊ NÃO VAI QUERER PERDER

Os avós podem ser um verdadeiro tesouro de informações. Se seus filhos têm uma comunicação boa e ativa com os avós, quer vivam perto quer longe, você é abençoado. E se os avós deles vivem próximos e veem os netos com frequência, você é duplamente abençoado. Você e seus pais (ou seus sogros) podem ser os maiores defensores uns dos outros, providenciando alívio, perspectiva e melhor experiência familiar. Basta apenas uma estratégia sobre como incorporá-los de forma bem-sucedida à unidade familiar imediata, a fim de que todos saiam ganhando.

Para os netos, avós equilibrados e saudáveis representam uma parte muito importante da unidade familiar. Você e seus filhos podem ser grandemente beneficiados pela presença deles, com a sabedoria e o amor que oferecem. E para avós como eu? Não há nada mais maravilhoso para me fazer sorrir do que ganhar um abraço de meus netos e passar tempo com eles.

Como você pode incentivar a interação e incorporar os avós mais plenamente à sua vida diária?

Lembre-se de que você está no banco do motorista
É você quem estabelece a agenda de seus filhos e a sua própria agenda. Se os avós são aposentados ou estão diminuindo as atividades profissionais, eles provavelmente têm mais tempo disponível que você, mas podem hesitar em "atrapalhá-lo" em sua vida ocupada. Por isso, dê uma boa olhada em sua agenda. Em que ocasião você poderia estabelecer uma parcela regular de tempo, semanalmente, que pertença a você, a seus filhos e aos avós?

A família Mitchell tem cinco filhos e é afortunada por ter quatro avós vivendo num raio de trinta quilômetros. Todos os domingos, a família inteira se reúne na casa de alguém para uma refeição conjunta em que cada um leva um prato. Cada família contribui com alguns pratos, e todo mundo se junta em torno de uma confusão de mesas dispostas numa grande roda, formada onde houver espaço. Durante o almoço, os avós se revezam na tarefa de contar histórias de sua infância. Depois do almoço, também de maneira alternada, os avós se envolvem individualmente na realização de alguma atividade especial com um dos netos. Essa tradição especial de domingo já dura três anos, e até mesmo os que agora são adolescentes rejeitam convites dos amigos para poderem passar tempo com o vovô e a vovó.

Pensem em maneiras criativas de os avós participarem daquilo de que os netos gostam
Se os avós moram na mesma região, convide-os para concertos, jogos e outros eventos por meio dos quais eles possam entrar no mundo dos netos. Convide-os para o Dia dos Avós na escola. Encontre maneiras de conectar os interesses de seus pais ou seus sogros com os de seus filhos.

Veja um exemplo. Caitlyn, 9, adorava música e tocava flauta lindamente, mas tinha dificuldade para ler partituras. Seu avô, que também era muito musical, tocava piano maravilhosamente. Sempre que Caitlyn precisava de ajuda com uma música nova, sua mãe fazia um trajeto de carro de meia hora até a casa do avô, e ali ficavam por algumas horas. Enquanto ele e Caitlyn trabalhavam na música, a mãe preparava o jantar para os três. Não apenas Caitlyn aprendia a nova peça, como algumas das horas solitárias do vovô, sozinho desde o falecimento da esposa, eram preenchidas com alegria, música e companhia.

Há pouco tempo, a família Waite mudou-se para Montana, deixando New Hampshire (cerca de três mil quilômetros de distância), onde ficaram o vovô e a vovó. A vovó Agnes e sua neta Ellen costumavam assistir a programas de culinária o tempo todo, e experimentavam as receitas nas manhãs de sábado. Agora, com quase um continente de distância entre elas, ainda fazem a mesma coisa, só que de um jeito um pouco diferente. Elas conversam por mensagens de texto sempre que uma está assistindo a um programa de receitas, e a outra corre para assistir também. Depois, na manhã de sábado, Ellen coloca seu *laptop* na cozinha e chama a avó por Skype enquanto experimenta uma nova receita. A vovó Agnes dá muitos incentivos durante a preparação.

Caindo na real: problemas reais, soluções reais

No ano passado, minha esposa passou por uma mudança no trabalho e teve de fazer um curso intensivo que durou três meses. Ela não apenas trabalhava das nove da manhã às três da tarde, como ia direto para a escola e só chegava em casa depois das dez da noite. Eu também trabalho em tempo integral, começando às oito, e não tinha certeza de como faríamos para levar nossas duas meninas à escola e depois buscá-las. Adicione-se a isso o fato de que não sou aquilo que alguém chamaria de cozinheiro, e eu sabia que passaríamos a pedir muita comida *delivery* no jantar.

Depois de uma semana reorganizando minha agenda e pedindo *pizzas* demais para o jantar, liguei para minha mãe, que vivia em outro estado. Tive de rir. Uma hora depois, ouvi uma batida à porta. É que, quando liguei, minha mãe já estava no carro a caminho de nossa casa, com a mala pronta. Ela estava pensando em se aposentar e, quando nossa situação mudou, decidiu parar de trabalhar. Bendita mãe! Ela morou três meses conosco, passou bastante tempo com as meninas — que se divertiram demais com a vovó — e preparou a maioria das refeições. Ela até me ensinou algumas coisas.

Quando minha esposa concluiu o curso, todos nós saímos para um jantar de comemoração e um passeio de barco num rio perto de casa.

Uma semana atrás, minha mãe ligou para dizer que havia decidido vender sua casa e se mudar para mais perto de nós. A vida estava solitária para ela depois da morte do papai, e ela sentia nossa falta. As meninas ficaram tão animadas que chegaram a gritar ao telefone. Não gostaria de reviver aqueles três meses tão difíceis, mas o que resultou deles solidificou o amor de minhas filhas pela avó.

Alex, Illinois

Quando o vovô e a vovó vieram fazer uma visita, trouxeram um presente especial para Ellen: uma caixa de receitas feita pelo vovô Brach, cheia das receitas favoritas da vovó. Na próxima visita, Ellen e a vovó vão fazer um desafio de cozinha de trinta dias, no qual vão preparar, em um só dia, refeições para trinta dias, para serem estocadas no *freezer*.

Enquanto as meninas cozinham juntas nas manhãs de sábado, o vovô Brach e Aaron, 13, desafiam um ao outro jogando forca. Na semana passada, o vovô sugeriu uma palavra com 27 letras, e Aaron ficou tão impressionado que a escreveu num pedaço de papel para testar os amigos na escola. A manhã de sábado com o vovô é a hora preferida da semana para Aaron.

Aproveite o tempo que vocês passam juntos

Não importa se os avós vivam longe ou perto, faça que o tempo que vocês passam juntos realmente valha a pena. Planeje. Sugira atividades que você sabe que seus pais e seus filhos podem gostar de fazer juntos. Não desperdice o tempo dos avós e não caia no padrão entediante de simplesmente ver televisão ou filmes com eles. Mas, se vocês forem assistir a um filme, que seja um bem "família", que provoque conversas e risos e que se torne uma lembrança ou uma tradição — como ocorre com a família Gruder, que, em todas as vésperas de Natal, prepara tacos e assiste à comédia *Uma história de Natal*. Quando chega a parte em que Papai Noel diz ao menino que ele não pode ter uma arma porque "você vai acertar seus olhos", a família inteira repete a frase.

Sempre valorize o tempo que eles gastaram e a ajuda que deram

Você não pode fazer tudo, e é importante que os pais contem com um esquadrão de apoio que lhes possa prover um tempo de descanso e um pouco de sanidade.

Miriam era o tipo de mulher que estava acostumada a fazer tudo sozinha. Mas, no sexto mês de gravidez de gêmeos, já exausta, pediu a Theresa, sua sogra, que era uma cozinheira fabulosa: "Você pode preparar duas refeições para nós, para que eu possa colocar no *freezer* e usar quando estiver cansada demais para fazer o jantar? Você sabe que Rob adora sua comida". Theresa ficou animada por terem solicitado seu auxílio e se mostrou extremamente feliz em ajudar. Na verdade, mais que duas refeições foram parar no *freezer* de Miriam. Isso também abriu a porta para Theresa se sentir confortável e preparar refeições para Miriam e Rob quando os gêmeos eram pequenos, sem achar que pudesse estar incomodando Miriam.

Quando os gêmeos tinham 2 meses, Theresa recebeu um buquê de margaridas com um bilhete:

Você é um sopro de ar fresco para uma jovem mãe cansada. Obrigada do fundo do coração por TUDO *o que fez por nós. Nunca me esquecerei disso.*
Com amor,

Miriam

Como você vê, o que vale são as pequenas coisas — aquelas que fazem as pessoas se sentirem apreciadas e lembradas. Portanto, peça ajuda aos avós quando precisar deles, mas não espere que eles possam atendê-los sempre. Não se esqueça dos agradecimentos — os pequenos buquês de margaridas da vida. Afinal, os avós são pessoas também. Eles têm vida, responsabilidades e interesses próprios. Você não quer cansá-los. Você precisa da presença deles por bastante tempo.

O TEMPO É CURTO

Vamos encarar os fatos. Você chega à minha idade e é lembrado diariamente que o tempo corre na velocidade de um raio. De fato, há dias em que me sinto mais ou menos como Tom Cruise, que, nos filmes da série *Missão impossível*, parece voar ou correr arranha-céus abaixo. A vida parece um borrão. Mas a coisa mais importante de todas é nos concentrarmos na missão: ter uma família transformada na sexta-feira.

O que isso significa e como podemos realizar essa missão?

Significa reservar tempo para ficarem uns com os outros, ainda que seja apenas uma noite por semana, quando os celulares estarão guardados numa gaveta, para que ninguém possa se intrometer.

Crie alguma diversão à moda antiga

- Façam um passeio de domingo, como a vovó e o vovô faziam. Recentemente, Krissy, nossa segunda filha, me ligou e disse: "Estou ficando igualzinha à vovó. Acabei de dizer a Dennis: 'Vamos dar um passeio'. Pai, estou com trinta e poucos anos!".
- Brinquem com jogos de tabuleiro (proibido usar dispositivos eletrônicos), como *Imagem & Ação*, *Detetive* ou qualquer outro jogo que faça a família inteira se envolver e rir.
- Façam pipoca, acendam velas e contem histórias da família. (Confie em mim; isso é melhor que qualquer filme.)
- Juntem aquele monte de fotos da família e revivam os momentos. Quem sabe os mais criativos de vocês decidam montar um álbum da família?
- Sigam todos para a cozinha, para fazer uma receita favorita da família.
- Sugira novas ideias para fazer em família.

Significa jantares em família, nos quais a opinião de cada pessoa é importante, é ouvida e é incentivada, concordem ou não os outros membros da família. Significa comunicar pensamentos, sentimentos e desejos num ambiente seguro de aceitação incondicional.

Significa criar oportunidades de aprendizado. Significa ouvir a música de seu filho — ainda que seja uma música que você jamais escolheria ouvir. Significa assistir a filmes e discuti-los juntos. Significa dar ouvidos aos comentários que seus filhos fazem e dizer: "Notei isso. Fale mais sobre esse assunto". Significa envolver-se no mundo deles de modo que você possa se tornar um porto seguro para o qual possam retornar. Significa colocar-se atrás dos olhos do outro para ver como ele enxerga a vida.

Significa divertirem-se juntos. Diversão cheia de riso e folia. O tipo de diversão da qual vocês vão falar daqui a vinte anos com seus filhos e netos. Porque a família que brinca unida é a família que permanece unida e desfruta da caminhada juntos.

É por isso que, na família Leman, priorizamos estar juntos e nos divertir. Acabamos de encerrar uma semana deliciosa em nosso chalé de verão, no oeste do estado de Nova York. Fico emocionado por todos os meus cinco filhos adultos *quererem* estar juntos. De fato, eles fazem grandes esforços a fim de organizar suas agendas e também separar o dinheiro para voar do Arizona ou da Califórnia para Nova York, de modo a desfrutar de tempo em família.

> Priorizamos estar juntos e nos divertir.

Na semana passada, rimos tanto que quase caímos na água enquanto andávamos de barco.

Nós nos esbaldamos de cantar enquanto esperávamos a garçonete que nos atenderia. Quando ela chegou e perguntou o que gostaríamos de beber, todos gritamos ao mesmo tempo o que queríamos. "Tudo bem, cambada, vamos começar de novo", eu disse. E fizemos a mesma coisa outra vez. A garçonete não conseguiu evitar e morreu de rir também. Cheguei até a notar certo molejo a mais em seus passos quando ela nos deixou e foi atender outros clientes.

Marchamos num desfile barulhento por todo o interior de nossa casa, subindo e descendo a escada e cantando músicas infantis. Colocamos chapéus esquisitos ou panelas na cabeça, ou batemos uma colher numa panela para celebrar o aniversário de alguém da família. Para o mundo lá fora, podemos parecer completamente loucos. Mas nós, os Leman, sabemos que as tradições, as pequenas coisas, é que são importantes, que tornam o tempo que passamos juntos especial e memorável.

A vida às vezes é dura? Sim, é. Mas a vida não precisa ser tão séria a ponto de você deixar de se divertir em família. Por isso, se você não está tendo diversão, é hora de fabricar alguma.

Você tem apenas um breve período de tempo para fazer diferença na vida de sua família. Agora é a hora de fazer isso.

Ter uma família transformada na sexta?

É uma *missão possível*.

Questionário familiar

1. Reflita sobre suas lembranças familiares prediletas. Por que aqueles momentos em particular foram tão importantes e memoráveis para você?
2. Quais são as coisas simples que você pode fazer esta semana para que os membros da família se sintam estimados e lembrados?
3. Como você poderia construir uma conexão mais forte entre seus filhos e os avós? Pense em algumas coisas. Por que não tentar colocá-las em prática esta semana?
4. De que maneiras específicas você faz que seu tempo juntos como família seja valioso?
5. Se você pudesse incorporar uma tradição familiar à vida de vocês, qual seria e por quê?

_____PERGUNTE AO DR. LEMAN

Assuntos atuais e conselhos que comprovadamente funcionam

Viajo pelos Estados Unidos e encontro pessoalmente milhares de pais e avós todos os anos. A seguir, você verá algumas das perguntas mais frequentes que eles me fazem com relação aos assuntos deste livro, bem como alguns conselhos comprovados na prática.

_____SEGUNDA-FEIRA

Comunicação e dinâmica familiar

GRITAR OU SER INDIFERENTE?

P: Cresci num lar onde meu pai gritava quando estava irritado e minha mãe ficava indiferente quando chateada. Como pai, vejo-me alternando entre as duas opções, dependendo do dia, e não consigo parar de agir assim. Socorro!

R: Se você mesmo não consegue parar, quem vai conseguir? Você precisa tomar as rédeas das palavras que diz, ou das que não diz, e de como reage. Todos somos influenciados pelo mundo em que crescemos. Muitos pais já disseram a si mesmos: "Nunca direi a meu filho ou a minha filha aquilo que meus pais me diziam", e não apenas dizemos, mas o fazemos com tom e inflexão de voz idênticos aos de nossos pais.

Você é um produto do ambiente em que cresceu. Mas isso significa que não pode mudar? Não, simplesmente quer dizer que você é um pouco como o alcoólico que, para permanecer sóbrio, precisa dizer: "Só por hoje não vou beber". Você não é a primeira pessoa a enfrentar dificuldades com isso, e não será a última. Encare um dia por vez, ou até mesmo um evento por vez. Quando as situações surgirem, pergunte a si mesmo antes de responder: "O que costumo fazer?". Em seguida, pergunte-se outra vez: "O que quero fazer diferente desta vez?". É algo que sempre funciona, como mágica. Você *pode* lidar com isso.

O BEBÊ EXIBIDO DA FAMÍLIA

P: Temos quatro filhos, nascidos com dois anos de diferença. O mais novo se mete em confusão o tempo todo na escola. Parece que não consegue levar os estudos a sério. Está sempre fazendo palhaçadas, distraindo as outras crianças e fazendo pegadinhas. A professora conversou comigo e com minha esposa, dizendo que precisávamos trabalhar o autocontrole dele. É um menino com bom coração, mas a professora está certa em relação ao autocontrole. Como podemos ajudar nosso filho a entender que existem momentos em que não há problema em brincar, mas que, em certas situações, isso não é bom? Eu era do mesmo jeito quando criança, sempre me envolvia em confusões na escola, mas acabei me corrigindo.

R: Ah, papai, então você também é o caçula da família — o comediante. Conhece a sensação de estar nessa posição e sente empatia — talvez até demais — por seu filho. Os pais geralmente se identificam mais com o filho que ocupam a mesma posição na ordem de nascimento e, em alguns casos, podem deixar esse filho escapar impune mais vezes. Será que isso pode estar acontecendo com você também?

Vamos encarar os fatos. Seu filho tem vários concorrentes acima dele, que provavelmente se dão bem na escola e já liam aos 3 anos. Assim, uma das maneiras de o caçula compensar o fato de não conseguir acompanhar os irmãos mais velhos é exigindo atenção por meio do comportamento. Ele está em desvantagem em relação a todas aquelas estrelas brilhantes antes dele. Parece que você sabe disso por experiência, de sua infância e adolescência.

Sim, você precisa fazer um esforço para frear o mau comportamento dele. Isso se chama *disciplina*. Mas também há momentos em que esse rapazinho faz algo que coloca a família inteira no chão de tanto rir, pois ele é muito bonitinho, charmoso e agradável de ver. É possível que ele esteja sendo recompensado pela família por algumas de suas estripulias em casa, de modo que tenta usar a mesma tática na escola, onde os resultados são diferentes. Sugeriria uma breve conversa com seu filho, que deve seguir mais ou menos este rumo: "Filho, quando você fez aquela cara de sapo no jantar, todos nós rimos histericamente. Quase caímos da cadeira, lembra? Você é realmente bom em fazer as pessoas rirem, e admiro isso em você. Mas há momentos em que isso é adequado e outros em que não é. Por exemplo...".

O que você fez nessa conversa? Você incentivou seu filho por aquilo que ele faz bem, mas também lhe deu um banho de realidade, informando-o de que às vezes as atitudes dele são impróprias. Acredite em mim: seu filho vai dar ouvidos a esse tipo de conversa equilibrada. E — agora um caçula falando a outro — não seja tão duro com o menino. Ele *vai* crescer e se transformar em alguma coisa boa. Isso evidentemente aconteceu com você. Aconteceu comigo. E logo vai acontecer com seu filho.

PRIMOGÊNITO PERFEITAMENTE ESTRESSADO

P: Nossa filha primogênita é uma boa aluna, ativa nos esportes, bastante responsável e muito querida por todos. Ela também já começou a pesquisar algumas faculdades (e está apenas na metade do primeiro ano do ensino médio). Ultimamente, porém, ela parece muito estressada e reclama de dores de estômago. Nunca consegue relaxar ou se acalmar. Estou preocupada com tanto comprometimento. Ela parece levar a vida muito a sério. Há algo que eu possa fazer?

R: Ela de fato leva a vida a sério. Ela é primogênita. Os primogênitos são os ratos de laboratório da família — aqueles com quem você experimenta todos as técnicas de como criar filhos. Sua filha tem a necessidade de saber o que vem adiante e de conhecer cada detalhe. E agora ela entrou numa nova fase, pensando em faculdades. Os primogênitos não gostam de fracassar. Ela pode estar preocupada com o fracasso ou com a possibilidade de não fazer a escolha certa para o futuro. Como você pode ajudar?

Incentive-a para que ela fale, dizendo coisas como: "Vejo que você está olhando algumas faculdades. Viu alguma coisa interessante?". Isso vai levá-la a conversar sobre o que considera como opções e lhe mostrará a direção na qual está interessada. Também é mais provável que ela compartilhe essa ansiedade com você.

Os primogênitos são capazes de resolver os detalhes sozinhos, mas ajuda se você ouvi-los atentamente. Para pôr as opções dela em perspectiva, você pode dizer de maneira casual: "Li certa vez que alunos universitários mudam sua área de estudos de quatro a seis vezes entre o primeiro e o último ano de faculdade. E a maioria dos adultos muda de carreira pelo menos duas ou três vezes na vida". Com isso, você está dizendo: "Filha, você não vai ficar presa o resto da vida à escolha que fizer agora". Só isso já ajuda a aliviar a pressão.

FILHOS DO MEIO: NA DIREÇÃO OPOSTA

P: Meu primogênito é quieto e estudioso. Podemos garantir que ele cumpre o que diz e fará praticamente tudo o que pedirmos. Meu filho do meio é um desafio: agressivo e sincero demais. Parece que ele nunca está por perto quando há um trabalho a ser feito. E, quando vou atrás dele e peço que faça algo, ele faz, mas não totalmente, como o primogênito. O que fazer para que ele seja mais responsável como seu irmão?

R: Antes de mais nada, pare de comparar seus filhos. Eles são diferentes, portanto trate-os de maneira diferente. A atitude de seu filho do meio de dar apenas "um tapa" nas tarefas é a forma que ele tem de dizer: "Não consigo alcançar meu irmão mais velho, ou seja lá quem você acha que devo acompanhar, então só vou fazer o básico e nada mais". A criança olha para aquele que a precede na ordem de nascimento e decide como se comportará. Seu filho do meio olhou para o irmão mais velho e disse a si mesmo: "Ele já ocupou o lugar do menino bom, esperto e responsável. Não posso competir com isso".

Independentemente de como o primogênito seja, o filho do meio seguirá a direção oposta. Os filhos do meio também são os mais reservados e tendem a pender sua lealdade na direção dos amigos, que lhes são muito importantes. Para trazer seu filho do meio para perto de você, a melhor solução é surpreendê-lo fazendo algo bom e incentivar: "Obrigado, filho, por limpar o carro ontem. Gostei muito". Ou: "Notei que seu amigo parecia bem desanimado e você o animou. Filho, fico muito feliz que você se importe com os outros dessa maneira. Isso diz muito sobre você e sobre o tipo de pessoa que você é".

Seus filhos clamam por sua atenção e sua aprovação e vão fazer de tudo para obtê-las. Portanto, ainda que ontem seu filho do meio tenha feito um trabalho mais ou menos, sua gratidão o levará a querer fazer mais por você e, naturalmente, ele elevará o próprio nível de responsabilidade. Mais que qualquer outra coisa, o filho do meio quer ter um relacionamento com você. Apenas ocorre que ele às vezes se sente perdido no meio da desordem do lar. Passar algum tempo sozinho com ele fará maravilhas para seu relacionamento. Seu filho do meio nunca será como seu primogênito, mas será ele mesmo... como deve ser.

FAMÍLIAS RECONSTITUÍDAS SÃO MAIS COMPLICADAS

P: Nós nos casamos há um ano, e tanto eu como meu marido temos filhos de casamentos anteriores que agora vivem conosco. Essa mistura é um pouco mais difícil do que pensávamos. Meus filhos e os filhos dele têm problemas para se relacionar uns com os outros e acabam ficando juntos dos irmãos naturais. Isso torna difícil conversar sobre questões familiares. Alguma ideia para tornar essa combinação mais fácil?

R: Esteja ciente de que são precisos aproximadamente sete anos para que uma família reconstituída de fato entre nos eixos. Até lá, ela pode ter aparência e sabor parecidos com os de uma vitamina que não foi bem batida: está cheia de pedaços e não é fácil de ser engolida. Também não existem mais os "meus filhos" e os "filhos dele". São todos "seus filhos". Quanto mais cedo você começar a pensar neles assim, melhor. Você e seu cônjuge precisam agir como um time, e não como papai e mamãe individualmente, senão seus filhos não os verão dessa maneira. Mas esteja preparado. As crianças são pequenas hedonistas que farão de tudo para dividir a equipe. Afinal, elas estão acostumadas a ter apenas papai ou apenas mamãe, e agora existem várias criaturas estranhas envolvidas.

É muito importante que vocês passem a fazer uma reunião familiar semanal. Sim, as crianças vão reclamar disso, mas confie em mim quando digo que é necessário. Reúna todo mundo, sirva um lanche (comida faz todo mundo ficar de bom humor), dê informações sobre atividades familiares futuras e estabeleça as regras básicas: conversa honesta e direta, mas gentil, e apenas uma pessoa falando de cada vez — sem interrupções — até que tenha terminado. Então, faça perguntas como: "O que está funcionando bem para você neste momento como parte da família?" e "O que você acha que poderia mudar?".

Lembrem-se, pai e mãe, de que as regras também são uma pista de mão dupla. O que você exige de seus filhos também será exigido de você. Portanto, mamãe e papai, é hora de assumir responsabilidades. Vocês nem sempre gostam do que ouvem, mas, para que a comunicação familiar seja aprimorada e a família de fato constitua uma unidade, vocês precisam processar de maneira positiva aquilo que seus filhos têm a dizer. A fim de serem uma família transformada, todo mundo precisa sair dessas reuniões sentindo que foi ouvido.

Perceba que eu não disse que todo mundo vai concordar com todas decisões. Isso não vai acontecer, e você precisa tomar a decisão assim mesmo. Mas cada pessoa merece um lugar e uma voz na mesa de comunicação da família.

BRIGA JUSTA

P: Já li todo tipo de artigos de revista sobre brigas de irmãos e não estou certo no que devo acreditar. Alguns dizem que se deve deixar as crianças saírem na pancadaria (mas sem se matarem). Outros dizem que, sob nenhuma circunstância, os irmãos devem ter permissão de brigar. Meus filhos — dois meninos e uma menina — tendem a brigar muito. Qual a sua opinião?

R: Se você está se referindo à luta física — dar socos, bater — isso *nunca* deve ser permitido numa família. Sim, seus meninos vão se pegar; isso é típico dos meninos. Mas brincar de luta é diferente de dar socos e chutar um ao outro. Também não se deve permitir que as meninas batam umas nas outras nem que se arranhem.

Se você está falando sobre briga verbal, lembre-se de que as crianças são humanas. Elas lançam palavras a torto e a direito. Mas, quando o fazem, quem é a pessoa que elas provavelmente estão tentando envolver? Você. A verdadeira razão de estarem fazendo todo aquele carnaval é enredar você.

Qual a melhor coisa que você pode fazer tanto no curto como no longo prazo?

Insista que, se forem brigar, que briguem de maneira justa. "Nada de briga física. Sem gritos. Uma pessoa diz o que pensa e a outra permanece calada, em silêncio, até que a primeira termine. Então a segunda pessoa rebate tudo o que a primeira disse. Em seguida, a primeira pessoa tem a oportunidade de esclarecer o que disse." É comum que, no calor da batalha, alguém acabe perdendo detalhes que fazem uma enorme diferença na interpretação.

Pegue firmemente os briguentos pela mão e coloque-os juntos numa sala. Então diga: "Vocês precisam resolver isso. Não quero que saiam deste quarto até que tenham acabado". Em seguida, feche a porta e saia.

"O quê? Não posso fazer isso", você está dizendo. "Eles vão se matar." Não, na verdade, é improvável que eles façam isso. Eles provavelmente ficarão em pé, olhando estupidamente um para o outro, sentindo-se um pouco envergonhados e desanimados pelo fato de você os ter prendido juntos no quarto e de não estar ali para atuar como juiz. Se eles saírem muito rapidamente, sem que aparentem ter resolvido a questão, coloque-os de volta no quarto até que resolvam. Nada mais acontece — nada de jogo, nada de tempo com os amigos — enquanto o conflito não estiver resolvido.

O mais importante, pais, é que, para vencer essa luta, vocês precisam ficar fora dela.

FRIEZA OU DELICADEZA?

P: Cresci num lar onde meu pai dava as cartas, e lágrimas eram proibidas, especialmente as de um menino. Meu pai não era um homem cruel, mas não me lembro de ouvi-lo dizer uma vez sequer que me amava ou que tinha orgulho de mim. Ele era o tipo silencioso, da velha escola — aquela geração em que pais não falavam sobre sentimentos, mas presumiam que seus filhos sabiam que eram amados porque o papai trabalhava duro para sustentá-los.

Minha esposa foi criada num lar onde se incentivava falar dos sentimentos, e o pai dela a abraçava e dizia com frequência que a amava. Ele até mesmo chorou no dia de nosso casamento enquanto a conduzia pelo corredor da igreja. (Espero que isso tenha acontecido pelo fato de que ele sentiria muito a falta dela, e não porque ela estava se casando comigo!)

Nosso filho está agora com 4 anos. Dia desses, ele arranhou o joelho e começou a chorar. Quando eu lhe disse que ele não deveria chorar porque era um arranhãozinho de nada e que meninos não choram, minha esposa foi terminantemente contra o que eu disse. Ela não via problema algum em chorar. Eu lhe disse que queria criar um menino que se tornasse um homem forte, e não um maricas. Foi então que ela começou a me repreender, dizendo que eu não dizia a ele que o amava, que não o abraçava o suficiente, e assim por diante.

Nos últimos dias, nosso quarto parece um frigorífico. Quem de nós dois está certo? Quem está errado? Se sou eu, o que fiz de errado? Por favor, ajude-me com isso.

R: Nenhum dos dois está certo ou errado. Vocês são simplesmente diferentes. De fato, dizer que vocês vêm de polos completamente opostos é uma simplificação. Quando vocês se casaram, não apenas se casaram um com o outro, mas também com as suas origens. Ambos precisam ter uma conversa o mais rápido possível sobre como o histórico de vocês afeta a maneira como reagem um ao outro e a seu filho. É hora de agir como homem, começando com um pedido de desculpas: "Querida, sinto muito pela maneira como respondi a você aquele dia. Amo muito você e nosso filho e sei que a magoei. Está claro que há coisas que fazemos de maneira diferente, e creio que seria bom se eu contasse mais sobre como fui criado e o que meu pai fazia. Também adoraria ouvir mais sobre você e seu pai. Talvez possamos fazer boas escolhas juntos".

Existe uma verdade muito importante que você precisa levar consigo em todas as suas discussões: as palavras que você escolhe usar com aqueles a quem ama farão toda a diferença. Quando você disse que não queria que seu filho fosse um "maricas", isso certamente eriçou sua esposa e provocou uma discussão. Eu sugeriria que você não usasse palavras como essa no futuro. Também é bom que, com a boca bem fechada, você pense antes de dizer qualquer coisa. Sua esposa foi criada com um tipo um pouco mais gentil de comunicação e acredita ser fundamental dizer a uma pessoa que você a ama.

Portanto, gostaria de lhe perguntar: como você se sentia, na infância e na adolescência, quando seu pai lhe dizia que meninos não choram? Você queria que ele lhe dissesse, pelo menos uma vez: "Amo você"?

Seu filho pensa as mesmas coisas que você pensava. Agora, é você quem está no assento do motorista. É hora de fazer uma mudança na direção.

Comece a dizer à sua esposa hoje mesmo quanto você a ama. Depois, pegue aquele garotinho em seus braços e diga-lhe a mesma coisa.

Se você o fizer, garanto que o gelo começará a derreter no seu quarto. Não há nada que uma mãe adore mais do que ver o marido derramar afeição sobre o filho dela.

A PEQUENA MANDONA

P: Tenho três filhos. Minha filha primogênita é mandona, uma líder natural. Os outros não têm chance. Como posso ajudar a empatar o placar?

R: Quando a Pequena Sabe-Tudo começar a falar categoricamente com os outros, apenas diga: "Querida, segure suas palavras por um instante. Quero ouvir o que seus irmãos têm a dizer". Além disso, crie um lembrete mental de modo a não se esquecer de perguntar com frequência às outras crianças: "O que *vocês* acham disso?" ou "Gostaria de saber mais sobre como vocês se sentem em relação a esse assunto". Isso dá a seus filhos uma chance de serem ouvidos. Garanto que, se você agir assim, os mais novos vão pensar: "Uau, isso é muito legal. Mamãe está interessada no que penso".

Também pode ajudar se, ao colocar os mais novos individualmente na cama, você disser algo como: "Estava pensando em sua irmã mais velha. Às vezes ela age como se soubesse tudo na vida, não é?".

Seu filho vai pensar: "Pode ter certeza que sim".

Agora que você conseguiu trazer seu filho para perto e fez que ele a ouvisse, continue: "Sabe o que mais aprecio em você? É a sua [fidelidade, honestidade, altruísmo etc.]. Lembro-me de quando..." e relate uma situação recente em que você tenha visto seu filho usar aquela qualidade para o bem de outras pessoas. Nessa noite, seu filho mais novo vai dormir pensando: "É, não sou minha irmã mais velha, mas sou valorizado nesta casa". A propósito, essa técnica funciona igualmente bem em relacionamentos adultos e profissionais.

Para mais informações, leia meus livros *Mais velho, do meio e caçula* e *Novo casamento... novos filhos*.

TERÇA-FEIRA

Tempo, prioridades, atividades, trabalho e finanças

NUNCA DÁ TEMPO

P: Nunca tenho tempo para realizar todos os itens de minha lista de afazeres como mãe. Se conseguisse fazer o mundo parar por um mês e, ao mesmo tempo, continuar minhas tarefas, talvez tivesse uma chance de pôr as coisas em dia. Mas os gêmeos estão no início do ensino médio e eu trabalho enquanto eles estão na escola, e isso me faz levantar todas as manhãs sob o peso daquilo que não consigo fazer. Como posso aprender a não ser tão exigente com as coisas? E como posso saber do que devo me desapegar?

R: Deixe-me adivinhar. Você é provavelmente uma primogênita que assume mais do que consegue dar conta e/ou é alguém que adora agradar os outros e quer garantir que a estrada da vida de todo mundo seja suave, o que faz que a sua estrada seja esburacada. A propósito, não é possível aprender a desapegar. Você simplesmente desapega ou não.

Parece que você precisa de uma grande pausa, mãe. Veja o que sugiro. Pegue uma xícara de café ou de chá em algum momento hoje, coloque sua agenda à sua frente e dê uma machadada nela.

Num pedaço de papel, escreva os dias da semana, depois olhe para sua lista de afazeres para os próximos sete dias. Se alguma coisa *tem* de ser feita em determinado dia (por exemplo, levar ao médico o filho com asma), anote nesse pedaço de papel. Caso possa esperar ou realmente não precise ser feito (quem se importa se houver um nadinha de poeira acumulada nos cantos da cozinha ou se o corrimão da escada não passar no teste da luva branca?), deixe de fora da lista. É melhor manter a sanidade do que ver sua casa na capa de uma revista de decoração.

Assim que terminar, examine a lista. É humanamente possível fazer o que você listou para um único dia? Se não é, pegue uma caneta vermelha e comece a cortar. Você ficará surpresa diante de todas as coisas que faz e que são desnecessárias quando vistas sob a perspectiva do longo prazo. É claro que algumas pessoas não serão tão simpáticas ao ver que você não está fazendo o que costumava fazer, mas, acredite, elas vão sobreviver. Você se sentirá muito melhor em relação a si mesma em vez de se sentir derrotada todos os dias antes mesmo de acordar.

Use um cutelo e golpeie sua agenda hoje. Não viva sob esse tipo de estresse por nem mais um dia.

ANÁLISE DE PRIORIDADES

P: Com tantas coisas me pressionando, às vezes é difícil saber o que priorizar. Vejo-me patinando, mudando de projeto para projeto, sem conseguir de fato realizar alguma coisa. Como posso determinar o que é importante e o que não é e então bolar um plano para realizar essas coisas?

R: Deixe-me adivinhar. Você cresceu num lar onde um dos pais (ou os dois) era perfeccionista, e você tinha medo de fracassar. Você provavelmente é uma pessoa brilhante, mas se acomodou num pensamento derrotista porque aquilo que você fazia nunca era bom o suficiente para seus pais. Você arrumava a cama e sua mãe dizia: "Bom trabalho", mas em seguida ela a refazia porque não estava perfeita. Depois de um tempo você aprendeu que não terminar um trabalho era melhor do que receber críticas.

Portanto, quero perguntar uma coisa: você patina por medo de que aquilo que está fazendo agora não seja suficiente? Você está simplesmente distraída diante das muitas coisas que tem a fazer em seu dia? Ou não consegue dizer não às pessoas que lhe pedem coisas? A resposta está na sua resposta a essas perguntas.

Se você tem medo de fracassar ou de ser criticada, entenda que ninguém é perfeito. Todos nós falhamos. O segredo é aprender algo com o fracasso, algo que a capacite a ter sucesso no futuro. Ninguém é bom em tudo; todos estamos na curva de aprendizado da vida.

Se você está distraída diante dos muitos afazeres de seu dia, leia a pergunta e a resposta anteriores ("Nunca dá tempo").

Se você não consegue negar coisas às pessoas, pratique dizer "não" na frente do espelho. Grave a palavra *não* no telefone, na geladeira ou em qualquer outro lugar para onde você olhe. Quando alguém lhe pedir para fazer uma tarefa, se não conseguir rejeitá-la imediatamente, diga: "Obrigado por me falar sobre essa oportunidade. Vou pensar nela e lhe dar um retorno". Então vá para casa, verifique sua agenda e pense se realmente quer e precisa incluir ali essa atividade. Será que é alguma coisa que você gosta de fazer ou tem tempo para realizar? Nunca tenha medo: se disser "não", aquilo lhe será pedido de novo. Sempre existem oportunidades. O fundamental é aprender qual oportunidade pegar e quando fazê-lo.

PERTO DA EXAUSTÃO

P: Tenho três filhos abaixo dos 12 anos e leciono para eles em casa. Também participamos de algumas classes comunitárias dois dias por semana, de modo que ficamos fora nesses dias. Nossos filhos estão envolvidos em aulas de violão e de piano e também com os escoteiros, o que nos toma três noites por semana. Agora, nosso filho mais velho quer começar a ter aulas de alpinismo, que tomariam todos os sábados dele — e os meus, uma vez que preciso levá-lo até lá e trazê-lo de volta. Nosso filho do meio quer se candidatar a um papel numa peça de teatro da vizinhança. Quero que meus filhos tenham boa educação, sejam capazes de tirar vantagem das múltiplas oportunidades e de explorar seus talentos, mas estou exausta de toda essa correria. Como posso diminuir as atividades sem provocar um curto-circuito nos objetivos que tenho para eles?

R: Tenho uma sugestão. Por que *você* não se matricula na classe de alpinismo? Assim, terá um longo e agradável dia de descanso todos os sábados. Você precisa descansar. Está carregando a sobrecarga da supermãe, e vai ter um treco se não cuidar de si mesma. A primeira coisa de que seus filhos precisam, antes de qualquer oportunidade externa, é uma mãe que esteja descansada e que lhes possa estar disponível em termos psicológicos, emocionais e físicos. Você não pode fazer isso se estiver no hospício.

As crianças não precisam de todas essas atividades, mas elas realmente precisam de você. Parece-me que você deve avaliar todas as áreas de sua vida, incluindo a educação dos filhos em casa, as classes comunitárias, as aulas de música e os escoteiros. Sempre recomendo apenas uma atividade externa por semestre para cada filho. Qualquer coisa além disso é sobrecarga, e você estará queimando a vela nas duas pontas. Todos temos de fazer escolhas na vida. Agora é hora de reduzir seu estresse.

Mas isso precisa começar com você dizendo a seu marido e a seus filhos: "Estou fazendo coisas demais. Sei que devemos cortar algumas coisas, mas preciso da opinião de vocês. O que funciona para vocês? O que não funciona?". Você ouve a opinião de seus filhos, mas depois você e seu marido tomam as decisões e se mantêm firmes nelas. Em alguns meses, todos estarão felizes pelo que fizeram.

CARONAS MALUCAS

P: Amo e odeio as caronas para levar as crianças à escola. Elas agilizam minha vida. Sim, só preciso dirigir um dia por semana até a escola, e isso me faz poupar quase uma hora e meia por dia (vinte minutos para ir e para voltar da escola duas vezes por dia), mas esse dia é insano, pois tenho de lidar com os filhos de outras quatro famílias. Meus filhos e eu precisamos levantar mais cedo para poder pegar as outras crianças. Será que a troca vale a pena? Ainda não fiz as matrículas para o novo ano escolar. Estou analisando...

R: O simples fato de você estar perguntando "Será que a troca vale a pena?" já me diz a resposta. Não, não vale. Parece-me que você ficaria menos estressada levando e buscando seus filhos na escola cinco dias por semana e podendo ficar um pouco mais de tempo na cama no dia em que teria de levar os outros. Além disso, na metade do tempo em que você estará dirigindo, ficará sozinha consigo mesma, de modo que isso será um tempo de recuperação. Para mim, a resposta está clara como um cristal. Abandone as caronas.

VOLTAR A TRABALHAR OU NÃO?

P: Meu caçula está agora no jardim de infância. Estou considerando a ideia de voltar ao mercado de trabalho a fim de ajudar a poupar para coisas de que vamos precisar no futuro, como um carro novo ou a faculdade dos filhos. Mas também estou dividida, porque, para mim, é muito importante ficar em casa, e gosto de ver meus filhos saírem para a escola e de recebê-los de volta depois da aula. Algum conselho?

R: Voltar a trabalhar é uma grande oportunidade para você, neste momento em que todos os seus filhos estão na escola. Converso com muitas mulheres que querem trabalhar fora de casa, sair e pôr em prática suas habilidades. A verdade é que, hoje em dia, mais mulheres que homens se formam nas universidades. Também é bom ter em mente os gastos futuros, como a educação superior dos filhos.

No mundo ideal, se você puder encontrar um trabalho que coincida com o horário de aulas, seria uma grande vantagem. Assim, você poderia fazer aquilo que sonha: mandar as crianças para a escola e recebê-las mais tarde. Para elas, isso será como se você estivesse em casa o dia inteiro, ainda que trabalhe nesse intervalo de tempo.

Outra opção é trabalhar meio período. Isso manteria você ativa no ambiente de trabalho e ainda permitiria que estivesse em casa na maior parte do tempo com as crianças. Seus filhos ainda ficam resfriados e têm dias de folga da escola, de modo que, se você estiver num emprego de tempo integral, haverá um preço que você e sua família terão de pagar. Ainda melhor é que você verifique opções como trabalhar em casa ou revezar o trabalho com alguém. Em geral, esses são os empregos com expedientes mais flexíveis, contanto que consiga cumprir a tarefa.

APERTO FINANCEIRO

P: Recentemente, devido a mudanças na economia, meu marido perdeu o emprego que teve por quinze anos. Temos dois filhos pequenos, com 5 e 6 anos, e parece que precisarei voltar a trabalhar, já que meu marido procurou trabalho por um mês e não conseguiu nada que se aproximasse de seu campo de atuação. Eu já trabalhei numa área em que é possível ganhar bastante dinheiro trabalhando menos horas, por isso decidimos juntos que a melhor opção seria eu trabalhar... por enquanto. Se meu marido escolhesse um emprego fora de sua área, teríamos de trabalhar praticamente o dobro de horas que ele tem trabalhado para conseguir pagar as contas. Sendo assim, por ora, ele será um pai que fica em casa cuidando das crianças e procura emprego, enquanto eu voltarei a trabalhar. Mas ainda estou dividida, porque gosto muito de ficar em casa com nossos filhos e não quero deixá-los. Como podemos fazer uma transição mais tranquila para nossa família?

R: Em primeiro lugar, a transição não será fácil, uma vez que as crianças estão acostumadas a ter você por perto o tempo todo. As mães fazem as coisas de certa maneira, e os pais não vão fazê-las do mesmo modo — ora, eles não são mães. Portanto, esteja preparada para lágrimas e talvez até mesmo para ataques quando sair para trabalhar. O que os filhos estarão dizendo é: "Quero as coisas do jeito que sempre foram. Não quero que você vá embora".

Contudo, o importante é que você mesma aceite essa mudança com calma, como adulta. Não deixe que a culpa motive nenhuma de suas ações. As crianças conseguem ler as emoções dos pais assim como um jogador profissional entende o que um parceiro de time vai fazer. Você não deve dizer: "Bem, crianças, grandes mudanças acontecerão. Não vou mais levar vocês à escola nem pegá-las depois. Papai vai fazer isso. As coisas serão diferentes". Se fizer isso, seus filhos sagazes aproveitarão o momento e começarão a fazer você se sentir culpada.

Em vez disso, elimine todo estresse possível dessa ocasião difícil. Arrume-se em silêncio para ir trabalhar, abrace-os e acene alegre enquanto sai pela porta, haja ou não lágrimas em seus olhos. Também não espere que seu marido seja você. Posso lhe garantir que, ao chegar em casa, você não a encontrará tão limpa e arrumada como aconteceria se você cuidasse dela. O jantar no forno pode ser comida congelada em vez de macarrão com molho caseiro. Simplesmente faça de conta que foi parar no meio de um acampamento de pais e filhos e sorria.

O que vale é a forma como vocês dois, os adultos, se ajustam às mudanças. Se você assumir suas tarefas de maneira calma e despretensiosa, as crianças ficarão bem. Elas aprendem com os pais o que é importante e o que não é. Portanto, seja esperta e garanta que qualquer discussão com seu cônjuge em relação às mudanças e ao modo como elas estão afetando cada um de vocês ocorra bem longe dos ouvidos das crianças.

Para mais informações, leia meu livro *Transforme a si mesmo até sexta*.

QUARTA-FEIRA

Disciplina e atitude

FILHOS PROCRASTINADORES

P: Temos cinco filhos, com idades entre 11 e 17 anos. A regra em nossa casa é que cada filho deve ter concluído todas as suas tarefas até sexta-feira pela manhã, antes da escola, para que esteja livre para realizar atividades com amigos no fim de semana. Mas eles protelam e deixam para concluir as tarefas cada vez mais tarde no fim de semana. Como posso garantir que eles as realizem no prazo combinado?

R: Seu trabalho não é garantir que eles realizem as tarefas. Seu trabalho é manter-se firme naquilo que você disse que vai fazer. Acredite em mim: quando eles receberem um convite para fazer alguma coisa com os amigos, mas não puderem ir porque não terminaram as tarefas em casa — e precisarem ficar olhando um para a cara do outro durante todo o fim de semana —, você ficará maravilhada em ver quão rapidamente eles vão concluir esses afazeres. É bem possível que você tenha se sentido mal no passado e tenha cedido às reclamações deles, de modo que não é surpresa que não estejam agindo de maneira adequada. A mudança começa agora. Se você se mantiver firme em seu plano, aposto que terão terminado as tarefas da semana que vem já na terça-feira.

Este é o plano. Quando seus filhos descobrirem, na noite de sexta, que não vão poder passar o final de semana com os amigos, eles vão resmungar. No início, pensarão: "Ah, a mamãe só está irritada; vamos passar ilesos por essa tempestade". Mas, quando você recusar todos os pedidos para fazerem coisas com os amigos no sábado também — e ficar firme nisso a despeito de qualquer súplica —, eles vão entender. A maioria dos filhos vai entrar no modo ação total nas tarefas: "Tudo bem, entendi. Cumpro meus afazeres, e então mamãe me deixa ir".

Esse é um momento de ensino, pais. Secretamente, vocês estão animados com o fato de seu filho até mesmo estar fazendo as tarefas, mas quando ele disser: "Tudo bem, posso ir agora?", sua resposta será: "Não. Não neste fim de semana. Mas, se na próxima semana você terminar suas tarefas antes da manhã de sexta, então poderá combinar programas com seus amigos".

Em seguida, você sai de cena e deixa aquele filho de boca aberta.

BRIGAS ENTRE IRMÃOS

P: Cresci com meninas, mas agora tenho dois meninos. Eles têm 5 e 7 anos e parecem brigar o tempo todo. O mais velho é bastante controlador e vive desprezando o irmão mais novo, que simplesmente aceita o desprezo. Estou preocupada que o caçula venha a ter uma autoestima ruim. O que faço?

R: Dois meninos com essa diferença de idade serão rivais e vão brigar. Mas a briga deve ser pelo menos justa. Reúna a família e estabeleça regras para discordarem de maneira justa: nada de luta física. Um lado fala e o outro não interrompe; depois, o outro lado fala e o primeiro não interrompe.

Eu também chamaria de lado o menino mais velho e diria: "Seu irmão adora você. Ele acha que você é o maioral. Ele vê tudo o que você faz. Fico triste por ver como você às vezes o trata". No fundo do coração, seu filho mais velho quer agradar você e ele realmente ama o irmão. Ele só precisa de um alerta gentil.

AS TAREFAS SÃO UM PESO

P: Meu filho de 12 anos sempre se esquece de cumprir suas tarefas — alimentar o cachorro, levá-lo para passear e colocar o lixo para fora —, e eu tenho de fazê-las. Como posso torná-lo mais responsável?

R: Antes de mais nada, não é possível tornar uma criança mais responsável. Você pode oferecer oportunidades para que ela aprenda a ser mais responsável. Segundo, por que você tem de fazer as tarefas de seu filho? Quando ele voltar da escola, deixe-o ver o Rex olhando com tristeza para a tigela vazia. Isso pode ajudar. Ainda melhor, por que não deixar a porta do quarto aberta para que Rex possa dar sua caminhada por ali, deixando inclusive os presentinhos? Não há melhor lembrete que um pouco de caca para pegar depois da escola: "Humm, esqueci de levar o cachorro para passear". E se o lixo estiver bem ao lado do prato de seu filho? Ah, ali estará o bilhete.

Sim, você pode fazer sua parte. Mas preste atenção no tipo de parte que você está fazendo, e obterá resultados. Isso é garantido.

GAROTAS QUE NÃO SE ENTENDEM

P: Temos duas filhas ótimas, com um ano de diferença de idade. Elas fazem boas escolhas, respeitam os outros e se comunicam bem com adultos, incluindo seus professores e técnicos esportivos. Todo mundo fala bem delas. Mas as brigas constantes em casa estão ficando piores agora que as duas estão no ensino médio. Como posso incentivá-las a mostrar uma à outra o respeito e a compaixão que mostram às pessoas de fora?

R: De várias formas. Brincadeiras às vezes ajudam. Quando começarem a atacar uma à outra, diga calmamente: "Sabem, vocês duas se merecem". Então adicione a surpresa: "Mas preciso lhes dizer uma coisa. Estou desapontada com vocês". E, então, saia. Às vezes essa simples declaração já será repreensão suficiente para as meninas, de modo a encorajá-las a se corrigir. Afinal, não querem que o papai ou a mamãe fiquem bravos com elas.

Perceba também que as rixas entre irmãos do mesmo sexo, especialmente os que têm idades próximas, são praticamente inevitáveis. Mas sua pergunta parece inferir que isso está *sempre* acontecendo. Se é esse o caso, tenha em mente que a briga é um ato de cooperação. É necessário haver duas pessoas para que ela aconteça. Suas filhas precisam saber exatamente sobre o que brigar e como apertar os botões corretos de cada uma para manter a batalha ativa. Nunca tente fazê-las confessar quem fez o quê. Você permanece neutra e sai. E se, ou quando, a punição for adequada, faça que ambos os lados sejam responsabilizados por participar do "espetáculo". Por fim, quando não houver nenhuma plateia assistindo (ou seja, nenhum dos pais), a briga vai se extinguir.

SEM MOTIVAÇÃO

P: Meu filho de 9 anos precisa ser empurrado para fazer qualquer coisa. Ele não faz nada sozinho. Preciso me sentar ao lado dele e isso me deixa louca, pois não consigo realizar mais nada. Como posso fazê-lo começar sozinho?

R: Ou seu filho é um perfeccionista desanimado — porque aquilo que fez no passado não foi suficientemente bom para você e/ou para seu cônjuge perfeccionista — ou está brincando com você (e você está caindo na dele). Se você e seu cônjuge têm sido críticos com o menino, ele pode ter decidido que não fazer nada é melhor que ser criticado. Em contrapartida, pode ser totalmente preguiçoso e estar manipulando você para fazer o trabalho dele. Vigie-o cuidadosamente para ver qual desses comportamentos se aplica e, então, dê uma boa olhada em si mesma e em seu marido. Se vocês estão criticando seu filho, é hora de recuar. Quando ele choramingar dizendo: "Mas eu não consigo fazer isso", responda:

"Sei que você é capaz". E saia; vá para outro cômodo ou até mesmo para fora. Talvez ele tenha alguns ataques nas primeiras vezes, mas, quando vir que você não vai resgatá-lo e não vai tornar o trabalho dele "mais perfeito", ele começará a entender que a tarefa dele é a tarefa *dele*.

AS NOTAS ESTÃO CAINDO

P: Minha filha entrou no ensino médio este ano. Ela sempre foi, na maioria das vezes, uma aluna nota A, com apenas alguns Bs em assuntos que considera difíceis, mas agora estão aparecendo muitas notas C e D em seu boletim. Quando pergunto o que está acontecendo, ela dá de ombros e não parece incomodada com a mudança de notas. Essa não é a filha que eu conheço. Estou preocupada.

R: Várias coisas podem estar acontecendo aqui. Primeiro, ela está numa escola nova e tenta alcançar uma posição. A lei do mais forte na escola pode ser cruel. Às vezes adolescentes inteligentes são chateados pelos colegas, de modo que ela pode estar se fazendo de burra. Segundo, nessa fase da vida os adolescentes estão entrando no período hormonal e lutam não apenas com seus colegas, mas também com mudanças corporais e alterações de humor que podem influenciar sua atitude e suas notas. Terceiro, as disciplinas do ensino médio podem ter conteúdos mais extensos e ser muito mais difíceis que as do ensino fundamental. Sua filha pode estar enfrentando dificuldades com um novo sistema de notas. Quarto, adolescentes sob pressão podem fazer coisas que você jamais esperaria que fizessem. Quando as notas de um filho despencam e ele perde motivação e parece desorientado, em geral a causa nº 1 é a maconha. Seria bom verificar todas as opções, inclusive fazendo um teste para uso de drogas.

Finalmente, não faça perguntas à sua filha. Isso só vai fazer que ela se feche. Em vez disso, diga: "Querida, sei que você sempre se esforçou e notei que suas notas estão diferentes este ano. Adoraria ouvir o que você acha da nova escola". Ao fazer esse comentário genérico, você ficará surpresa diante do que poderá descobrir, não apenas sobre a escola e o tempo que sua filha passa ali, mas também sobre os amigos dela, o modo como ela pensa e as pressões que enfrenta diariamente. Essas informações lhe darão material mais específico com o qual trabalhar, a fim de lhe dar perspectiva e ajuda quando for preciso.

LINGUAGEM INSOLENTE

P: Se houvesse um curso que ensinasse como ser insolente, minha filha de 15 anos tiraria nota A+. Durante um tempo, desculpei seu comportamento, pensando que talvez ela estivesse enfrentando uma transição difícil para o ensino médio. Mas estou realmente cansada de sua atitude e das palavras que ela joga em cima dos membros da família, especialmente em mim, mãe. Como posso interromper esse fluxo de palavras?

R: Em primeiro lugar, como você acha que sua filha aprendeu a ser dominadora, teimosa e boca suja? Há alguma possibilidade de isso ter vindo de você? O que exatamente você diz em resposta à sua filha quando ela age de maneira insolente? Lembre-se de que são necessárias duas pessoas para dançar um tango. A linguagem insolente não continua se não houver contrapartida do outro lado.

Portanto, afaste-se da confusão. Quando ela falar de maneira insolente com você, vire-se em silêncio e saia. Então, mais tarde, quando ela quiser alguma coisa, de maneira firme mas bondosa, diga "não". Ela vai seguir você como uma foca treinada e começará a falar de modo desrespeitoso. Você sai mais uma vez e não responde. Finalmente, sua filha entenderá que você não vai se envolver na batalha, e ela vai querer saber por quê. É nesse momento que você olha nos olhos dela e diz calmamente: "Não gosto da forma como você está conversando comigo". Ah, a hora do aprendizado. Justamente quando tudo o que ela queria não acontece por causa da boca mal-educada.

Jamais desculpe o comportamento ofensivo e insolente. Cobre sua filha. As desculpas só deixam o fraco ainda mais fraco.

ATITUDE RUIM

P: É triste dizer, mas minhas filhas, de 15 e 17 anos, parecem agir como se fossem merecedoras de tudo e que não precisam trabalhar para obter nada. Como posso mudar isso e instilar nelas um coração grato por aquilo que possuem?

R: Suas filhas pegaram o vírus do "merecimento", e muitas crianças hoje em dia o carregam consigo. Mas eu gostaria que você entrasse no quarto de suas filhas e desse uma olhada em volta. O que vê? Se você faz parte de uma típica família de classe média, verá muitas coisas. Coisas bacanas. Coisas caras. Coisas que muitas crianças gostariam de ter mas que não têm condições. E como elas conseguiram tudo isso? Muito provavelmente dos pais ou dos avós. Você precisa assumir o fato de que essa coisa de merecimento já vem de muito tempo.

No esforço para ter filhos extremamente felizes, você lhes deu muitas coisas. Muitos pais bem-intencionados passam dos limites nessa questão. De que as crianças precisam? Amor, expectativas positivas, disciplina, responsabilidade, cuidado e afeto. É hora de parar de dar coisas. Aplique a vitamina N — de "não". Certifique-se de que papai e mamãe estejam juntos nessa questão. Não adianta nada a mamãe dizer "não" se o papai Disneylândia não consegue deixar de comprar presentes para as crianças.

Você não precisa ir até a casa do vizinho para encontrar a geração do "Me dá!". Sua própria sala de estar servirá muito bem. Portanto, comece a dizer "não". Se a negativa for seguida por uma postura de desagrado por parte das filhas, deixe claro que é para elas se sentirem como se lhes tivessem puxado o tapete. Por exemplo, se sua filha diz mais tarde naquele dia: "Pai, posso sair hoje à noite com minhas amigas?", você diz: "Não, acho que você não pode ir. Não estou nem um pouco feliz com a maneira como as coisas têm andado nesta casa". Uma declaração como essa fará sua filha prestar atenção.

TENTATIVAS FRUSTRADAS DE CORRIGIR O COMPORTAMENTO

P: Já tentamos de tudo para mudar o comportamento de nosso filho de 13 anos: deixamos de castigo no quarto, tiramos seu celular, não entregamos a mesada. Nada parece funcionar. Ele simplesmente diz: "Tudo bem", e então sai e se tranca no quarto. O que mais posso fazer?

R: Deixe-me perguntar: quando esse menino vai para sua caverna, o que há lá dentro? Uma TV de tela plana, um computador de última geração e tudo o mais que ele deseja? Se é assim, não é de fato uma punição ele ir para o quarto. Tirar coisas não significa nada para uma criança poderosa. O mais provável é que ele ainda tenha muitas outras distrações, graças a você. De fato, ele nem vai se dar ao trabalho de lhe mostrar que está incomodado por você ter tirado dele algumas ou todas as coisas. E por que faria isso? Ele já tem brinquedos suficientes, e não vai sentir falta de alguns deles por um tempo. Você pode tirar tudo e, ainda assim, o comportamento dele não vai mudar.

Por quê? Porque isso tem a ver com relacionamento, não com regras. Se você construiu sua casa em torno de regras e não em torno de um relacionamento real, com base em integridade mútua e respeito, seu filho não sabe que você se importa. Por que deveria? Nenhuma mudança acontecerá até que ele saiba que você se importa.

Comece com uma simples conversa num tom de voz equilibrado: "Filho, estou preocupado com o que está acontecendo aqui. Vejo estas boas qualidades em você [apresente-as], mas também vejo outras coisas preocupantes [apresente-as]. Gostaria de ouvir o que você acha que está acontecendo".

Serei bem franco: você não tem relacionamento com seu filho. Sei que você acha que tem, mas não tem. Portanto, compartilhar seu desagrado com esse filho não levará a lugar nenhum. Você terá de ser humilde e assumir a responsabilidade pela falta de relacionamento. Diga a ele que você vai realmente se esforçar para mudar também, que você é todo ouvidos e que receberia bem os comentários dele sobre coisas que precisam mudar.

Também é bom acrescentar uma declaração honesta sobre sua decepção com o rumo que a vida dele está tomando. Seu filho precisa estar disposto a avaliar a si mesmo, perceber que é parte do problema e também firmar o propósito de mudar. É preciso haver duas pessoas para formar uma conexão relacional.

PROBLEMAS COM A LIÇÃO DE CASA

P: Odeio os deveres de casa tanto quanto minha filha. Sempre que tento ajudá-la com matemática, ela fica brava e então chora, e eu saio frustrada também. Devo arrumar um professor particular ou algum outro recurso?

R: Deixe-me fazer uma pergunta simples. De quem é o dever de casa? É dela, não seu; portanto, deixe que seja dela. Não transforme sua casa numa zona de guerra nem num centro de estudos. Sua filha provavelmente pode fazer mais do que pensa. Se não consegue, incentive-a a pedir ajuda extra à professora da escola, a uma colega de classe ou a uma amiga. Se ela realmente tem dificuldades, busque um professor particular. A não ser que você esteja lecionando em casa para seus filhos, e essa tenha sido uma escolha sua, não faça o papel de professora.

BATER PORTAS E GRITAR

P: Toda vez que minha filha adolescente fica chateada, ela grita que a vida não é justa e bate portas. Minha mais nova, 6, fica muito angustiada e chora toda vez que isso acontece. É algo que está causando tensão em toda a família. O que fazemos? Tentamos sobreviver à tempestade e esperamos que nossa filha adolescente a supere? Ou o quê? Nossas forças estão chegando ao fim.

R: Nenhuma pessoa da família é mais importante que a unidade familiar. Em outras palavras, o comportamento de uma pessoa não pode controlar a família inteira. Você precisa ter uma conversa imediata com sua adolescente: "Entendo que você pense que a vida não é justa neste momento. Mas bater portas e gritar não a torna mais justa. O que isso faz é deixar todo mundo na família tenso e infeliz. Não podemos permitir que você influencie a família desse modo. De agora em diante, você não vai mais gritar nem bater portas. Se o fizer, haverá consequências imediatas". Em seguida, deixe claro quais serão as consequências.

Sua adolescente não ficará feliz. Mas ela não pode controlar a família dessa maneira. Você deve aplicar as consequências de forma imediata, mas serena, da próxima vez que ela gritar ou bater portas, porque ela tentará verificar se você está falando sério.

Não apenas é importante que sua filha veja que você está falando sério, como também é fundamental que seus filhos mais novos vejam você cumprindo o que disse.

ADOLESCENTE SURPREENDIDA NUMA MENTIRA

P: Na noite da última sexta-feira, passamos por um momento bem desagradável. Minha filha adolescente disse que estava indo de ônibus para a casa de sua melhor amiga e que passaria a noite ali, mas, quando ligamos para lá, ela não estava. Meu marido e eu entramos no carro e dirigimos até alguns outros lugares onde achávamos que ela poderia estar, com base no que a outra mãe disse. Nós a encontramos numa festa na casa de um dos "veteranos populares", e ela era a única caloura. Não queríamos envergonhá-la, por isso esperamos até que ela chegasse em casa para confrontá-la. Não foi nada agradável, e ela não fala conosco desde então. Como podemos garantir que isso não aconteça de novo? E como podemos confiar nela?

R: Em primeiro lugar, vocês foram inteligentes ao ligar para ver se sua adolescente estava onde disse que estaria. Mas estou curioso: o que levou vocês a fazerem isso? Sua filha já havia mentido no passado? Caso ela tenha feito isso, na ocasião vocês a confrontaram ou deixaram passar batido? Agora é hora de cortar a mentira pela raiz. Sem honestidade, não pode haver confiança no relacionamento com sua filha.

Sugiro que você e seu marido se sentem com ela e digam algo mais ou menos assim: "Ficamos muito desapontados por você ter decidido mentir para nós sobre o lugar aonde ia. Ficou claro que não podemos confiar que você está onde diz ou que esteja sendo honesta quanto ao lugar aonde realmente vai. Você provou isso para nós. Portanto, nas próximas duas semanas, seu pai ou eu levaremos você de carro para a escola e a pegaremos na saída em vez de você ir e voltar de ônibus. Como compensação pelas horas extras que gastaremos dirigindo, você terá de realizar tarefas em casa que nós normalmente faríamos. Como você não sairá de casa para lugar nenhum depois da escola ou nos fins de semana, não será um problema realizar essas tarefas adicionais. Depois de duas semanas, você voltará a usar o ônibus. Contudo, se nos disser que vai a algum lugar, vamos ligar para verificar ou iremos até o local para confirmar se você está realmente lá. Caso minta para nós, pode ter certeza de que não só vamos aparecer como também vamos bater na porta, explicar ao grupo por que estamos ali e trazê-la de volta para casa".

Ora, esse é o chamado amor duro. Mas também vai manter sua adolescente longe de muitos problemas. Ela não agradecerá a vocês agora, mas vai fazê-lo no longo prazo.

Tais situações podem mudar muito depressa se os adultos estiverem de acordo entre si e tiverem o desejo sincero de viver de maneira diferente. Assim que os filhos percebem que papai e mamãe estão falando sério, a grande maioria decide se endireitar e viver de acordo com as expectativas positivas dos pais.

ATAQUES DE NERVOS

P: Quando meu filho de 6 anos não consegue o que quer, ele tem um ataque: rosna, bate o pé e grita. Não importa onde esteja, em casa ou em público. Achava que ele ficaria envergonhado, mas dizer: "Pare com isso; todo mundo está olhando para você" não faz a menor diferença. O que posso fazer, a não ser deixar de levá-lo a qualquer lugar? Pelo menos na escola ele não tem esses ataques.

R: Esse menino colocou você numa sinuca. Ele não está envergonhado, mas sabe que você está. Qualquer pessoa que olhe para esse garoto se debatendo pensa não apenas: "Puxa, que pirralho!", mas também: "Como os pais deixam que ele faça isso? Que tipo de pessoas são eles?".

E é claro que ele não faz isso na escola. Você não está lá. Os ataques têm *você* como objetivo. Ele não está suficientemente confortável na escola para ter ataques ali, e não tem você como audiência para manipular.

Se você ceder ou desistir agora, vai fazer que o pequeno tirano piore. As crianças só continuam a se comportar de certa maneira se aquilo funcionar. Evidentemente, esse comportamento funcionou com você no passado; era assim que ele conseguia qualquer coisa que quisesse.

Pare agora mesmo de recompensar esse comportamento. Se ele estiver em casa, eis o que sugiro: quando ele tiver um ataque, saia calmamente do lugar. Deixe-o se revirando no chão ou fazendo seja lá o que for. Ele vai ver que você saiu e vai segui-la para dar continuidade ao mau comportamento. Se o dia estiver agradável, é hora de pôr o garoto para fora, no quintal, e deixar que ele uive (você pode explicar aos vizinhos mais tarde; se eles forem pais, podem gostar de saber o que mais você vem aprendendo com este livro) enquanto você desfruta de uma xícara de café dentro de casa, com os pés apoiados num pufe.

Sem você como plateia, ele terminará se acalmando, e você poderá então deixar que ele entre de novo. Quando ele pedir algo, você diz um simples "não" e mais uma vez sai do ambiente. Ele começa um novo ataque e você o põe para fora de novo. Nesse momento, ele provavelmente estará um pouco desnorteado. Sabe como é, as crianças não gostam de ficar isoladas. Seu filho quer estar com você; ele simplesmente quer ser o seu chefe. Você vai deixar que esse pequenino governe sua vida? É inevitável que ele volte e peça aquele biscoito, aquela guloseima ou a permissão para voltar a brincar com o amigo, e sua resposta será "não".

No momento em que você ouvir aquele agonizante "Mas por que, mamãe?", saiba que esse é um momento de aprendizado.

Qual será sua resposta calma? "Porque não gosto de como você tem agido." Acredite em mim: uma luz vai se acender.

Se você estiver num lugar público e a criança fizer seu showzinho, deixe-a. Sim, você vai sentir vergonha, mas será que realmente quer continuar com isso? Passe por cima de seu filho ou dê a volta e comece a se afastar. Se as pessoas olharem para você quando fizer isso, dê de ombros e exclame em tom dramático: "Minha nossa! Quem são os pais desse menino?".

"Mas, dr. Leman", você diz, "não posso deixar meu filho para trás se eu estiver numa loja ou caminhando pelas ruas da cidade."

Não se preocupe. Isso não vai acontecer. Serão precisos apenas dois segundos para que o menino perceba que você o está deixando para trás, e ele sairá correndo atrás de você como um coelho para se agarrar à sua perna. E aquele ataque vai desaparecer milagrosamente à medida que o garoto receber uma descarga de adrenalina para encontrar você de novo.

Se esse já for um comportamento enraizado, talvez você tenha de aplicar o mesmo tratamento várias vezes até que a verdade penetre na cabeça de seu filho. "Essa coisa de gritar e se debater não funciona mais com a mamãe."

Agora é a hora, mãe. Você realmente quer vê-lo ter chiliques toda vez que diz que ele não pode dirigir seu carro? Creio que não. As crianças que recebem permissão para serem desrespeitosas e saírem do controle seguem um rumo que termina em lugares nos quais elas não querem estar... como na cadeia.

A EXTREMISTA

P: Minha filha de 14 anos reclama: "Você não me entende". Eu sou sempre a estúpida, que nunca a apoia e assim por diante. Eu não era assim quando ela tinha 10 anos, mas, de repente, me transformei na mãe estúpida do ano. Serei sempre essa idiota? E o que posso fazer nesse meio-tempo?

R: Não tente vencer a senhorita extremista; isso nunca vai funcionar. Ela está na fase do "você sempre" e "você nunca", onde qualquer gota é uma tempestade. Mas um pouco de humor pode ajudar.

Digamos que você esteja dirigindo para algum lugar e ela diga de maneira dramática:

— Mãe, você nunca me deixa ir a lugar nenhum.

— Bem, querida — você responde —, é claro que posso ver as coisas por esse lado. Mas, para ser sincera, vejo de modo bastante diferente. Agora mesmo, estamos na estrada indo a algum lugar. Pelo menos penso que estamos. Mas você é bem-vinda para dar sua opinião.

De manhã, ela pode dizer, com carinha de indignação e mãos na cintura:
— Mãe, você está tão por fora de tudo.
Mais tarde, no mesmo dia, ela pede sua opinião.
Você brinca:
— Bem, citando o que você disse esta manhã, sua mãe está tão por fora e é tão burra que nunca saca as coisas, por isso acho que você deve seguir sua opinião mesmo.

Um pouco de humor ajudou muito minhas quatro filhas enquanto cresciam. Isso suaviza as farpas que podem voar entre um dos pais e o filho.

A senhorita extremista entrará na linha quando tentar usar táticas semelhantes com os colegas e descobrir que não haverá muitos deles dispostos a ficar perto de alguém tão radical.

ESCOLHAS PRECOCES

P: Sempre sustentei a crença de que deveria dar à minha filha escolhas apropriadas à idade. Agora ela tem 6 anos e, quando lhe ofereci a opção de escolher entre duas jaquetas para vestir, ela começou a chorar. Não conseguia se decidir.

R: Vivemos numa era em que parece ser lei essa prática de dar opções de escolha às crianças. No entanto, é comum colocarmos crianças pequenas diante de um excesso de escolhas para as quais elas não estão preparadas. Em situações assim, é melhor restringir-se ao ponto simples. No seu caso, o ponto é que o tempo está frio e vocês precisam sair à rua. Isso significa que sua filha precisa vestir uma jaqueta. Não é preciso dar opções. Por se tratar de uma criança de 6 anos, segure o casaco e faça-a enfiar os braços nele, fim de papo. O simples é melhor. Não precisa de tanto esforço.

As pessoas acreditam que dar poder de escolha às crianças faz que elas sejam mais capazes de lidar com a vida. Não; às vezes isso simplesmente as deixa loucas.

Lembre-se também de que sua filha conhece os pontos fracos da mamãe e pode montar uma armadilha explosiva para você. Se sua filha sabe que você fica incomodada ao vê-la chorar, talvez esteja manipulando a situação a fim de levar você a julgá-la incapaz. Se for esse o caso, e se ela for uma criança chorona de modo geral, diga: "Tenho certeza de que você consegue lidar com isso" e abandone a luta pelo poder.

PRONTO PARA O JARDIM DE INFÂNCIA?

P: Como posso saber se meu filho está pronto para o jardim de infância?

R: Existem certos testes de aptidão que podem ser aplicados a crianças. Entre em contato com a escola e receba orientações. Mas as habilidades básicas que precisam ser dominadas antes do jardim de infância — meus agradecimentos à minha filha Krissy, que é professora — são que seu filho saiba cores e números, possa seguir orientações simples, não use mais fraldas e seja capaz de ficar distante de você. Do mesmo modo, não seja tentada a apressar seu pequeno gênio para que entre mais cedo no jardim de infância. Dê a seu filho a vantagem de um ano sobre as outras crianças. Isso é especialmente importante com meninos, uma vez que eles sempre competem uns com os outros. Além disso, físico e idade são fatores importantes na socialização.

PEGAR DINHEIRO SEM PEDIR

P: Meu filho tem 16 anos e costuma pegar dinheiro da minha carteira quando precisa, sem pedir. Como devo lidar com isso?

R: Tranque seus itens de valor — isso inclui dinheiro, cartões de crédito e chaves de carro. As chaves de acesso a essas coisas precisam estar num lugar conhecido apenas por você. Se você não tomar essa medida e o rapaz continuar nesse caminho, prepare-se para visitá-lo na cadeia algum dia. Esse é um moço a quem eu não daria um centavo por vontade própria.

Primeiramente, as coisas mais importantes. Esse rapaz não está sendo respeitoso com você nem com suas posses. É hora do tratamento de pão e água. Isso significa que você provê exatamente aquilo de que ele precisa para sobreviver, e nada mais — teto, roupas para vestir e comida na geladeira. Quando ele pedir dinheiro, você diz "não". Ele vai continuar importunando, mas você dirá outra vez "não". Finalmente, ele vai perguntar por que, e você dirá de forma direta: "Porque não gosto da maneira como você tem pego dinheiro sem pedir". Não engula nenhuma desculpa. Faça que seu "não" seja realmente "não".

Pais, vocês precisam reverter essa situação agora.

O REI DO DESRESPEITO

P: Meu filho é mestre em me desrespeitar. Ele apronta e, depois, ainda espera que o leve aonde quer ir. Estou sempre dividido entre lhe dizer umas poucas e boas — acredite, também sou capaz de fazer isso — ou simplesmente levá-lo, de modo que ele passe um tempo fora de casa e eu tenha um pouco da paz e da tranquilidade de que tanto preciso.

R: É triste dizer isso, mas o desrespeito é a norma entre as crianças hoje. Isso acontece porque os pais não se defendem e estão sendo controlados por pirralhos de um metro de altura. Se você quer que seus filhos vivam de modo significativamente diferente da norma, precisa tratá-los de modo diferente. Seu filho precisa ser responsabilizado pela maneira como se comporta, para que você possa estabelecer um relacionamento saudável com ele. Não será fácil, mas a vida só vai ficar mais difícil se você não lidar com isso agora.

Antes de tudo, quando seu filho desrespeitar você, ele não irá a lugar nenhum pelo resto do dia — estou dizendo não ir à escola, nem à casa de um amigo, a nenhuma atividade ou jogo. Absolutamente lugar nenhum. Você dirá: "Você não vai sair de casa para nada. Não gosto do jeito como falou comigo". Considere cada dia um recomeço, partindo do zero. Se os padrões estiverem arraigados em seu filho, como parece ser o caso, talvez seja preciso agir várias vezes dessa maneira para que ele entenda que você está falando sério. Mas é preciso manter a firmeza. Ser fraca não vai levar você — nem ele — a lugar nenhum.

Estabelecer e manter um relacionamento com limites saudáveis não é tão difícil assim. Significa caminhar junto de seu filho de maneira habilidosa para se pôr numa posição em que você, como pai ou mãe, pode causar um impacto significativo e duradouro sobre ele.

COMPORTAMENTO DISSIMULADO

P: Dois anos atrás, demos um telefone celular à nossa filha. Agora ela está com 13 anos e parece que se relaciona mais com ele que conosco. Ultimamente, tem agido de modo arredio e parece estar verificando suas mensagens o tempo todo. Quando lhe perguntei a razão disso, ela respondeu: "Não tenho de lhe dizer" e saiu. Quanta privacidade uma menina de 13 anos merece ter com um celular? E quando devo confrontá-la?

R: Tenha em mente que, se você for um questionador constante, sua filha vai se ocultar ainda mais atrás da parede da vida e dos amigos. Portanto, vigie esse lado questionador de sua personalidade. Em vez disso, faça comentários como: "Parece interessante. Fale mais sobre isso", e você provavelmente obterá informações.

Quando entram na adolescência, os filhos se fecham. De uma hora para outra, sua doce criança se torna alguém que bate a porta e se tranca no quarto e que precisa passar muito mais tempo sozinha. Esse é o comportamento comum dos adolescentes, que estão tentando entender como é a vida. A adolescência é um período natural para que os filhos comecem a se desligar do papai e da mamãe e a formar seu próprio mundo.

O bom senso deve prevalecer. Se, de repente, um filho se torna muito reservado, suas notas caem, ele carece de motivação para qualquer coisa e seus amigos mudam significativamente, é possível que ele tenha entrado no mundo das drogas. Não procure confusão, mas seja astuto.

MEU FILHO COMETE *BULLYING*

P: Admito. Meu filho pratica *bullying*. Ele sai de seu normal para incomodar outras crianças. Está na terceira série agora e sempre foi fisicamente maior que as outras crianças da classe. Estou cansada de receber ligações da professora sobre seu comportamento intimidador, mas nada do que digo parece ajudar. Tenho medo de que ele fique sem nenhum amigo — já que está afastando todos eles — e, então, acabe sozinho.

R: Se é para se preocupar, que seja em relação ao advogado de outro pai repreendendo você na justiça pelo comportamento de seu filho. O *bullying* precisa ser cortado pela raiz imediatamente, tanto para o bem-estar de seu filho como para o das outras crianças. Esse comportamento surge de uma insegurança profunda. Por alguma razão, seu filho tem na cabeça a ideia de que a única maneira de se sentir bem consigo mesmo é dominando outras crianças. Fica claro que há alguns problemas aí.

Você, pai, é melhor que qualquer pessoa para conversar com seu filho e fazer algumas pequenas suposições psicológicas: "Filho, percebo e ouço de outras pessoas que você está intimidando outras crianças. Posso estar errado em relação a isso, mas o fato de você praticar *bullying* me diz que você não gosta de si mesmo. Isso é uma pena, pois, como sua mãe, vejo muitas coisas em você pelas quais você deveria se sentir bem".

O que você está fazendo nessa conversa? Está declarando fatos e também fazendo propaganda de seu filho: ele está fazendo algumas coisas muito bem.

Depois, você continua: "Fico realmente decepcionado e triste quando ouço que você pratica *bullying* com outras crianças. É uma tremenda surpresa que você possa ser assim tão mau". Agora você está jogando um pouco de realidade na cara de seu filho. "O que é que você tanto rejeita em si mesmo a ponto de precisar desprezar os outros a fim de se sentir bem?"

Agora é hora de abordar as razões por que seu filho sente insegurança. Um menino que conheço respondeu: "Não tenho amigos. Ninguém gosta de mim". Os pais trabalharam com ele para mostrar-lhe que o comportamento intimidador não reúne amigos; antes, obriga as pessoas a se afastarem. Outras crianças praticam *bullying* porque seu lar é tão caótico — divórcios, famílias reconstituídas, irmão mandão — que elas estão tentando desesperadamente controlar alguma coisa.

E como é o comportamento de seu filho em casa? Seu comentário de que tem medo de que ele não venha a ter amigos se encaixa com os pensamentos de um pai que é permissivo demais. Você permite que ele tenha esse mesmo tipo de comportamento em casa? Dê uma olhada no que está acontecendo em sua sala de estar. Nenhuma forma de *bullying* é aceitável.

AMIGOS APENAS NOS MOMENTOS FELIZES

P: Minha filha está no ensino fundamental e se sente chateada pela constante mudança de amigos. Ela é uma menina leal que quer formar boas amizades e mantê-las. Mas as outras meninas de sua classe parecem ser amigas apenas nos momentos felizes. Alguma indicação de como posso ajudá-la?

R: Bem-vinda ao mundo da feminilidade juvenil. Vamos encarar os fatos. As meninas podem ser abertamente traiçoeiras. Isso começa com pouca idade e pode continuar por toda a vida, por isso agora é a hora de acostumar-se e seguir o caminho mais positivo e/ou diplomático. Já vi mulheres adultas agirem de uma maneira na frente de outros funcionários do escritório e então, assim que a pessoa sobre a qual estavam falando deixa a sala, a fofoca e o riso sarcástico correm soltos.

É hora de um pouco de instrução paterna. Converse com sua filha. "O que você está enfrentando agora, isto é, amigas que não mantêm a amizade, vai acontecer por toda a vida. Você pode ser o tipo de menina leal, mas nem todo mundo é. Você pode aceitar ou rejeitar meu conselho, ou até modificá-lo, mas achei que deveria dizê-lo, uma vez que já vivi mais de trinta anos e você só viveu onze. Posso ter aprendido algumas coisas que você ainda não aprendeu." Também é uma boa hora de lembrar à sua filha: "Tenha cuidado com as pessoas com quem você divide seus segredos, seja por meio do que diz, seja pelo que posta na internet. Isso pode ser passado a outras pessoas e guardado. Jamais escreva qualquer coisa que você não gostaria que seu pai, sua mãe ou sua avó lessem. Do contrário, esse assunto pode perseguir você por bastante tempo".

Os relacionamentos são assim mesmo. Somente passando tempo juntos, e dividindo tanto circunstâncias boas como ruins, é que se descobre quem são os verdadeiros amigos.

Para mais informações, leia meus livros *Transforme seu filho até sexta* e *Transforme seu adolescente até sexta*.

QUINTA-FEIRA

Papai, mamãe e o casamento

AS CRIANÇAS QUEREM A MAMÃE, NÃO O PAPAI

P: Temos um filho de 2 anos e um de 3. Eles sempre querem ler, se aconchegar e brincar comigo. Mas, quando o pai chega do trabalho, eles o ignoram. Na verdade, gritam e o agridem quando ele tenta passar tempo com eles. Tudo o que querem é a mim. Preciso de descanso das crianças, e meu marido está mais que disposto a cooperar. Mas não conseguimos interromper o ciclo. Socorro!

R: Faça um favor a si mesma hoje. Quando seu marido chegar em casa, entregue as duas crianças a ele. Depois, entre no carro e saia. Vá tomar uma xícara de chá num restaurante bem agradável. Relaxe. Você merece uma pausa. Seu marido e seus filhos vão descobrir uma maneira de se dar bem.

Não é incomum que crianças menores, em especial, sejam parciais em relação ao pai ou à mãe por um período de tempo. E crianças menores são ligadas à mãe. Contudo, a situação que você descreve é um pouco incomum. Quando papai chega em casa, a maioria das crianças larga tudo e corre na direção dele. Existem outros problemas acontecendo na família? Se for o caso, agora é a hora de trazê-los à luz. Se não, o que sugeri é a maneira como eu lidaria com a situação.

O PARAÍSO DA CASA DO EX

P: Separei-me há pouco tempo. Meus filhos passam os fins de semana com o pai e, quando voltam, tudo é uma bagunça só. Meu ex-marido lhes dá tudo o que querem, e eles voltam cansados e irritados. Não consigo sequer chegar perto de oferecer o mesmo que ele em termos de experiências e coisas. Mas pelo menos consigo colocá-los na cama na hora certa. Como posso manter as coisas em equilíbrio?

R: Não é possível controlar o que acontece na casa de seu ex, mas uma boa mãe consegue trazer equilíbrio para muitas coisas. Você pode sugerir a seu ex que vocês dois concordem em certas coisas, como horário de ir para a cama, tipo de comida e o que dar ou não como presentes, mas você não pode garantir que ele fará alguma coisa. O melhor que pode fazer é garantir que você mesma seja consistente naquilo que faz com seus filhos quando eles estão em sua casa.

As crianças precisam de consistência e rotina para se sentir seguras. Elas não precisam de coisas; elas precisam de você. Uma bola de futebol nova, uma ida ao cinema ou um passeio no *shopping* não se comparam a seu ouvido atento e à sua presença. Mas aquelas coisas vão ser sempre mais vistosas. Seja você mesma, mãe. Seus filhos não conseguem em nenhum outro lugar o que você tem a oferecer.

FAVORITISMO DOS PAIS

P: Nossos dois meninos vivem brigando. Penso que grande parte disso é que meu marido trata o de 14 anos como um rei e o de 10 como um estorvo. O mais novo fica com ciúmes e então tenta se meter entre o irmão e o pai. Os meninos ficam me puxando para suas discussões, querendo que eu assuma uma posição. O que posso fazer?

R: Irmãos brigam. Isso começou com Caim e Abel. O melhor a fazer quando eles tentarem atrair você é dizer: "Estou convicta de que vocês podem lidar com a situação" e sair do ambiente. É improvável que eles matem um ao outro. É muito mais provável que estejam representando para uma plateia de um só espectador: você.

Quanto a seu marido, talvez você queira lhe dizer com calma: "Notei que os meninos brigam bastante. É isso que estou fazendo para tentar ajudar". Você compartilha a ideia de responsabilizá-los por acertar as coisas entre eles mesmos. Então, faz o anúncio: "Às vezes fico pensando que eles brigam porque nosso filho mais novo sente ciúmes do tempo que você passa com o irmão dele. O que você acha?". Isso vai plantar uma semente na cabeça dele sem que você diga: "Acho que você é o maior culpado por esse problema". Se esse homem com quem você se casou vale o ar que respira, ele refletirá sozinho e começará a mudar a forma como se relaciona individualmente com os meninos.

A INFLUÊNCIA NEGATIVA DO EX

P: Como posso lidar com a influência negativa do pai de minha filha de 16 anos? Ele a usa para me confrontar e muda o próprio comportamento para fazer o oposto daquilo que ele sabe serem minhas regras. Minha filha sempre foi uma adolescente muito boa, mas agora se recusa muito mais a seguir as regras de casa toda vez que retorna.

R: Em primeiro lugar, se não há nenhum documento legal que diga que sua filha tem de visitar o pai dela, de acordo com a legislação, aos 16 anos ela tem idade suficiente para tomar essa decisão sozinha. Se essa conversa nunca aconteceu, chegou a hora. Há uma coisa interessante: por mais terrível que a situação do divórcio possa ser, as crianças têm necessidade de equilibrar as coisas entre mamãe e papai. A mamãe pode ser protetora e cuidadora, envolvida na vida da criança de uma maneira positiva. O papai pode ser o exato oposto. Contudo, não é incomum que uma filha queira empatar as coisas e deseje estar com o pai. O que você está vendo são os resultados da proximidade dela com o Sr. Negatividade.

Não há nada que você possa fazer para controlar a situação quando ela estiver com seu ex. O que você pode fazer, porém, é dizer à sua filha: "Quando você chegar em casa depois de ficar com seu pai, nós duas precisamos de um período de resfriamento, durante o qual não vamos falar nem interagir uma com a outra. Não é agradável ficar junto de você nessas ocasiões, e nossa interação também não faz brotar o que há de melhor em mim. Depois desse tempo de resfriamento, terei prazer em ouvir qualquer coisa que você tenha a dizer ou queira me contar. E prometo ouvir sem dar conselhos, a não ser que você me peça".

Se sua filha continuar a ter uma atitude ruim, então lhe diga "não" para as coisas rotineiras que ela pede, até que ela perceba que, sem mudança de comportamento, a vida dela não será a mesma. Você também pode lhe dizer: "Você me diz que nem sempre gosta de passar o verão com seu pai. Preciso lhe dizer que estou cansada das consequências disso. Talvez tenhamos de conversar no próximo verão e fazer as coisas de outra maneira".

A resposta é que não há resposta fácil. Se não há restrições legais quanto aos privilégios de visitação, então você tem o direito de organizar o relacionamento com o pai de sua filha da maneira que você e ela desejam. Não deixe a culpa guiar você. Permita que o bom senso prevaleça. Daqui a dois anos sua filha será maior de idade e terá de decidir por si mesma que tipo de relacionamento terá com o pai, se é que desejará ter algum. Até lá, seu papel é prover um lar o mais estável possível quando ela estiver com você.

PAI SUPERCONTROLADOR

P: Meu marido é supercontrolador. Ele sempre quer saber onde estou e onde estão as crianças, e é importante para ele que elas sempre lhe mostrem respeito. Conforme nossos filhos vão ficando mais velhos, vejo o preço que seu controle e sua crítica cobram deles. Meu sogro também é supercontrolador. Adivinhe quem manda na família.

R: Aposto que, quando você se casou com ele, achava que esse controle mostrava quanto ele se importava com você. Em vez disso, o controle é um mecanismo que pessoas inseguras usam para manipular os outros — e o mundo, para que gire da maneira que querem. De fato, tal pai, tal filho. Onde você acha que seu marido aprendeu a ter esse comportamento? Isso é algo que você quer passar a seus filhos?

Em prol de suas futuras noras e de qualquer outra mulher que esteja presente no futuro de seus filhos, a hora de agir é agora. Uma das piores coisas que você pode fazer é criticá-los e controlar a vida deles, sem dar oportunidade para que façam as próprias escolhas e aprendam com elas. De igual modo, um homem controlador pode se tornar abusivo em termos verbais, emocionais e físicos, caso ainda não o seja. Se isso já acontece, seu marido precisa de ajuda profissional, e você e seus filhos precisam de um tempo longe dele, num local seguro. Você não foi colocada neste mundo para ser saco de pancadas de ninguém.

MÃE PERMISSIVA

P: Meus filhos passam por cima de minha esposa. E ela deixa. Fico realmente incomodado com o fato de ela permitir que eles se aproveitem dela. Quando falo sobre isso, ela diz: "Tento me impor sobre eles. Mas quando digo 'não', eles ficam tristes. Quero apenas que tenhamos um lar feliz".

R: Em primeiro lugar, você precisa perceber que sua esposa tem necessidade de ser pisada, uma vez que ela permite que isso aconteça. Agora, deixe-me fazer uma pergunta: Por que alguém teria necessidade de ser pisada? Porque: 1) ela leva uma vida baseada na culpa; 2) ela não se sente bem o bastante em relação a si mesma a ponto de acreditar que mereça um bom tratamento; 3) ela cresceu num lar abusivo e está acostumada a ser maltratada; ou 4) ela sente que, se tomar um tipo de atitude que sabe ser a correta, os filhos não vão gostar dela.

Recebo muitas perguntas sobre casamento, família e questões relacionadas à criação de filhos, mas esta é uma que eu colocaria na categoria de tragédia. Fico triste ao ver que uma mulher adulta se permite ser pisada, mas isso acontece com muita frequência.

É muito importante que você tenha uma conversa de coração aberto com sua esposa o mais cedo possível. Descubra o que está provocando o comportamento dela, depois trabalhem juntos para reverter a situação. Se ela vem de um passado de abuso, talvez precise de aconselhamento para voltar aos trilhos e se manter firme contra essa atitude costumeira. O melhor que você pode fazer como marido é ficar ao lado de sua esposa quando seus filhos começarem a passar por cima dela. Esteja presente com apoio emocional, mental e físico, mas deixe que ela lidere a maior parte da conversa com os filhos. Eles precisam ouvir sua esposa dizer: "Não vou mais aceitar esse comportamento" e precisam ver você se colocando ao lado dela. Quando vocês dois estiverem unidos numa só força e se mantiverem firmes no plano acordado previamente, seu lar vai mudar.

INTROMISSÃO DOS FAMILIARES DO CÔNJUGE

P: Amo os familiares de meu cônjuge — na maior parte do tempo. Mas às vezes eles se envolvem demais em nossa vida, entende? Como posso definir limites sem ferir seus sentimentos ou provocar uma rachadura em nosso relacionamento?

R: Quando você se casou com seu cônjuge, as palavras ditas foram "e os dois se tornarão uma só carne". Mas você se casou com mais de uma pessoa; você também se casou com os parentes dessa pessoa. Assim, as peculiaridades e os defeitos deles vieram junto no pacote do casamento. O mais importante nessa situação é que você e seu cônjuge concordem com o que precisa mudar e como fazê-lo.

Tente primeiramente o método gentil. Por exemplo: "Decidimos que, conforme nossos filhos crescem, é realmente importante termos as noites de sexta-feira e dos sábados livres só para nós e as crianças. Assim, não conseguiremos ficar com vocês nesses dias. Mas esperamos ansiosamente os almoços de domingo em família. Tanto que já compramos um novo jogo de tabuleiro para o próximo domingo". Ao dizer algo assim, você estabelece os parâmetros para seu relacionamento e envolvimento, ao mesmo tempo que mostra entusiasmo quanto a ficar com os parentes numa ocasião escolhida de comum acordo.

A propósito, fico feliz por você amar os familiares de seu cônjuge. Você faz parte do percentual de pessoas que não querem lançar dardos neles (ou até mesmo algo mais letal). Considere-se realmente abençoado.

ENTEDIADA NO CASAMENTO

P: Estamos casados há doze anos, e nosso relacionamento é muito entediante. Ainda amo meu marido, mas ele é muito previsível: estica os pés no sofá depois do jantar e fica passeando pelos canais na frente da televisão. Quase não consigo fazer o sujeito pensar em outra coisa. O sexo é apenas uma lembrança. Isso é comum entre casais juntos há doze anos? Estou esperando coisas demais?

R: Você consegue escutar o gelo trincando debaixo de seus pés? Deveria, pois você está sobre gelo fino — muito vulnerável e suscetível a um caso extraconjugal. Não é muito difícil encontrar alguém que a "ame" no curto prazo. É com o longo prazo que as pessoas têm problemas. Se você se sente entediada no casamento, coisas básicas estão completamente fora do prumo. Não sou uma pessoa de sugerir logo de cara, ou com muita frequência, que as pessoas passem por aconselhamento — penso que muitos problemas podem ser resolvidos com uma conversa entre os cônjuges. Mas, nesse caso, é melhor sentar-se com uma amiga de confiança ou um pastor e pôr as cartas na mesa antes que seja tarde demais, tanto para você como para seu marido. Você pode começar dizendo a ele algo mais ou menos assim: "Querido, talvez seja eu, mas estou entediada com a vida, com meu trabalho e com nosso casamento. Às vezes me pergunto se você está sentindo a mesma coisa".

O tédio pode ser um sinal indicador do início de uma depressão. Contudo, na maior parte das vezes, tem a ver com a falta de continuidade na relação e na busca de sonhos que mantêm a vida excitante. A pessoa entediada simplesmente se arrasta.

SEM TEMPO DISPONÍVEL PARA O CÔNJUGE

P: Meu marido e eu temos cinco filhos com idades abaixo de 12 anos. Vivemos tão ocupados que é difícil encontrar tempo para o casal ficar junto, como fazíamos antes de as crianças chegarem. Imagino que teremos tempo novamente quando os filhos saírem do ninho, mas adoraria ouvir algumas ideias sobre como você e sua esposa encontraram tempo, já que também tiveram cinco filhos.

R: Deixe-me reformular seu questionamento. Todos nós temos a mesma quantidade de horas num dia. Você optou por não encontrar o tempo que você sabe que precisa ter com seu cônjuge. Isso se chama compromisso.

Seus filhos estarão na sua vida e no seu pé por cerca de dezoito anos cada um e, sim, eles vão mantê-la ocupada, mas foi a seu cônjuge que você proferiu os votos conjugais para toda a vida. Não creio que seja muito pedir a um casal que reserve uma noite por semana para jantar sozinhos e sair para ir ao cinema ou fazer algo juntos. Por mais ocupada que seja a vida com seus filhos, vocês precisam construir esse tipo de regularidade em seu casamento. Se não o fizerem, quando aqueles pequenos pirralhos saírem pela porta para cursar a faculdade ou seguir uma carreira, você e seu marido não conhecerão um ao outro além das conversas que tiveram para fazer a lista do supermercado ou para definir quem levaria uma criança a determinado lugar.

A média de tempo de vida de um casamento é de impressionantes sete anos. Vocês obviamente já passaram dessa marca. Mas seu casamento e seu marido merecem seus melhores esforços. Cada um de vocês é culpado, neste momento, de não reservar o tempo que precisam ter juntos.

Hoje é o dia para mudar. Seus filhos não precisam de você a cada segundo. Mas eles de fato precisam de pais que sejam unidos, que amem um ao outro e que tenham tempo e espaço para desenvolver seu relacionamento no meio do caos dos filhos pequenos. Com esses ingredientes, vocês terão um casamento sólido, um lar seguro para que seus filhos possam suportar qualquer tempestade e uma família mais feliz.

DIFERENÇAS DE PERSONALIDADE

P: Meus três filhos são muito diferentes em termos de personalidade, mas minha mãe insiste que devo tratá-los da mesma forma, como ela fazia comigo e com meu irmão. Com o Natal chegando, porém, isso cria um problema. Não posso dar a todos o mesmo presente. Socorro!

R: Você sempre faz o que sua mãe diz, mesmo já sendo adulta? Às vezes a mamãe não sabe das coisas. Você mesma já disse: seus filhos são diferentes. Eles devem ser tratados de maneira diferente, por meio de ações que se encaixem com as respectivas personalidades, interesses e idades. Se seu filho quer um *skate*, sua filha mais nova quer um *tablet* e sua filha mais velha é apaixonada por um celular, e você tem como pagar as contas do mês, por que daria um *skate* a cada um deles? Boa parte do processo de criação de filhos é apenas bom senso. Parece claro que sua mãe lhe transmitiu isso, mas você se esqueceu de guardar um pouco para si.

FAMÍLIA ABUSIVA

P: Meu marido vem de uma família negativa e crítica, e seu pai teve problemas com bebida. Os resultados disso aparecem todos os dias com nossos quatro filhos, especialmente com os meninos de 9 e 11 anos. Eles o adoram, e sei que ele os ama também. Mas ele sempre os critica. Também faz muitas críticas a mim na frente das crianças. Nunca me bateu ou fez coisa parecida, mas suas palavras realmente machucam. O que posso fazer, se é que há algo a fazer, para mudar essa situação?

R: Esse é um exemplo perfeito do que chamo de *marca indelével*. A palavra *indelével* é realmente forte. Caracteriza algo que não se apaga. Os padrões de comportamento negativos que seu marido viu no pai foram internalizados a tal ponto que se tornaram sua segunda natureza. Se você não fizer algo em relação a isso agora, seu marido passará esses problemas a seus filhos. É praticamente impossível responder a essa pergunta em poucas palavras, mas vou me esforçar.

Uma grande mudança comportamental precisa ocorrer em seu marido — e, a propósito, em você também — para que vocês tenham uma família transformada.

Você poderá se beneficiar muito do meu livro *Transforme a si mesmo até sexta*. Nele, falo sobre cada um de nós ser responsável pelo que dizemos ou fazemos. Há situações na vida em que devemos parar e perguntar: "O que o velho pai, crítico e apontador de falhas, faria nesta situação? Agora, o que o novo pai, que quer ser diferente, vai fazer na mesma situação?".

Se seu marido não tiver consciência do que está fazendo, se não houver disposição para mudar e se ele não passar a refletir antes de agir, nada mudará no relacionamento dele com seus filhos ou com você. Ele continuará a ser crítico de todos, incluindo você, e a infelicidade reinará na família.

Se seu marido for uma pessoa de fé, ele precisa pedir a Deus que lhe dê coragem e força para enfrentar a si mesmo — para perceber que se tornou um veneno psicológico para a família e que impõe isso como um grande castigo todos os dias.

Isso precisa parar, mas só vai parar mediante um esforço concentrado da parte dele e da sua. Você pode precisar de ajuda de conselheiros sábios se seu marido não mostrar abertura para conversar sobre isso.

Se o fato de alertá-lo para o que você está vendo causar impacto, se ele verdadeiramente não tiver percebido antes o que vinha fazendo e sentir-se agora humilhado pelo efeito que isso tem produzido sobre todos vocês, você pode tentar um jogo familiar. Cada um — seu marido, você e seus filhos — deve procurar coisas positivas uns nos outros ao longo da semana. Anote-as em tiras de papel e coloque-as num pote na mesa da cozinha. Leiam essas tiras durante o jantar. Acredite em mim: seus dois meninos competitivos vão querer superar um ao outro em busca de coisas boas. Eles vão querer vencer... e o resultado será uma família transformada!

A negatividade incorporou-se à família. Você não pode permitir que isso continue. Precisa defender a si mesma e a sua família. Críticas e outros comportamentos negativos precisam ser interrompidos, e é você que está no banco do motorista.

TENTAR FAZER TUDO

P: Sou uma mãe agitada e consigo equilibrar várias coisas ao mesmo tempo, mas estou com dificuldades para fazer tudo o que costumava fazer. Alguma dica para mim?

R: Quem disse que você tinha de fazer tudo? Faça menos e sorria mais. Separe aquilo que realmente precisa ser feito do que não precisa. Depois, peça a seus filhos que a ajudem com as necessidades reais. Eles podem resmungar no início, mas vão sobreviver. E, acredite se quiser, o estresse em sua casa diminuirá à medida que todos trabalharem juntos como equipe.

MARIDO QUE NÃO FALA

P: Amo meu marido, mas ele não conversa. Nunca sei o que ele está pensando e gostaria de saber. Sei que ele enfrenta muitas dificuldades no trabalho e desejo apoiá-lo. Alguma ideia para fazê-lo se abrir comigo?

R: Minhas principais dicas são que você não deve ficar atrás dele nem fazer perguntas; aí sim é que seu marido tartaruga vai se afastar e se esconder no casco. Os homens em geral odeiam perguntas. Eles tendem a ficar silenciosos e distantes. Seu marido está pensando mais do que você imagina. Mas o que realmente vai funcionar no momento em que ele se manifestar é dizer: "Isso é interessante. Fale mais sobre o assunto". Tal atitude mostra seu interesse nele sem que você pareça abelhuda.

Uma pergunta: existe a possibilidade de ele não estar falando porque você já cumpre esse papel com maestria? (Eu sei — ai, doeu! —, mas eu tinha de levantar o assunto.) Vocês, mulheres, são comunicadoras fantásticas. Quando vocês enchem o ar, nós, homens, não precisamos fazê-lo.

Para mais informações, leia meus livros *Transforme seu marido até sexta*, *Entre lençóis*, *Sete segredos que ele nunca vai contar pra você* e *O sexo começa na cozinha*.

SEXTA-FEIRA

Conexões familiares

NÃO NOS FALAMOS MAIS

P: Agora que nossos três filhos são adolescentes, parece que nossa família nunca conversa nem se cruza. Estamos sempre indo em direções diferentes. Minha esposa e eu trabalhamos fora de casa e, quando retornamos, os filhos estão fora, fazendo suas coisas. Um tem um emprego depois da escola, e o outro está procurando trabalho. Quero me reconectar, mas não sei como fazer isso. Parece que nossas agendas não têm nenhum ponto de intersecção.

R: Existe uma invenção introduzida recentemente no mundo ocidental chamada "mesa do jantar". É o lugar onde famílias podem não apenas comer juntas, mas também compartilhar um pouco deste mundo ocupado em que vivemos. Vocês podem trocar ideias e entregar bilhetes verbais uns aos outros. É a hora em que todo mundo tem oportunidade de se comunicar. É muito fácil ficar preso em carreiras, trabalho, escola e atividades, a ponto de perder o que é mais importante: vocês mesmos. A família funciona melhor como uma unidade na qual seus integrantes apoiam-se mutuamente.

É hora de fazer uma reunião familiar na qual todos coloquem suas agendas sobre a mesa e deem uma boa olhada nelas. Comecem encontrando uma noite ou mesmo uma tarde de sábado ou domingo em que todos possam fazer uma refeição juntos. Bloqueiem esse compromisso na agenda de todos e façam disso uma prioridade — nada deve atrapalhar esse momento. Isso significa que não deve haver nenhum dispositivo eletrônico sobre a mesa de jantar — nada de celulares, televisão alta, fones de ouvido... Você entendeu o que quero dizer. Se você tiver um telefone fixo, coloque-o no modo silencioso, para que ninguém se distraia se ele tocar. E, se você quiser adicionar um pouco de diversão a isso, peça a todos que coloquem o celular no modo silencioso. Faça uma pilha no centro da mesa, e, se alguém pegar o telefone por qualquer razão que seja, essa pessoa será a felizarda escolhida para lavar a louça e arrumar a cozinha naquela noite.

Você vai ficar surpreso ao ver como a reunião à mesa de jantar vai reapresentar vocês uns aos outros e mudar a dinâmica familiar.

ENVOLVIMENTO DOS AVÓS

P: Meus filhos têm dois tipos completamente opostos de avós. Meus pais são envolvidos com a vida dos netos — compareçam a todos os eventos —, mas os pais do meu marido são pessoas mais quietas, que tendem a se resguardar, e não conversam muito com nossos filhos, nem quando os visitamos. Nossos filhos se sentem ignorados e não querem mais ir até lá. Alguma ideia sobre como podemos abordar a questão com eles e fazer que se envolvam mais, uma vez que achamos importante que conheçam os avós?

R: Você está certa. É importante que os filhos conheçam os avós — a não ser, é claro, que os avós sejam pessoas tóxicas, amargas, abusivas ou qualquer outra coisa ruim que cause problemas a seus filhos. Mas não parece ser essa a razão do distanciamento no seu caso. Algumas pessoas simplesmente são mais quietas por natureza. Não é questão de certo ou errado, é apenas diferente. Contudo, talvez sejam quietos porque não sabem o que conversar com seus filhos.

Aqui vai a minha sugestão. Faça uma lista de coisas pelas quais seus filhos se interessam. Depois, peça a seu marido para ajudá-la a fazer uma lista de coisas pelas quais seus sogros se interessaram no decorrer dos anos, bem como experiências que tiveram. Procure tópicos que sejam comuns às duas listas. É possível, por exemplo, que seu sogro colecione moedas e seu filho mais novo também tenha interesse por moedas. Ou seu sogro pode ter jogado futebol quando criança e seu filho do meio adora futebol. Pode ser que sua sogra adorasse caminhar por trilhas nas montanhas e consiga identificar folhas de certas árvores e sua filha da quinta série tenha de identificar folhas para um projeto escolar. Procure as menores interconexões e levante o assunto de maneira informal durante uma conversa. Você vai se surpreender ao notar que a menor fagulha é capaz de pôr fogo numa conversa. Contudo, *você* precisa ser a pedra de fogo que vai gerar a fagulha. É certeza que seus sogros não vão fazer isso.

Depois de fazer algumas conexões por meio dos interesses comuns, você pode chamar seus sogros de lado e dizer: "Puxa, vocês têm tanta sabedoria para transmitir. Meus filhos estavam falando outro dia, à mesa, sobre um assunto em particular e ficaram fascinados. Vocês estariam dispostos a fazer essa atividade?".

Como num carro com a bateria arriada, às vezes os relacionamentos precisam apenas de um pequeno tranco para fazer o motor funcionar.

DESENVOLVIMENTO DO SENSO DE FAMÍLIA

P: Sou filho único e meus pais se divorciaram quando eu era pequeno. Morei alternadamente com eles pelo restante da infância, por isso nunca experimentei algo semelhante àquilo que ouvi você falar num seminário recentemente: o senso de família, onde se faz coisas juntas, se ora junto e se apoia uns aos outros. Como posso iniciar isso em minha família agora? Honestamente, não faço a menor ideia de como começar, mas certamente desejo fazê-lo.

R: Você já tem a primeira coisa de que precisa: o desejo de estabelecer uma conexão mais próxima. Agora você só precisa traçar um bom plano e se manter nele. Para estabelecer uma conexão mais próxima, é necessário começar com alguns requisitos básicos. Existem apenas três coisas que todos os seres humanos fazem: comer, dormir e ir ao banheiro. Portanto, a não ser que você queira comprimir todo mundo em seu banheiro ou tentar acordar as pessoas quando elas quiserem dormir, conectar-se em torno da comida é a melhor intersecção para a família.

Muitas famílias hoje não comem juntas. Algumas comem assistindo à televisão; outras devoram com entusiasmo um resto de *pizza* enquanto fazem o dever de casa; ainda outras usam o balcão da cozinha como mesa de jantar.

Ora, não sou uma pessoa de regras. Adoro relacionamentos, não regras. No seu caso, porém, se quiser uma mudança, terá de cuidar de toda a preparação. Tudo gira em torno do comprometimento. Com que intensidade você deseja fazer isso? Se é realmente o que deseja fazer, então é isso que vai acontecer.

Você de fato quer que sua família se conecte uns aos outros? Então deve estabelecer algumas regras básicas. Primeiro, defina o horário em que o jantar será servido — entre tal e tal hora — e exija que todos estejam presentes. Não, você não precisa ser um *chef* de cozinha nem ter todas as cores e grupos alimentares representados sobre a mesa. Um macarrão instantâneo com queijo ralado estará muito bom. Sim, você precisará fazer ajustes na agenda com relação a compromissos já firmados e também por ser época do campeonato de futebol. Mas, se você quer mesmo se dedicar à conexão e à criação de um senso de família, o conduíte primário é a mesa de jantar. É o lugar onde cada um de vocês terá uma percepção do que significa família e apoio mútuo. Não importa se a refeição acontece às cinco da tarde ou às nove da noite. Escolha um horário em que todos possam comparecer e não aceite desculpas.

Garanto que você verá seus filhos fazendo aquele olhar. "Mas o que é que você está tentando fazer?", vai pensar o menino. "Eu nem gosto da minha irmã e agora tenho de me sentar do lado dela todas as noites?"

Bem, sim, ele terá de fazer isso. Você pode ajudar simplesmente dizendo: "Gostaria de ouvir sua opinião sobre uma coisa". Pode ser sobre sua agenda de trabalho, o encontro de verão da família, a mudança na decoração da casa, as economias para a aquisição de carro novo. Qualquer coisa na qual uma criança queira se envolver. As crianças em geral, e os meninos em especial, gostam de resolver problemas. Toda vez que você pede a opinião de seu filho ou de seu cônjuge, você está dizendo: "Eu valorizo o que você pensa".

A melhor estratégia para fazer as coisas de outra maneira em sua família é simplesmente entrando de cabeça.

Faça isso.

Para mais informações, leia meus livros *É seu filho, não um hamster* e *Novo casamentos... novos filhos*.

Contagem regressiva para ter uma família transformada em cinco dias

10. Gaste seu tempo naquilo que é importante. Tudo o mais pode esperar.
9. Coloque os relacionamentos antes das coisas.
8. Incentive e concentre-se naquilo que seus filhos fazem certo em vez de espreitar o que eles fazem errado.
7. Escolha suas prioridades com sabedoria, tendo em mente o longo prazo.
6. Seja o primeiro a rir de si mesmo e gere diversão.
5. Espere o melhor e obterá o melhor.
4. Não entregue seus filhos aos cuidados de outras pessoas. O melhor presente que você pode dar — que é você mesmo — não custa um centavo.
3. Mantenha a calma mesmo durante uma crise.
2. Não guarde ressentimentos. Esqueça tudo no final do dia.
1. Lembre-se de que as palavras que você escolhe usar com seus familiares vão transformar a vida deles.

APÊNDICE

Os segredos da ordem de nascimento

A ordem de nascimento é fascinante. Falei pela primeira vez sobre esse conceito em 1967, e há uma razão para meu livro *Mais velho, do meio ou caçula* ter vendido mais de 1 milhão de exemplares. A ordem de nascimento não só nos auxilia a entender nossa singularidade, nosso papel na família e como fazer o melhor uso possível de nossas habilidades em todas as áreas da vida, como também nos ajuda a entender os outros e a trabalhar juntos de maneira mais eficiente. Primogênitos, filhos do meio e caçulas claramente apresentam capacidades e características diferentes, tanto pontos fortes como fraquezas. Ao entender a ordem de nascimento, podemos criar elos mais fortes e famílias mais felizes.

É interessante notar que a visão que uma criança tem da vida é formada com pouca idade. Como isso acontece?

Suponha que você é uma mãe de primeira viagem, desfrutando de um lindo dia no parque com seu filho de 3 anos. Ele se abaixa e pega uma substância estranha, que você não consegue identificar, e a coloca direto na boca. O que você faz? Entra em pânico. "Oh, não! O *que* é isso? Chamem um médico. Liguem para a emergência. Esfreguem a boca dele!" Enquanto isso, seu filho está mascando aquilo e pensando: "Puxa, esse negócio tem um gosto interessante".

Avance seis anos no tempo, com a mesma mãe, no mesmo parque, mas com o terceiro filho. O de 2 anos se abaixa e pega uma sobra de cigarro velha e suja, com filtro, coloca na boca, mastiga um pouco e engole com dificuldade. Você olha para sua revista. Seu marido, que está sentado bem a seu lado, torrando sob os raios do sol, dá uma olhada em sua direção e diz, como só os maridos sabem dizer: "Querida, não esquente. É rico em fibras".

Você não acha que esses filhotes vão responder de modo diferente ao mundo porque são tratados de maneira diferente por Mamãe Ursa e Papai Urso? Pode apostar que sim.

Portanto, vamos dar uma olhada em cada uma das posições na ordem de nascimento. Quem é seu primogênito, seu filho do meio e seu caçula? Em que cada um deles é bom? Em que não são bons? E como você poderia se comunicar com cada um deles de forma mais eficiente?

PRIMOGÊNITOS

Gostaria de lhe fazer algumas perguntas.

Pense num dos irmãos Baldwin. Quem é o primogênito?

Para os fãs de tênis, quem é a mais velha das irmãs Williams: Venus ou Serena?

E, para aqueles que são velhos como eu, pense numa das irmãs Mandrell e descubra quem nasceu primeiro.

Muito bem, já tem suas respostas?

Aposto que você acertou: Alec, Venus e Barbara.

Você citou os primogênitos de cada grupo. Por quê? Porque os primogênitos são feitos para o sucesso, para o reconhecimento.

Os presidentes dos Estados Unidos tendem a ser primogênitos ou primogênitos funcionais (falarei mais sobre esse termo adiante), porque os primogênitos mandam. Na eleição presidencial americana de 2012, antes de haver uma seleção dos indicados do Partido Republicano, dos nove candidatos que concorriam, oito eram primogênitos de nascimento ou primogênitos funcionais.

Dê uma olhada no líder da Associação de Pais e Mestres da sua escola. Há grandes chances de que ele seja primogênito. Os primogênitos tendem a ser nossos líderes.

O filme de sucesso *Os Caça-fantasmas*, de 1984, com Dan Aykroyd, Bill Murray e Sigourney Weaver, lançou uma canção popular de Ray Parker Jr. cuja letra dizia: "Se houver alguma coisa estranha na vizinhança, quem você vai chamar? Os Caça-fantasmas!". Bem, na família, se há algo que precisa ser feito, quem você vai chamar? O primogênito — porque ele não apenas vai fazer o que precisa ser feito, como fará do jeito certo.

Considere a família Carter. Jimmy Carter tornou-se presidente dos Estados Unidos. Seu irmão mais novo, Billy, virou rótulo de garrafa de cerveja.

E não há um primogênito vivo que não tenha ouvido alguma destas frases enquanto crescia: "O que você disse?... Não, você é o mais velho e eu espero mais de você". Ou: "Então não quer levar seu irmão mais novo com você? Tudo bem, fique em casa".

Os filhos primogênitos são preparados para o sucesso desde o momento em que saem do ventre da mãe, e a maneira como são tratados começa a moldar sua personalidade e sua visão de mundo assim que entram em cena. São líderes naturais, que aprendem a dominar seu entorno porque não são contestados nos primeiros anos de vida. Quem são seus modelos? Os pais — ou seja, os adultos.

Mas o primogênito também é o rato de laboratório da família, conforme os pais vão aprendendo os truques do ofício de criar filhos. Eles respondem imediatamente a todo choro, exageram diante de tudo que o primogênito faz e planejam cada detalhe do dia do bebê. Por acaso há alguma surpresa em perceber, mais tarde na vida, que seu primogênito espera reação imediata, responde com exagero a estímulos (tudo se torna algo enorme), desenvolve a necessidade de saber exatamente o que cada dia lhe reserva e não gosta de surpresas?

Quando um primogênito de qualquer idade lhe perguntar: "A que horas vamos sair?", não responda: "Ah, lá pelas nove". Ele quer que você seja específico. "Precisamos sair às 9h32 em ponto, uma vez que a viagem leva meia hora e precisamos estar lá às 10h15. Isso nos dará treze minutos adicionais no caso de o trânsito estar ruim". Essa é a resposta de que o primogênito gosta.

Os primogênitos são perfeccionistas, planejadores, organizadores, fazedores de listas, realizadores, gerentes bem-sucedidos e líderes naturais. Costumam ser confiantes, seguros de si, lógicos e afeitos aos estudos (os livros são seus melhores amigos).

Os primogênitos voam alto. Pense nisto: dos 23 astronautas do programa espacial americano, 21 eram primogênitos. Os outros dois eram filhos únicos. Nenhum filho do meio ou caçula à vista!

Outros primogênitos famosos: Harrison Ford, Oprah Winfrey, Brad Pitt, Hillary Clinton e Jennifer Aniston.

Mas as características de personalidade que fazem dos primogênitos bons contadores, arquitetos e conselheiros financeiros também podem trabalhar contra eles nos relacionamentos com as pessoas a quem mais amam.

No lado positivo, os primogênitos:

- Confiam na própria opinião e não têm medo de tomar decisões.
- Sempre fazem a coisa certa e analisam todos os ângulos de um projeto para realizar um trabalho perfeito.
- Estão a par de tudo, têm as coisas sob controle e costumam ser pontuais.
- São ambiciosos, empreendedores, enérgicos e dispostos a sacrificar a si mesmos para obter sucesso.
- Estabelecem objetivos e os alcançam, tendendo a fazer mais coisas em um dia do que os filhos de outra posição na ordem de nascimento.
- São planejadores (planejar o dia é quase uma obrigação) — nada de fazer as coisas por intuição.
- Jamais são considerados impulsivos nem agem de maneira irracional.

- São conhecidos como pensadores objetivos.
- Tendem a ser leitores vorazes e acumuladores de informações e fatos.
- São ótimos em solucionar problemas e pensam muito antes de decidir.

No lado negativo, os primogênitos:

- Podem ser egocêntricos (afinal, eram o centro do universo de seus pais antes da chegada daquele irmão ou irmã).
- Podem ter medo de tentar coisas novas (não têm certeza de que serão bem-sucedidos, e os pais tendiam a reagir com exagero diante de qualquer coisa nova que eles faziam na infância).
- São muito críticos consigo e com os outros.
- Nunca estão satisfeitos com o trabalho que fizeram (sempre poderiam ter "feito melhor" — afinal, precisam olhar para os adultos, que viveram mais e sabem mais, e tomá-los como modelos).
- São perfeccionistas e tendem a se preocupar demais com a ordem, os processos e as regras; não são flexíveis.
- Têm dificuldade de trabalhar com pessoas de outra posição na ordem de nascimento, que são menos organizadas e não se importam tanto com os detalhes.
- Não gostam de surpresas.
- Colocam a si e as pessoas ao redor sob muito estresse e pressão.
- Podem ficar ocupados demais com a lista diária de afazeres, a ponto de perderem de vista o quadro mais amplo da vida.
- Podem acreditar que estão sempre certos e não dar atenção às intuições dos outros.
- Podem passar tempo demais juntando fatos quando há outras coisas mais prementes a fazer.
- Podem deixar de ver o humor nas situações — costumam ser sérios.

O fato é que seu primogênito tem quase tudo a seu favor — a vida é sua ostra e ele chega mesmo a ter uma pérola lá dentro — até chegar aquele momento divisor de águas.

É quando seu pequeno xerife ouve pela primeira vez uma palavra nova: *gravidez*. Ele descobre que a mamãe vai para um lugar distante chamado hospital e que trará consigo um presente especial. Ele logo descobrirá que se trata de uma coisinha da qual poderia abrir mão.

No devido tempo, a coisinha chega em casa com a mamãe. Os avós vêm como um rebanho sorridente. Passam direto pelo pequeno xerife na porta da entrada e vão direto abraçar a coisinha. Trouxeram um presente para ela. E todas as outras pessoas que visitam fazem estardalhaço pela coisinha e lhe trazem presentes também.

Não demora muito e o pequeno xerife faz uma constatação chocante: "Acho que eles vão ficar com aquela coisinha".

É então, pais, que começa a rivalidade entre irmãos. Ela piora quando o pacotinho de problemas começa a invadir o território do primogênito e a usar seus brinquedos. Além de tudo isso, as duas crianças estão agora numa competição pela atenção dos pais.

O primogênito, que era o ponto central do lar até então — o único foco da experiência familiar de criação de filhos —, é tirado de seu papel singular. Os pais sábios vão reforçar esse papel do primogênito dizendo coisas como:

— Olhe a nenê. Ela consegue andar?
— Não — responde o pequeno xerife.
— Mas você consegue. E quantas sonecas você tira por dia?
— Uma.
— Bem, pense em quantas sonecas ela precisa tirar: oito. Você agora é o irmão maior e precisa ajudar sua irmã a crescer. Talvez você possa ensiná-la a fazer algumas coisas que você já faz, como amarrar os sapatos. Sua irmã não consegue fazer nada sozinha neste momento. Ela precisa da sua ajuda, e eu também preciso da sua ajuda. Você poderia pegar o frasco de talco ali para mim?

Convocar a ajuda de seu primogênito e solidificar a posição dele na família serão muito úteis para frear a rivalidade antes mesmo que ela comece.

A reação natural do primogênito é sentir que seus irmãos têm mais facilidades na vida do que ele. E ele está certo — em geral, cada vez que os pais adicionam um filho à família, eles relaxam um pouco mais nas regras e nas expectativas.

FILHOS DO MEIO

Qual a primeira coisa que os pais pensam quando olham para aquele novo rostinho em casa, o do segundo filho? "Ei, este bebê não se parece nem um pouco com o primeiro".

Ora, por acaso deveria parecer? Cada pessoa tem seu DNA, mas, com relação aos filhos, os pais geralmente esperam uma réplica do primeiro. Quando os professores fazem a chamada no primeiro dia de aula e veem o mesmo sobrenome de uma criança para a qual já lecionaram, podem ficar exultantes ou apavorados ao pensar que o mesmo molde apareceu uma segunda vez.

Assim que começa a engatinhar, o segundo filho cai no meio do território do irmão mais velho. Ele é o concorrente impetuoso que percebe que, quando quiser brincar com certos brinquedos fascinantes, a melhor opção parece ser levá-los para longe do primogênito, especialmente quando a mamãe e o papai tomam seu partido ao dizer ao mais velho: "Ora, ele é apenas um bebê, não sabe de nada. Deixe que ele brinque por um minuto e depois você o terá de volta". O problema é que o segundo filho usará aqueles brinquedos de uma maneira que nunca passou pela cabeça do irmão mais velho perfeccionista, que ficará horrorizado e não vai querer arranhões e amassados em seus brinquedos, que costumam estar precisamente alinhados.

Isso acontece porque o filho do meio tende a marchar seguindo o ritmo de outro tambor. No mundo dos negócios, presidentes e CEOs normalmente são primogênitos. Mas as estatísticas mostram que filhos do meio têm a tendência de se tornar empreendedores. Alguns dos mais bem-sucedidos inovadores dos negócios de hoje são filhos do meio, como Bill Gates, que abandonou a universidade e se deu muito bem; Steve Forbes, executivo editorial e pessoa influente dos negócios; e Jeniffer Lopez, atriz, cantora e *designer* de moda.

Os filhos do meio são os mais difíceis de caracterizar na posição da ordem de nascimento: quando as crianças querem saber como responder à vida, são influenciadas, na maior parte, por quem está diretamente acima delas. O primogênito está na posição singular de olhar para cima e só ver adultos. O filho do meio olha para cima e vê o irmão primogênito. Essa segunda criança não é boba. Ela vê aquele primogênito capacitado e na posição de estrela e pensa: "Humm, esse papel já está preenchido. Não posso competir com isso. Portanto, vou seguir numa direção diferente".

E é isso que fazem. A regra fundamental dos filhos do meio é que eles seguirão uma direção totalmente oposta à do primogênito. Dê uma olhada em praticamente qualquer família e você verá a aplicação dessa verdade.

Então, chega aquele momento decisivo para o segundo filho: a hora em que os pais anunciam: "Vejam só! Vamos ter outro bebê!".

De repente, o segundo filho, que já havia decidido que não iria competir com o primogênito porque nunca ganharia, está agora prestes a se transformar no filho do meio. E o bebê da família vai tomar um enorme pedaço da atenção que o segundo filho já estava lutando para receber dos pais. O filho do meio não é a estrela primogênita e não é o bebê bonitinho e indefeso. Sendo assim, "Onde me encaixo na família?", pensa ele. Agora, está espremido entre o primogênito pressionado e o bebê da família, que vai se livrar de muita coisa.

É por isso que os filhos do meio são os mais reservados de todas as ordens de nascimento. Eles provavelmente falarão menos com seus familiares e tenderão a buscar amizades fora de casa. As amizades são muitas. Os filhos do meio são leais. São ótimos em mediar e negociar porque em casa estão presos no meio-termo e precisam negociar tudo o que querem na vida. E estão acostumados a não receber aquilo que desejam, de modo que não ficam ofendidos. Eles gostam que as estradas da vida sejam suaves e trabalham duro para garantir que elas continuem desse jeito.

Eis uma coisa que o filho do meio nunca escuta durante a infância ou adolescência: "Querido, o que você acha?". Ele é sempre eclipsado por seus irmãos mais falantes de ambos os lados, por isso não é surpresa que se concentre nos amigos.

> Eis uma coisa que o filho do meio nunca escuta durante a infância ou adolescência: "Querido, o que você acha?".

Os filhos do meio crescem sentindo-se espremidos e sem raízes. Eles têm expectativas razoáveis para a vida e, em termos sociais, estão por cima. São pensadores independentes, flexíveis, diplomáticos e reservados.

Se houver um rebelde na família, normalmente é o filho do meio, que caminha de acordo com a batida de um tambor diferente.

No lado positivo, os filhos do meio:

- Percebem que a vida nem sempre é justa porque já passaram por isso — são realistas, e não mimados.
- Priorizam relacionamentos com amigos — fazem amizades e tendem a mantê-las.
- Estão dispostos a ver as coisas de maneira diferente.
- Assumem riscos que enfrentam sozinhos.
- Sabem como se dar bem com outras pessoas.
- São mediadores habilidosos para agir em disputas ou negociar desacordos.
- São pacificadores dispostos a resolver questões e são ótimos em enxergar os problemas de todos os lados.
- Pode-se confiar que vão guardar informações delicadas — são escolados em guardar segredos desde quando eram bebês.

No lado negativo, os filhos do meio:

- Podem se rebelar, pois não sentem que se encaixam.
- Podem ser desconfiados, cínicos ou até amargos porque foram tratados de maneira injusta ou sentem que foram ignorados.
- Podem permitir que os amigos assumam um lugar importante demais em sua vida — evitar ofender os amigos pode atrapalhar a tomada de decisões e o bom julgamento.

- Podem parecer teimosos, sem disposição para cooperar e obstinados (especialmente com a família).
- Estão dispostos a alcançar a paz a qualquer preço — os outros podem se aproveitar deles.
- Podem odiar a confrontação — costumam optar por não compartilhar sua verdadeira opinião e sentimentos com o propósito de manter as estradas da vida suaves.
- Podem não admitir que precisam de ajuda — fazer isso é embaraçoso demais, por estarem acostumados a levar a vida do seu próprio jeito.

De todas as ordens de nascimento, os filhos do meio tendem a ser aqueles que chegam em casa e se isolam no quarto — um lugar onde não precisam negociar nem fazer o papel de mediador entre os irmãos. Também não gostam de ser questionados por causa de seus amigos, pois veem essas amizades como mais importantes que a família, onde os filhos do meio costumam ser invisíveis.

Contudo, ao usar as dicas apresentadas neste livro sobre a comunicação com o filho do meio e o envolvimento no mundo dele, você ficará maravilhado diante do que aprenderá em relação a ele.

CAÇULAS

O bebê da família passa pela vida com o pescoço torto de tanto olhar para cima, na direção de seus modelos. Primeiro, ele vê o primogênito, a estrela do *show*, com desempenho impecável em praticamente todas as áreas da vida, sob os aplausos de todos. Então ele vê os filhos do meio, que seguem na direção oposta e geram uma rede de amigos bastante leais. O bebê tem de imaginar como vai receber atenção acima e além das peripécias de seus irmãos mais velhos. Há grandes chances de que ele venha a ser o mais sociável do bando — para ele, não existe essa coisa de estranho. É um mestre da manipulação: basta observá-lo manipulando seus irmãos para que façam o trabalho dele. Também é o que apresenta maior probabilidade de entrar de cabeça numa situação e só depois refletir sobre ela.

> "Chamar atenção" é o mote do caçula.

Os caçulas normalmente são expansivos e exuberantes. São charmosos, ligados em pessoas, afetuosos, envolventes e tenazes. Aprendem a ser obstinados desde cedo apertando os pais e os irmãos até receberem o que querem. Também são descomplicados e não são difíceis de entender, como às vezes são os filhos do meio.

"Chamar atenção" é o mote do caçula. Os mais novos também são ótimos vendedores. Eles praticam bastante com os pais e os irmãos, e aprendem quais técnicas funcionam.

Os caçulas são os comediantes da família. Alguns deles até mesmo se tornam comediantes na vida real. Eddie Murphy, Jim Carrey, Martin Short, Chevy Chase, Jimmy Fallon, Jon Stewart, Jay Leno, Whoopi Goldberg e Ellen DeGeneres são caçulas. Todos eles tiraram proveito de sua habilidade de entreter as pessoas e fazê-las rir.

No lado positivo, os caçulas:

- São amáveis, engraçados, pessoas com quem é fácil conversar.
- Leem as outras pessoas e sabem como se relacionar e trabalhar bem em parceria ou em pequenos grupos — ambientes e eventos sociais são seus prediletos.
- São insistentes e incansáveis, não aceitam um "não" como resposta.
- São atenciosos, adoráveis e gostam de ajudar.
- Apreciam toque físico.
- Têm aparência descontraída, genuína, e são confiáveis — não há motivações ocultas.
- São divertidos e engraçados, sabem como ser notados.

No lado negativo, os caçulas:

- Podem parecer manipuladores, até mesmo um pouco excêntricos.
- Podem ser considerados indisciplinados e propensos a falar demais e por muito tempo — têm boa lábia mas nem sempre produzem algo.
- Podem forçar demais as situações por insistir nas coisas de seu jeito.
- Podem ser ingênuos e facilmente explorados porque tomam decisões baseadas no que sentem, sem considerar o suficiente a razão.
- Podem parecer um pouco distraídos e fora de foco, meio cabeças de vento.
- Podem parecer egocêntricos, sem disposição para dar crédito a outros.
- Podem parecer temperamentais, mimados e impacientes.
- Parecem sempre se livrar da culpa quando crianças, frustrando seus irmãos, que frequentemente são responsabilizados pelas ações do mais novo.

Sei de tudo isso porque sou um caçula. Cresci na cidade de Buffalo, no estado de Nova York, com dois pais que trabalhavam fora. A primogênita da família, minha irmã mais velha, Sally, era perfeita naquela época... E ainda é até hoje. Nunca tirou uma nota B em nada — nem na escola, nem na vida. Era a capitã da equipe de torcida, benquista entre todos, membro da Sociedade Nacional de Honra, blá, blá, blá. Meu irmão, Jack, o primogênito dos homens e filho do meio da família, era zagueiro num time de futebol americano e, no último ano do ensino médio, foi julgado o mais bonito da turma.

Então, havia eu, o pequeno Kevin Leman. Estava entre as crianças menos brilhantes do primário. Quando perguntei sobre faculdade, minha conselheira do ensino médio me disse que eu não seria aceito nem para reformar a escola, por causa das minhas notas e dos meus modos. Todo tipo de pessoa me dava por perdido e tornei-me o melhor em ser o pior. Foi por isso que derramei meu coração e contei as histórias da minha vida nos livros *Mais velho, do meio e caçula* e *Transforme a si mesmo até sexta*, porque sei por experiência como é sentir-se julgado.

Em muitos aspectos, vivi à sombra de meus irmãos. Olhava para Sally e pensava: "Caramba, nunca vou conseguir competir com ela". Afinal, ela recebia todos os aplausos, fogos de artifício e reconhecimento. Depois, olhava para Jack, que era excelente no que fazia, uma vez que, para mim, ele era a coisa mais próxima de Deus caminhando sobre a terra. Eu era apenas eu mesmo — o pequeno Kevin, o pestinha, que sempre planejava alguma coisa, mas não era bom em nada.

Pelo menos era isso que eu pensava. Mas, no último ano do ensino médio, uma professora idosa, de cabelos grisalhos, me puxou de lado e perguntou: "Kevin, você já pensou que talvez possa usar suas habilidades para o bem?". Só então percebi que tinha habilidades. Foi um momento decisivo em minha vida. Não quero dizer que, depois disso, tudo foi muito fácil, mas pelo menos a vida começou a tomar um rumo.

Por fim, fui aceito numa faculdade — com uma carga horária de doze horas diárias.

Um ano depois, fui expulso por roubar da caixinha de contribuição.

Assim, mudei de cidade e arrumei um emprego como zelador na Universidade do Arizona. Foi ali que aconteceu o segundo momento decisivo de minha história. Conheci minha esposa no banheiro masculino do hospital, onde ela ajudava um senhor idoso a evacuar. Sande foi o gatilho que Deus usou para transformar minha vida por completo. Até então, eu havia aprendido a me ver como um fracasso total. Mas, com o incentivo de três mulheres — aquela professora de cabelos grisalhos, minha futura esposa e minha mãe, que orava por mim todos os dias, mesmo quanto tinha razões para me descartar —, comecei a me transformar na pessoa que sou hoje.

Anos depois de minha vida mudar, descobri por acaso que eu era um bom orador. Conseguia apresentar um material ótimo para cativar o interesse das pessoas, ajudá-las com assuntos práticos do lar e da família e também entretê-las.

Foi por meio do aprendizado da teoria da ordem de nascimento que percebi que todos aprendemos mentiras sobre nós mesmos ao longo do caminho, com base no modo como somos tratados por nossa família e no papel que desempenhamos. Olhando em retrospectiva, não é preciso ser PhD para me entender. Eu era o caçula da família. "Nunca vou fazer isso ou aquilo como minha irmã e meu irmão", pensava. "Sendo assim, por que tentar?" Eu me via como um fracasso e só tinha valor quando chamava a atenção — era o que eu imaginava.

Muito tempo atrás (uma vez que sou mais velho que Matusalém), comecei a colecionar e a usar meias esquisitas. Quanto mais chocantes, brilhantes, coloridas ou loucamente estampadas, melhor. Eu as uso sempre que dou uma palestra, e elas chamam bastante atenção.

> Eu me via como um fracasso e só tinha valor quando chamava a atenção.

Por que você acha que ainda hoje uso meias extravagantes? Elas até combinam com minha roupa de baixo — mas isso já é informação demais, não é?

O engraçado é que, ao final da gravação de um DVD, alguém da plateia se aproximou de mim e disse: "Dr. Leman, devo informar que o vermelho de suas meias listradas de azul e vermelho não combina com o vermelho de sua camisa".

Bem, eu lhe pergunto: você consegue imaginar essa tragédia?

Vou lhe dar apenas uma chance de adivinhar qual era a ordem de nascimento daquela pessoa da plateia.

Você está certo. Era um primogênito.

Um filho do meio me teria feito uma pergunta de relacionamento ou de amizade, pois filhos do meio são especialistas em fazer amigos, e teria parado o que estava fazendo para me conhecer e mostrar apreço pelo material que eu havia exposto.

Um caçula não teria sequer notado que eu usava meias, uma vez que estaria ocupado demais analisando a sala em busca de pessoas interessantes e conversando com os espectadores à sua volta.

Por fim, o filho único, numa categoria singular, que provavelmente teria dito alguma coisa assim: "Com base na minha pesquisa e no seu desempenho no passado, imagino que há uma chance de 90% de você usar algum tipo de vermelho em suas meias porque você está usando uma camisa vermelha. A paleta de cores que você escolheu, porém, tem 80% de vermelho, 5% de azul e...". Você sabe como é.

FILHOS ÚNICOS

Tenho uma pergunta para você, filho único: Por que você é filho único?

É porque a mamãe e o papai olharam para você e disseram: "Bem, isso aí já é suficiente"?

Em resposta a essa pergunta, um filho único me disse certa vez: "Vou lhe dizer a verdade, dr. Leman. Penso que eles alcançaram a perfeição na primeira tentativa". Então ele riu.

Existe um tanto de verdade nisso. Filhos únicos são primogênitos com esteroides. Pegue todos os pontos positivos e negativos dos primogênitos e multiplique por dez, e você terá um filho único.

Eles são perfeccionistas e grandes realizadores, comprometidos com suas tarefas e adultos em miniatura no segundo ano do ensino fundamental. Não é surpresa que costumem se sentir fora de compasso com outras crianças da mesma idade, e os livros são alguns de seus melhores amigos. Um momento prazeroso para um filho único pequeno é infiltrar-se na companhia de adultos, só para ouvir e fazer parte do grupo. Mas coloque-o no meio de uma turma barulhenta de colegas numa festa de aniversário e ele fugirá do barulho e do caos na primeira oportunidade.

Muitas vezes, durante o período em que exerci a psicologia clínica, os pais, esfregando as mãos, traziam seu filho a mim e diziam:

— Dr. Leman, estou tão preocupado. Henry parece não se dar bem com outras crianças.

Eu costumava perguntar:

— O que acontece com as outras crianças da família?

— Bem — respondiam eles —, não há nenhuma outra.

E eu dizia:

— Caso encerrado. Leve Henry para casa. Ele está bem. Os filhos únicos são assim.

Existem cinco filhos na família Leman, mas houve um intervalo tão grande entre eles (falarei mais sobre isso na seção sobre variações) que nossa caçula, Lauren, acabou se comportando como filha única. Ela passou cinco anos apenas comigo e com Sande em casa, sem a presença constante de seus irmãos mais velhos.

Um dia, enquanto eu levava Lauren de carro para a escola, ela tirou seu livro de latim da mochila. Lauren frequentava uma escola clássica na qual as crianças estudavam latim no quarto ano. (Que bom que não fui para essa escola quando criança — jamais teria passado em latim.)

Virei a cabeça para ela.

— Ah, você tem prova hoje?

Ela levantou uma sobrancelha.

— Não, não. Só achei que seria inteligente rever os verbos.

Essa é uma filha única.

Como o Super-homem, o filho único está preparado para cuidar de suas questões a qualquer hora, em qualquer lugar e sozinho. Não precisa de ninguém que o organize ou faça planos para ele, pois é capaz de fazer tudo sozinho, obrigado.

Dentre alguns filhos únicos bem conhecidos, podemos citar o dr. James Dobson, que lançou o *Focus on the Family* [Foco na família], ministério cristão destinado a ajudar famílias, e Steve Allen, o apresentador original do programa *Tonight Show* e autor de mais de dez mil músicas. O 44º presidente dos Estados Unidos, Barack Obama, é um filho único funcional (Obama tem uma meia-irmã com a qual não teve contato antes de completar 9 anos, ou seja, quando a conheceu, sua personalidade de filho único já estava formada). Entre outros, temos T. Boone Pickens, Tiger Woods, Robert De Niro, Tommy Lee Jones e Elvis Presley.

> Como o Super-homem, o filho único está preparado para cuidar de suas questões a qualquer hora, em qualquer lugar e sozinho.

Para mostrar a você quanto confio no que os filhos únicos podem fazer, gostaria de contar uma história.

Vivo em Tucson a maior parte do ano; só saio para viagens e palestras. Mas passo o verão no oeste do estado de Nova York, onde cresci; assim posso encontrar meu colega de infância Moonhead e sua adorável esposa, Wendy. Durante um desses verões, passei por uma grande cirurgia de urgência. Entreguei minha vesícula biliar nas mãos dos médicos.

Digamos apenas que eu estava numa área do estado de Nova York que não era a meca dos cuidados médicos quando precisei passar por essa cirurgia. Fui enfiado num daqueles aventais desconfortáveis cheios de aberturas e fiquei deitado numa maca de ferro; então um cara de dois metros entrou na sala. É sério. Ele era tão alto que chegava a intimidar. Seu crachá trazia um nome que para mim parecia Rumpelstiltskin de trás para a frente. Quando começou a falar sobre o que aconteceria em seguida, não entendi uma palavra do que disse. Era evidente que ele tinha vindo de outro país e que o inglês não era sua primeira língua. O fato de eu não estar de bom humor também não ajudou muito. A dor da vesícula faz isso com a gente... Ou pelo menos foi essa a desculpa que dei a mim mesmo.

Fiz um gesto para que ele fosse mais devagar e finalmente comecei a entender o que ele estava dizendo: "água de dormir".

Ora, não sou idiota. Aquela foi a indicação de que ele era o anestesista. Diante disso, falei no tom mais pomposo que consegui, enquanto estava deitado na maca, seminu:

> Falei no tom mais pomposo que consegui, enquanto estava deitado na maca, seminu: "Você não vai me dar nenhuma água de dormir até que eu descubra qual é a sua ordem de nascimento".

— Você não vai me dar nenhuma água de dormir até que eu descubra qual é a sua ordem de nascimento.

O cara se endureceu todo, parecendo ainda mais alto que seus dois metros.

— Não estou familiarizado com o termo *ordem de nascimento*.
— Você é o mais velho da família, não é? — perguntei.
Ele franziu a testa.
— Não — disse ele, ainda mais altivo de orgulho. — Sou filho *único*.
Então eu disse:
— Vá em frente.

Embora eu ainda não o entendesse, tive toda a confiança de que aquele filho único faria seu trabalho com perfeição, uma vez que os filhos únicos são perfeccionistas. Quando você se submeter a uma cirurgia, não vai querer um anestesista caçula que diga: "Opa, injetei um pouco mais".

Mas o próprio traço de caráter que faz dos filhos únicos ótimos anestesistas também pode trabalhar contra seus relacionamentos com as pessoas a quem amam.

Imagine aquele mesmo anestesista sentado à mesa para jantar — um evento que a esposa passou horas preparando — dizendo: "Ei, o que houve com a salada? Está diferente do normal".

Posso lhe garantir que aquele anestesista logo estará se esquivando dos tomates e pepinos lançados na direção dele.

Seus esforços de ser detalhista, preciso e perfeccionista no hospital não lhe renderão elogios em casa.

Nos lados positivo e negativo, os filhos únicos são como primogênitos com esteroides. Veja as características dos primogênitos discutidas no início desta seção e coloque a palavra *muito* antes de cada adjetivo. Um primogênito, por exemplo, é perfeccionista, de modo que um filho único é *muito* perfeccionista.

VARIÁVEIS QUE AFETAM A ORDEM DE NASCIMENTO

Enquanto explorávamos as características do primogênito, do filho do meio, do caçula e do filho único, você pode ter pensado: "Embora eu ocupe determinada posição na ordem de nascimento, as definições que você deu não se encaixam no meu caso".

Isso acontece porque existem variáveis que afetam a ordem de nascimento e podem tornar alguém funcionalmente alinhado com outra posição na ordem de nascimento.

Gêmeos ou trigêmeos podem parecer idênticos. Mas, assim como suas impressões digitais são diferentes, eles também desempenham papéis de ordens de nascimento diferentes na família, dependendo das variáveis.

Por isso é tão importante olhar não apenas para a sequência — a ordem em que a criança nasceu na família —, mas também para as variáveis que a afetam e, assim, determinar que papel funcional cada criança desempenha no lar e na família.

Gênero da criança

Nós, os Leman, temos cinco filhos — quatro moças e um rapaz. Nossos filhos, pela ordem, são Holly, Krissy, Kevin II, Hannah e Lauren. Portanto, tivemos duas meninas e depois nosso filho. Tecnicamente, Kevin II é um filho do meio porque ocupa exatamente essa posição. Isso significa que ele é um ótimo mediador e negociador, amado por seu grupo de amigos. Contudo, por ser nosso primeiro e único menino, ele também mostra traços de um primogênito: motivado a trabalhar duro pelo sucesso e a fazer um trabalho correto.

Se você tiver dois de um gênero e um de outro, esse outro geralmente vai mostrar os traços de um primogênito. Ele não precisa ser o mais velho da família para ter tais traços.

Intervalo entre idades

Um intervalo de cinco anos entre crianças do mesmo gênero dá início a uma nova família. Nós, por exemplo, tivemos primeiro Holly, com todos os traços característicos de primogênita. Dezoito meses depois, Krissy nasceu. Ela foi o bebê da família por quatro anos, até que veio Kevin II. Depois disso, Krissy tornou-se nossa filha do meio. Hannah nasceu nove anos depois de Kevin II, a quarta criança de nossa família. Depois disso houve um intervalo de cinco anos antes do nascimento de Lauren, nossa filha surpresa. Isso fez que, efetivamente, Lauren desse início a uma nova família dentro de nossa família. Na infância, ela agia não apenas como a menina primogênita, mas também como filha única. A mais nova da família, Lauren funciona como uma primogênita que tem seis pais, se é que você me entende. E acho bom que ela tenha espírito forte, com pais e quatro irmãos que gostam todos de "compartilhar" com ela o que fazer.

Outro exemplo de um primogênito funcional é David Letterman, apresentador do programa *Late Show*. Ele tem duas irmãs mais velhas, mas é como um filho primogênito, bastante perfeccionista e interessado em detalhes.

Diferenças físicas e mentais

Digamos que seu filho Jarrod é o primogênito. Então, dois anos depois, nasce Moose. Aos 8 anos, Moose é dez centímetros mais alto e catorze quilos mais pesado que o primogênito.

Outra hipótese: você tem duas filhas. A mais nova, Audrey, é linda como uma pintura — o tipo de beleza que atrai os olhos de praticamente todo mundo. E a mais velha, Samantha? Bem, ela... não atrai. Infelizmente, nesta sociedade que dá tanta importância à aparência, a menina mais bonita vai receber muito mais atenção.

Isso fará que Moose ultrapasse o irmão no papel de primogênito e Audrey ultrapasse a irmã no papel de primogênita.

Quando uma criança mais nova é fisicamente maior, mais alta e mais bonita, a criança mais velha normalmente se submete à liderança da mais nova em vez de tentar liderá-la. Mas quem paga por essa inversão de papéis?

O primogênito, sempre. Aquele primogênito foi preparado desde o início para vencer. Quando não consegue ser bem-sucedido, pode se sentir um fracasso e formar uma visão de mundo que segue essa linha.

Se o primogênito de uma família tem dificuldades psicológicas ou físicas, o segundo filho — seja qual for o gênero — vai passar por cima da primeira criança e tornar-se o primogênito funcional.

O pai de olhar crítico

Esta é, de longe, a variável mais importante da ordem de nascimento, especialmente para o primogênito.

O que é um pai de olhar crítico? O pai que consegue detectar uma falha a cinquenta passos de distância e que não deixa passar batido. O pai que está sempre dizendo ao filho o que fazer: "Você deveria fazer isso...", "Você deveria fazer aquilo...". O pai de olhar crítico é controlador, manipulador, tende a encontrar algo errado em tudo o que o filho faz.

Digamos que sua filha de 6 anos decide surpreender você e arruma a cama; então, ela o conduz alegremente até o quarto para lhe mostrar o que fez. O que você tende a notar primeiro? O esforço dela em arrumar a cama e a alegria por fazê-lo? Ou o fato de que a cama não está arrumada do jeito que você arrumaria? Na verdade, os quadrados da estampa da colcha estão um pouco tortos e você ainda consegue ver a ponta de um sapato e o coelho de pelúcia espreitando por baixo da cama.

Você diz: "Querida, isso é fabuloso. Você deve estar se sentindo muito bem por conseguir fazer a própria cama"?

Ou comenta: "Uau! Você fez um ótimo trabalho. Mas vamos consertar este cantinho aqui..." e vai até lá para refazer os esforços de sua filha?

Vê a diferença?

Pais que implicam com as falhas e os erros dos filhos podem levá-los a se tornar irresponsáveis, inconsistentes ou relaxados, que nunca conseguem completar nada, quanto mais fazer direito. Isso é particularmente verdadeiro em relação ao primogênito, que já é inclinado ao perfeccionismo. Ele pensa: "Não medi esforços nisso e ainda não está bom o suficiente. Sendo assim, por que me importar?". Pais de olhar crítico produzem filhos que, por medo de serem criticados, tendem a não fazer nada.

Você ou seu cônjuge tem olhar crítico? Veja algumas dicas. Seu filho é um procrastinador que inicia projetos, mas nunca os conclui? Está diariamente cercado por pilhas de coisas? Uma escrivaninha bagunçada e um quarto cheio de sujeira são sinais de rebelião contra sistemas, autoridades ou perfeccionismos — frequentemente impostos por um pai ou uma mãe de olhar crítico.

Ao olhar para seu filho, dê uma olhada em si mesmo. Você cresceu sob a mira de um pai de olhar crítico? Sofreu por causa da língua ácida de seu pai ou de sua mãe, como se nunca pudesse fazer o suficiente ou ser o suficiente para fazê-los felizes? Em caso afirmativo, isso tem enorme influência sobre você até hoje, porque, se você cresceu com um pai de olhar crítico, o que vai fazer? Tornar-se você mesmo um pai de olhar crítico. Se não acredita em mim, pense da seguinte maneira. Você já disse com veemência a si mesmo: "Eu *nunca* direi isso a meu filho" (referindo-se àquilo que sua mãe ou seu pai falaram a você)? Depois, você não apenas disse aquilo, como o fez com o mesmo tom de voz ou inflexão que sua mãe ou seu pai usavam com você? Os velhos padrões não desaparecem com facilidade.

Mas isso é algo que você tem de tratar, porque os custos por não tomar providências são muito altos. Pais com olhar crítico produzem filhos derrotados que preferem não concluir projetos e passá-los adiante porque temem mais a avaliação e a crítica do que a não finalização do que se propõem a fazer.

Se você dá muito valor às regras e a fazer as coisas de maneira certa ou perfeita, e se você está sempre dizendo a seus filhos o que eles devem fazer, você os está desanimando e os preparando para todo tipo de derrota na vida.

Caso ainda não esteja convencido da influência do pai de olhar crítico, deixe-me compartilhar mais uma coisa. Quando eu praticava psicologia clínica, numa época anterior ao advento do *e-mail*, o correio costumava usar caixas plásticas para entregar a correspondência em meu consultório. Sabe o assunto sobre o qual as pessoas mais me perguntavam? Tome como exemplo estas duas cartas:

> Ouvi você falando sobre o pai de olhar crítico e dizendo que crianças cujos pais são assim acabarão se sentindo derrotadas e incapazes de realizar qualquer coisa. Puxa, sou desse jeito. Estou sempre ansiando pelo emprego dos sonhos, mas nunca tenho coragem de buscá-lo porque receio fracassar.
>
> Don, Wisconsin

> Você me acertou de jeito. Cresci num lar cheio de olhar crítico, mas não tinha me dado conta disso até agora. O pior é que estou fazendo a mesma coisa com meus

filhos. Dia desses, minhas palavras quase fizeram meu filho em pedacinhos. Nunca me esquecerei daquele olhar no rosto dele. As coisas precisam mudar em minha casa. *Eu* preciso mudar. Mas não sei como.

Merilee, Ohio

O velho ditado "Paus e pedras podem quebrar meus ossos, mas palavras jamais me ferirão" é completamente errado. As palavras podem provocar um impacto definitivo numa criança, especialmente palavras críticas.

Por que elas atingem mais os primogênitos? Lembra-se do que eu disse sobre a maneira como cada criança olha para a posição acima dela na família? Os primogênitos olham para cima e veem seus pais. Os primogênitos são como navios quebra-gelos no lago da vida. Eles pagam o preço por qualquer crítica vinda dos pais. São os primogênitos que ficam com danos no casco à medida que abrem caminho no gelo para seus irmãos mais novos. Além disso, por serem ensinados — por você! — a buscar a perfeição, caso não sintam que alcançaram um bom desempenho, isso pode ser a morte. É ainda pior para os filhos únicos, que não têm outros irmãos com quem comparar suas realizações.

> Toda criança forma uma visão de mundo enquanto cresce — uma perspectiva que se baseia no modo como ela é tratada na família.

Toda criança forma uma visão de mundo enquanto cresce — uma perspectiva que se baseia no modo como ela é tratada na família. Essa visão de mundo é construída sobre as mentiras que aprendemos na infância e que carregamos para a vida adulta, geralmente sem perceber.

As mentiras são mais ou menos assim:

Só tenho valor na vida quando...

- *Realizo.*
- *Domino.*
- *Venço.*
- *Coloco os outros a meu serviço.*
- *Evito o conflito.*
- *Chamo atenção.*

E a lista prossegue.
Mas estas são as verdades:

- *Sou importante — para mim mesmo, para minha família e para o Deus todo-poderoso.*

- *Posso errar às vezes, mas isso não muda meu valor.*
- *Não preciso ser perfeito. Só preciso dar o melhor de mim.*

O objetivo de criar filhos não é produzir uma criança perfeita. É criar um filho que busque a excelência em vez de alguém que busque a perfeição.

Um perfeccionista estabelece padrões nos quais está destinado a fracassar, porque não há sequer um ser humano que seja perfeito. Quando o perfeccionista inevitavelmente fracassa e é criticado, ele simplesmente se fecha, sentindo-se frustrado e decepcionado consigo mesmo.

Aquele que busca a excelência estabelece padrões elevados e se esforça para alcançá-los. Às vezes consegue, outras vezes não. Mas, no meio do caminho, está aberto a sugestões, não se sente ameaçado pelas críticas e, ao avaliar as opções, considera-se mais bem equipado para atingir seus objetivos.

Quanto mais entendermos a teoria da ordem de nascimento, mais poderemos apurar nossos pontos fracos e fortes, identificar e ajustar nossos talentos individuais e promover relacionamentos saudáveis. Todos somos únicos, e há um lugar neste mundo para cada posição na ordem de nascimento. Você não precisa ser como seu irmão ou sua irmã. Você pode ser você mesmo, no seu melhor.

Notas

Segunda-feira

[1] Citação extraída de "Top 10 Best Mr. Spock Quotes", Top10-best.com, disponível em: <http://www.top10-best.com/m/top_10_best_mr_spock_quotes.html>. Acesso em 9 de mai. de 2019.

Terça-feira

[1] Publicado no Brasil sob o título *Sem tempo para ser criança: A infância estressada*, Porto Alegre: Artmed, 2004.

[2] Puja Pednekar, "Parents Too Busy to Talk to Their Kids, Finds Study", DNA, 25 de abr. de 2012, disponível em: <http://www.dnaindia.com/india/report-parents-too-busy-to-talk-to-their-kids-finds-study-1680315>. Acesso em 9 de mai. de 2019.

[3] "Women in the Labor Force: A Databook", BLS Reports, fev. de 2013, disponível em: <http://www.bls.gov/cps/wlf-databook-2012.pdf>. Acesso em 9 de mai. de 2019.

Quarta-feira

[1] Rachelle Oblack, "The Perfect Storm – Nor'easters", About.com, disponível em: <http://weather.about.com/od/winterweather/p/perfect_storm.htm>. Acesso em 9 de mai. de 2019.

[2] Alan Boyle, "How Sandy Turned into a Superstorm", NBC News, 29 de out. 2012, disponível em: <http://cosmiclog.nbcnews.com/_news/2012/10/29/14779057-how-sandy-turned-into-a-superstorm>. Acesso em 9 de mai. de 2019.

[3] Minhas desculpas aos pesquisadores, mas não consegui localizar a verdadeira fonte deste estudo. Mesmo assim, a questão da pressão do grupo é tão importante que quis incluí-la.

Quinta-feira

[1] Publicado no Brasil sob o título *Ela precisa, ele deseja*, São Paulo: Candeia, 2001.

[2] Tim Gaynor, "Tucson Remembers Shooting Victim Who Died Shielding His Wife", *Reuters*, 16 de jan. de 2011, disponível em: <http://www.reuters.com/article/2011/01/16/us-shooting-memorial-idUSTRE70F2QO20110116>. Acesso em 9 de mai. de 2019.

[3] Citado por Connie Goldman em *The Ageless Spirit*, Minneapolis: Fairview Press, 2004, p. 39.

⁴ Gesine Schaffer, "Concerns & Challenges: What Exactly Is Midlife?", Coaching 4Midlife, disponível em: <http://www.coaching4midlife.com/concerns.html>. Acesso em 14 de out. de 2014.

⁵ Xenia P. MONTENEGRO, "The Divorce Experience: A Study of Divorce at Midlife and Beyond", *AARP The Magazine*, mai. de 2004, disponível em: <http://assets.aarp.org/rgcenter/general/divorce_1.pdf>. Acesso em 9 de mai. de 2019.

⁶ "Top 10 TV Dads", *Time*, 18 de set. de 2009, disponível em: <http://entertainment.time.com/2009/09/18/top-10-tv-dads/>. Acesso em 9 de mai. de 2019.

⁷ Hannah Richardson, "A Million Children Growing Up without Fathers", BBC News Education and Family, 9 de jun. de 2013, disponível em: <http://www.bbc.co.uk/news/education-22820829>. Acesso em 9 de mai. de 2019.

⁸ Sources of Insight, "Leadership Quotes", 7 de dez. de 2011, disponível em: <http://sourcesofinsight.com/leadership-quotes>. Acesso em 9 de mai. de 2019.

Obras do mesmo autor:

Acabe com o estresse antes que ele acabe com você
A diferença que a mãe faz
É seu filho, não um hamster
Direto ao ponto
Entre lençóis
Mãe de primeira viagem
Mais velho, do meio ou caçula
O que as lembranças de infância revelam sobre você
O sexo começa na cozinha
Sete segredos que ele nunca vai contar pra você
Transforme a si mesmo até sexta
Transforme seu adolescente até sexta
Transforme seu filho até sexta
Transforme seu marido até sexta
Meu filho do coração

Compartilhe suas impressões de leitura,
mencionando o título da obra, pelo e-mail
opiniao-do-leitor@mundocristao.com.br
ou por nossas redes sociais

Esta obra foi composta com tipografia Adobe Garamond Pro e Square 721
e impressa em papel Pólen Soft 70 g/m² na gráfica Imprensa da Fé